# AS CARTAS
# DO
# CAMINHO SAGRADO

# COLEÇÃO ARCO DO TEMPO
Consultoria de Alzira M. Cohen

A SABEDORIA DO CORPO – Sherwin B. Nuland
AMOR & SOBREVIVÊNCIA – Dean Ornish, M. D.
AS CARTAS DO CAMINHO SAGRADO – Jamie Sams
AS SETE LEIS ESPIRITUAIS – Deepak Chopra
CESTAS SAGRADAS – Phil Jackson & Hugh Delehanty
CORPO SEM IDADE, MENTE SEM FRONTEIRAS – Deepak Chopra
DIGESTÃO PERFEITA – Deepak Chopra
DOMINANDO O VÍCIO – Deepak Chopra
EMOÇÕES QUE CURAM – org. Daniel Goleman
ENERGIA ILIMITADA – Deepak Chopra
MULHERES QUE CORREM COM OS LOBOS – Clarissa Pinkola Estés
NÃO FAÇA TEMPESTADE EM COPO D' ÁGUA NO TRABALHO
    – Richard Carlson, Ph.D.
NÃO FAÇA TEMPESTADE EM COPO D'ÁGUA... – Richard Carlson, Ph. D.
O CAMINHO DA CURA – Deepak Chopra
O CAMINHO DO MAGO – Deepak Chopra
O CAMINHO PARA O AMOR– Deepak Chopra
O LIVRO DO PERDÃO – Robin Casarjian
PAZ A CADA PASSO – Thich Nhat Hanh
PESO PERFEITO – Deepak Chopra
PORTAIS SECRETOS – Nilton Bonder
SONO TRANQUILO – Deepak Chopra
VIVENDO BUDA, VIVENDO CRISTO – Thich Nhat Hanh

JAMIE SAMS

# AS CARTAS DO CAMINHO SAGRADO

A descoberta do ser
através dos ensinamentos
dos índios norte-americanos

Ilustrações de
LINDA CHILDERS

Tradução de
FABIO FERNANDES

Rocco

Título original
Sacred Path Cards
The discovery of self through native teachings

*Copyright* © 1990 *by* Jamie Sams

Direitos desta edição reservados à
EDITORA ROCCO LTDA.
Rua Evaristo da Veiga, 65 – 11º andar
Passeio Corporate – Torre 1
20031-040 – Rio de Janeiro, RJ
Tel.: (21) 3525-2000 – Fax: (21) 3525-2001
rocco@rocco.com.br
www.rocco.com.br

*Printed in Brazil*/Impresso no Brasil

revisão técnica
ALZIRA M. COHEN

CIP-Brasil. Catalogação na fonte.
Sindicato Nacional dos Editores de Livros, RJ.

| | |
|---|---|
| S187c | Sams, Jamie |
| | As cartas do caminho sagrado: a descoberta do ser através dos ensinamentos dos índios norte-americanos / Jamie Sams; ilustração de Linda Childers; tradução de Fabio Fernandes; consultoria da coleção, Alzira M. Cohen. – Rio de Janeiro, Rocco, 2017. |
| | (Arco do Tempo) |
| | Tradução de: Sacred path cards: the discovery of self through native teachings. |
| | ISBN: 85-325-0433-7 |
| | 1. Sams, Jamie. 2. Autorrealização. 3. Consciência. 4. Índios da América do Norte – Estados Unidos – Religião e Mitologia. I. Título. II. Série. |
| 93-0978 | CDD-299.793<br>CDU-299.73 |

# DEDICATÓRIA

O fogo, que é nossa essência, vem das estrelas, e é às estrelas que nossas essências retornarão. A Terra é a Mãe que nos concedeu nossos corpos. Após nossa caminhada pela Terra, nossos corpos a ela retornarão. Nossos espíritos pertencem ao vento, assim como nossa respiração. Nossas palavras são aquilo que respiramos, e é por isso que são sagradas.

Através de minha respiração digo estas palavras: "Dedico este livro de palavras, assim como o seu poder de Cura, a todos os filhos da Terra, a todas as cinco raças, a todos os credos, a todas as nações – na esperança de que juntos possamos curar as feridas que temos infligido uns aos outros. Confio em que nesta Unidade curaremos nossos corações e, agindo assim, voltaremos a nos unir à nossa Mãe Terra."

Aos membros da Tribo dos Dois Mundos que me permitiram fazer uso do seu poder de Cura quando precisei, dedico este livro como uma contínua celebração da Vida. Mulher da Nuvem Branca, Caro 1 Pomba da Manhã (La Paloma), Coração de Lobo, Linda Corça Marrom, Fogo Sobre Vento, Lloydine, José, Nadia e John York, assim como minhas irmãs do Búfalo da Dimensão dos Sonhos, obrigada. Somos todos Um.

Eu fumei esta prece no Cachimbo da Tribo dos Dois Mundos, e senti o quanto ela é boa.

# SUMÁRIO

As cartas ............................................................. 9
Agradecimentos ................................................. 11
O que É o Caminho da Cura? ............................ 17
Como Utilizar as Cartas ..................................... 21
As Sequências .................................................... 24
A Sequência do Pé de Milho ............................. 27
A Sequência Avô Sol/Avó Lua .......................... 29
A Sequência das Quatro Direções ..................... 31
A Sequência da Tenda ....................................... 35
A Sequência da Árvore Da Paz ......................... 39
A Sequência da Montanha Sagrada ................... 41
A Sequência da Kiva ......................................... 45
A Sequência da Iniciação .................................. 51
Nota da Autora .................................................. 355

# AS CARTAS

1 – O Cachimbo .................................................. 59
2 – Tenda do Suor ............................................... 65
3 – Busca da Visão ............................................. 71
4 – Cerimônia do Peiote ...................................... 77
5 – Povo-em-Pé .................................................. 83
6 – Dança do Sol ................................................ 91
7 – Roda da Cura ................................................ 99
8 – Escudo do Leste .......................................... 105
9 – Escudo do Sul ............................................. 111
10 – Escudo do Oeste ........................................ 117
11 – Escudo do Norte ........................................ 123
12 – A Flecha .................................................... 129
13 – O Coral ..................................................... 137
14 – Kokopelli ................................................... 143
15 – Bastão-que-Fala ......................................... 149
16 – Lugar de Poder .......................................... 157
17 – Tenda da Lua ............................................. 165
18 – Roda do Arco-Íris ...................................... 173
19 – Cara Pintada .............................................. 179
20 – Contar os Golpes ....................................... 187
21 – Ritos de Passagem ..................................... 193
22 – Heyokah .................................................... 199
23 – Sinais de Fumaça ....................................... 207
24 – Fogueira do Conselho ................................ 215
25 – Pow-Wow .................................................. 221
26 – O Cocar ..................................................... 227
27 – O Berço ..................................................... 233
28 – Sacola de Talismãs .................................... 241
29 – Contador de Histórias ................................ 249
30 – Fogo Sagrado ............................................ 257

31 – Vaso Mágico .................................................................. 265
32 – O Tambor ...................................................................... 271
33 – Dimensão dos Sonhos ................................................. 277
34 – Cesta de Carga ............................................................. 283
35 – O Xale ........................................................................... 289
36 – Seres-Trovão ................................................................ 295
37 – O Grande Mistério ...................................................... 301
38 – Campo da Fartura........................................................ 307
39 – Povo de Pedra .............................................................. 313
40 – Grande Espelho de Fumaça ....................................... 319
41 – A Morte do Xamã ........................................................ 327
42 – Hora de Poder ............................................................. 335
43 – Cerimônia da Doação ................................................. 341
44 – Espaço Sagrado ........................................................... 347

# AGRADECIMENTOS

Gostaria de demonstrar minha gratidão pela sensibilidade dos seguintes amigos que me deram o apoio emocional necessário ao longo de todo este projeto: Sherry e Ken Carey, Wakinya-Ska, Homem-Águia, Árvore Grande, Águia Cinzenta e Mamãe Ursa, Brooke Xamã da Águia, Vovó Twylah, David e Nina, Stephanie Hammer, Judith e Fred Wolf, Sue e Jon Alexander, Katinka Xamã do Cisne, e Urso de Prata.

Um grande obrigada a Colette, Rex e Gary por revisarem o manuscrito e me ajudarem a cumprir o prazo com minha sanidade intacta.

Um agradecimento especial à equipe da HarperSanFrancisco pelo seu respeito aos Ensinamentos Sagrados da Raça Vermelha e sua disposição em permitir que essa sabedoria seja partilhada com o resto do mundo.

# INTRODUÇÃO

Eu senti no fundo do meu coração que era chegado o momento de partilhar com o mundo a Sabedoria que me orientou através do Vazio do Grande Espelho de Fumaça. Eu estava preocupada com a reação que poderia enfrentar daqueles que acreditam que os Ensinamentos Sagrados não devem ser compartilhados. Assim, eu me dirigi às Avós e perguntei. Depois, eu me dirigi aos Anciões que haviam sido meus professores, e perguntei. Todos eles disseram: "Sim, é chegado o momento."

Eles também me lembraram que os ensinamentos deveriam ser partilhados com base na minha experiência pessoal, e que os passos secretos das cerimônias não deveriam ser revelados, pois algumas pessoas poderiam distorcer as informações, ou então usá-las de maneira errada. Foi assim que iniciei este trabalho, sempre apoiada no propósito de ajudar a todos aqueles que não conseguiriam receber o conhecimento de outra forma. Baseada neste ponto de vista, consegui abrir meu peito e partilhar minha experiência, para que cada um de vocês possa participar desta jornada junto comigo, até que chegue o momento em que cada um possa, por seu turno, encontrar e seguir o seu próprio caminho. Que esses caminhos possam ser encontrados através do desejo de seus corações e da alegria de seus espíritos!

Cada passo da jornada dado na Boa Estrada Vermelha constitui uma experiência pessoal que exige plena atenção. Cada conhecimento adquirido constitui um passo adiante e significa uma pedra a mais, utilizada na construção da grande Roda de Cura, que simboliza a continuidade da vida e o Espaço Sagrado. Nós nos encontramos aqui para aprender uns com os outros, para viver harmonicamente todos os nossos relacionamentos, para expressar os nossos talentos como indivíduos, e para curar a nós mesmos e à nossa Mãe Terra. Ao realizar todas estas coisas, nos tornamos capazes de decifrar os sinais e perceber as mudanças ocorridas na Nação do Céu.

Os sinais nem sempre ficam claros para aqueles que não tiveram o privilégio de aprender a ler as nuvens ou sentir o gosto do vento. Ao mesmo tempo que eu percebia a beleza dos ensinamentos que recebi, comecei a perceber também que todas as coisas positivas devem ser partilhadas com os outros. É por isto que eu quero partilhar com vocês neste livro o dom de ler as profecias, de saber ouvir os seres da natureza, de enxergar o lugar onde vive o Futuro, e de poder cantar as canções do Grande Mistério.

Se eu vier a ajudar os meus amigos Duas-Pernas (seres humanos) de alguma maneira, saberei sentir a alegria proveniente da rica experiência da partilha. Eu não me importo se algumas pessoas preferirem criticar este trabalho. A minha resposta a elas é esta: "E você? O que é que você está fazendo no sentido de ajudar os Filhos da Terra a melhor compreender a si mesmos e a Todas as Suas Relações?" Este é o meu presente. Ele parte de meu coração, e ele é bom.

Quero tornar a compreensão destes ensinamentos bem fácil e simples de aplicar. Há quem possa pensar que este sistema divinatório não passa de um brinquedo, e pode até ser assim, se você escolher utilizá-lo somente neste nível. A profundidade de qualquer tipo de ensinamento depende sempre do nível que o estudante deseja explorar ou tem capacidade de alcançar. Como costuma acontecer, as "Águas mais calmas correm nas profundezas". O uso das Cartas do Caminho Sagrado dentro do silêncio de um coração peregrino permite que este nível de compreensão mais profundo comece a aflorar.

Nunca foi minha intenção afirmar que conheço tudo aquilo que já foi ensinado em relação a qualquer dos assuntos abordados aqui. Sou, simplesmente, uma companheira de viagem que compartilha a jornada nesta Boa Estrada Vermelha com todos vocês. Já palmilhei o Caminho da Cura e aprendi as minhas lições através da experiência pessoal. Aprendi alguns dos ensinamentos das nações Seneca, Asteca, Choctaw, Lakota, Maya, Iaqui, Paiute, Cheyenne, Kiowa, Iroquesa e Apache. No espírito do Clã do Lobo, que é o meu Clã, partilhamos e ensinamos a bondade da sabedoria que traz paz a todas as nações e a todos os povos. Somos desbravadores de caminhos, prontos a anunciar a descoberta das trilhas que cruzam a floresta, para servir de indicação aos outros viajantes.

O meu propósito, ao reabrir os Caminhos destes Ensinamentos para que outras pessoas possam se guiar por eles, é o de promover a compreensão e a paz entre todos os credos, todas as nações, todos os clãs, todas as tribos e todas as famílias. Sinto que quanto mais conhecermos uns aos outros e entendermos todo o nosso Universo, mais fácil será recriar aqui o Unimundo do qual todos nós somos originários. Foi o Grande Mistério que introduziu o Sopro da Vida em nosso mundo físico, nos concedeu dons e talentos e fez com que cada forma de vida se tornasse parte integrante de um Todo Perfeito. Esta Criação foi toda baseada no Amor. Agora, é tempo de recordar que o Universo pode voltar a ser reunido por esta mesma essência, pela energia do Amor Incondicional, para que o Unimundo possa voltar a se manifestar.

De meu Espaço Sagrado e do meu Sagrado Ponto de Vista, foi desta forma que vi e experimentei os Caminhos da Iniciação e do Crescimento que me foram revelados pelos meus instrutores.

Que estas experiências possam tocar cada um de vocês, à sua própria maneira, e que o seu Caminho seja alegre e repleto de abundância! Da'Naho! (Assim seja!), Quatro Ventos, e Muita Sabedoria...

JAMIE SAMS – Hancoka Olowampi (Canção da Meia-Noite)

# O QUE É O CAMINHO DA CURA?

Segundo a Tradição Nativa Americana a cura significa tudo aquilo que pode vir a ajudar o indivíduo a se sentir mais integrado e harmonizado com a natureza e com todas as formas de vida. Tudo aquilo que cure o corpo, a mente e o espírito é considerado Medicina. Para encontrar uma forma de Cura especial, que pudesse responder a um desafio ou a um problema pessoal, nossos Ancestrais caminhavam com frequência pelas florestas ou sobre os rochedos das montanhas em busca de indicações ou sinais que pudessem auxiliá-los na cura e na sua busca de Sabedoria. Esta Caminhada de Cura constituía um meio de restabelecer os laços com os seus Guias, ou Ajudantes de Cura. Mesmo em nosso mundo agitado de hoje é possível encontrar este Caminho de Cura, se o buscador se dispuser a ler e a entender os sinais da natureza.

A nossa intuição nos permite manter a conexão com a Terra através da compreensão das linguagens de toda a Família Planetária. O presente sistema de perguntas e respostas – As Cartas do Caminho Sagrado – colocará o leitor frente a alguns questionamentos que lhe permitirão desenvolver sua intuição pessoal. O verdadeiro Poder provém do desenvolvimento dos nossos próprios dons e de nossas capacidades individuais, e ninguém conseguirá jamais tirá-lo de nós. É chegado o momento de cada buscador reconhecer e utilizar estes seus talentos.

O Povo Vermelho vem utilizando há séculos os sinais da natureza. Baseado neles, tem tomado decisões que já afetaram Nações inteiras. As Criaturas vivas possuem suas próprias mensagens de Cura, e estão dispostas a partilhá-las com todos aqueles que se dispuserem a aprender a sua linguagem. *Hail-lo--way-ain* – a Linguagem do Amor na língua Seneca – é a forma pela qual Todos os Nossos Parentes se comunicam conosco. É através de *Hail-lo-way-ain* que nossos corações podem sentir as respostas recebidas através do Caminho da Sabedoria, e que o processo de Cura pode começar a se manifestar.

Os Duas-Pernas (seres humanos) são as únicas criaturas em nosso mundo que não vêm retribuindo ao Grande Mistério o amor que já receberam. A linguagem do Amor pode ser compreendida toda vez que a compaixão e o respeito mútuo se complementam, fechando um círculo, e são redistribuídos entre todos aqueles que partilham o nosso mundo. Enviar amor a um lindo pôr do sol, a um salgueiro, a um gavião que corta o céu, admirando a beleza de cada um destes seres, já constitui um bom começo. Cada ser vivo e cada forma de vida representam mestres e amigos em potencial. Cada um destes mestres da natureza possui um profundo amor pelo Grande Mistério e saberá levar as suas mensagens a todos aqueles que buscam os mistérios da Vacuidade. O desconhecido é constituído por estas lições que nos indicam quais os papéis que devemos desempenhar dentro da Criação, e nos indicam também os papéis dos outros indivíduos.

Compreender estas mensagens significa tornar-se Uno com as criaturas da natureza. É buscando a paz do Povo-em-Pé (as árvores), é reconhecendo o Sagrado em todas as formas de vida, e entrando em harmonia com cada ser vivo, que poderemos voltar a ser os fiéis Guardiães de nossa Mãe Terra.

A premissa básica deste conhecimento é a de reconhecer a existência do Unimundo. O Unimundo é a Família da Criação Universal. A Terra é nossa mãe, o Céu, nosso pai; nossos avós são o Avô Sol e a Avó Lua. Nossos irmãos e irmãs são o Povo de Pedra, o Povo-em-Pé, as Criaturas, o Povo-Planta e os outros Duas-Pernas. Nós nunca estamos sós. Se conseguirmos permanecer conectados à grande Família da Criação Universal, nós não teremos nada para lamentar nas ocasiões em que a nossa família humana se separa por algum motivo, ou quando alguém segue para a Estrada Azul do Espírito através da morte física. O Caminho da Sabedoria constitui uma das formas de resgatar estas conexões que ficaram perdidas.

Em nosso mundo moderno, os ensinamentos da Linguagem do Amor – *Hail-lo-way-ain* – somente podem ser captados por um coração aberto e receptivo, pois esta linguagem não constitui um sistema a mais a ser estudado, mas, sim, uma forma de vida a ser seguida. Precisamos aguçar nossa sensibilidade e despertar nossos sentidos internos para conseguir "ouvir" os sutis ensinamentos de todas as outras formas de vida que nos cercam.

Imagine que você está caminhando pelo seu lugar predileto, uma floresta, colina, um bosque ou um vale bem verdejante. Veja-se cercado pelas Criaturas que são os seus Totens, ou animais favoritos. Repare qual a direção em que o vento está soprando. Olhe bem para o Povo Nuvem – ele está tomando alguma forma? São rostos ou então animais? Sinta o calor da Mãe Terra aninhando você em seus braços carinhosos. Olhe para o Avô Sol e veja como a sua luz brinca sobre o seio da Mãe Terra. Prove o gosto da brisa e beba a promessa da chuva. Respeite e admire tudo aquilo que o cerca. Desta maneira você se prepara para deixar a Linguagem do Amor penetrar em seus sentidos, no silêncio profundo de um coração tranquilo e de uma mente apaziguada.

Cada flor e cada rocha podem vir a ser mestres. Elas só estão esperando que você reconheça isto nesta caminhada pela terra que vocês todos partilham. Cada flor, cada rocha, possui um Poder de Cura que é partilhado com generosidade e abundância, se você admiti-lo e souber abrir-se para ele. O Vento é o arauto de todas as lições, pois os espíritos sempre chegam junto com o Vento. Se ele vier do Sul, estará lhe oferecendo um ensinamento sobre fé, confiança, inocência, humildade, ou, ainda, sobre sua criança interior. Se o vento soprar do Oeste, estará oferecendo lições de conhecimento interno, procurando respostas ou traçando objetivos através da introspecção. Quando o Vento sopra do Norte, ele o aconselha a ser grato e a reconhecer a sabedoria que está a seu alcance, além daquela que você já possui pessoalmente. O Vento Leste traz progresso, novas ideias e a liberdade que é obtida através da iluminação. O Vento Leste lhe ajudará a afastar dúvidas e pensamentos sombrios, abrindo a Porta Dourada que conduz a novos níveis de entendimento.

Uma vez que já tenhamos percebido qual o tipo de lição que está nos chegando em nosso Caminho de Cura, poderemos prosseguir, tentando perceber quais são os Guias que chamam mais a nossa atenção. Quando alguma coisa nos chama a atenção, e quando nos detemos para observá-la, ela já está nos falando através da Linguagem do Amor. Quando nos abrimos para estes mensageiros, estabelecemos um laço e abrimos um canal, permitindo que a mensagem seja devidamente recebida. Ao observar cada Ajudante de Cura, quer se trate de uma libélula ou um pinheiro, um rochedo esculpido ou um Ser do Povo de Pedra, aprendemos as novas lições que a Natureza está tentando nos transmitir.

À maneira de meus Ancestrais, escolhi criar um sistema de ensinamentos conhecido como o "Caminho Sagrado", que o ajudará a ter acesso aos princípios básicos, utilizando-os junto à natureza, ou em seu lugar predileto da Mãe Terra, para restabelecer sua própria conexão com a Terra. As Cartas do Caminho Sagrado constituem uma ponte para os antigos ensinamentos dos Sistemas Nativos de Conhecimento. Só é preciso que aquele que procura tenha um coração sensível e aberto, desejo de aprender e vontade de sentir a Linguagem do Amor.

Nosso modo de vida Nativo pode levar a uma mudança de consciência que abre novas portas de expressão e de expansão. Compreender o Povo Vermelho significa integrar outra cultura e conseguir partilhar da beleza de nossos caminhos comuns. Agindo assim, acreditamos que nosso objetivo comum será alcançado: paz, verdade e cura para os filhos da Mãe Terra. Só quando os filhos da Terra estiverem curados, poderemos abrigar o Arco-Íris da Paz dentro de nossos corações. Confiamos em que todos os meios de Cura utilizados dentro do Caminho Sagrado servirão para partilhar o Poder de Cura, estabelecer novos relacionamentos e difundir a Sabedoria. Desta forma, nos transformaremos na profecia viva do Quinto Mundo da Paz.

# COMO UTILIZAR AS CARTAS

Neste baralho de Cartas do Caminho Sagrado não existem cartas restritivas ou limitadoras. A razão para isto é que, através dele, estão sendo revelados a você os passos de iniciação necessários em sua caminhada pela Terra. O propósito destas cartas consiste em indicar-lhe os passos de sua própria evolução espiritual, de uma forma que lhe permita chegar às suas verdades essenciais. Assim, se você se dispuser a ler as lições individuais e a aplicá-las à sua atual situação de vida, conseguirá obter algumas respostas específicas que ajudarão a iluminar o seu presente caminho.

É aconselhável embaralhar as cartas de lado, cuidando para que todas fiquem voltadas para o mesmo sentido. Depois, coloque-as à sua frente, e espalhe-as em forma de leque, para que você possa escolher mais facilmente qualquer carta do baralho. Tente manter um estado de total receptividade e de absoluto silêncio para poder compreender melhor as mensagens que lhe serão transmitidas e para poder perceber qual a melhor forma de utilizá-las. É fundamental reconhecer a sua própria capacidade de discernimento. Todos nós possuímos a capacidade de desenvolver a nossa intuição, e este sistema foi organizado de forma a permitir que este talento pessoal possa ser bem aplicado.

Todos nós estamos crescendo e evoluindo a olhos vistos, devido à quantidade de ensinamento que se encontra atualmente à nossa disposição. Quanto mais aprendermos acerca da vida, mais informações nos serão liberadas. Cada forma de vida nos está oferecendo ajuda neste momento, desde que nos detenhamos para ouvi-la. As Cartas do Caminho Sagrado constituem portas que se abrem para os mundos de informação e de sabedoria que permanecem acessíveis a todos os Duas-Pernas.

Estes símbolos de Cura pretendem oferecer uma abertura para todos aqueles que buscam Caminhar em Beleza com Todos os Seus Parentes. Quando falamos em Todos os Nossos Parentes, nos referimos às Criaturas-Animais, ao Povo de Pedra, ao Povo-em-Pé (as árvores), assim como à Nação do Céu, à Mãe Terra, e aos quatro Espíritos Principais – Os Espíritos do Ar, da Terra, do Fogo e da Água.

Para compreender integralmente todos os aspectos apresentados por estas cartas, você precisa estabelecer um contato mais direto com a natureza, em busca de suas próprias experiências. As cartas não passam de um instrumento útil, que o ajudarão a abrir uma porta para uma nova forma de pensar, uma nova forma de viver e uma nova forma de ser. O processo de crescimento e a sua forma de expressão dependem de cada indivíduo. Você não deve esperar receber as lições da mesma maneira ou na mesma ordem cada vez que for utilizar as cartas. É nisto que reside a beleza de nossa própria individualidade. Cada um de nós poderá expressar o seu aprendizado de maneira diferente, que representará o seu potencial de criatividade.

Muitos de vocês perguntarão: "Afinal, por que quarenta e quatro cartas?" Como muitos de vocês já sabem, *quatro* é o sagrado número das direções, e também o número dos Espíritos da Terra: Ar, Terra, Água e Fogo. Porém, muitos de vocês desconhecem que *quarenta e quatro* é um número sagrado dentro da Tradição Nativa. A razão para isto é que existem quarenta e quatro fraternidades secretas, masculinas e femininas. Estes círculos se dividem em vinte e duas sociedades no plano físico, incluindo vinte e dois membros que caminham pela Boa Estrada Vermelha (vida física), e vinte e dois membros no Acampamento do Outro Lado, ou seja, no mundo espiritual. Os membros do Acampamento do Outro Lado são formados pelos nossos Ancestrais. Na vida física existem onze fraternidades masculinas e onze fraternidades femininas, sendo que há um número idêntico de fraternidades localizadas no Mundo da Estrada Azul do Espírito. Estas organizações sagradas incluem os Guardiões do Círculo Sagrado de todas as Nações Nativas.

As Cartas do Caminho Sagrado podem ser utilizadas junto com as Cartas de Cura que eu redigi com David Carson. Você poderá utilizar as sequências deste livro junto com as Cartas de Cura ou poderá fazer o contrário. Se quiser obter maior clareza em alguma resposta, você poderá mesclar as sequências. Se quiser descobrir qual é o Totem que vai lhe dar assistência, tire uma carta de Cura junto com a carta do Caminho Sagrado. As Cartas do Caminho Sagrado trazem os ensinamentos, enquanto as Cartas de Cura representam as lições transmitidas pelos Animais-Totens.

Por exemplo, se você puxasse a carta do Fogo do Conselho (decisões), e quisesse saber que decisões precisa tomar, poderia puxar um dos Totens do outro baralho. Digamos que saísse o Búfalo. A decisão, neste caso, seria sobre a abundância, e poderia refletir suas ideias a respeito de empregos, salários, economia, ou sobre algumas comodidades que você esteja querendo introduzir em sua vida. A seguir, para obter ainda mais clareza, você poderia tirar outro Totem para descobrir que outra Criatura seria o seu professor durante todo o processo de decisão.

Os baralhos ajudam um ao outro, porém não precisam ser usados em conjunto, a não ser que você queira se aprofundar mais. Muito mais divertido é tentar aplicar sempre a sua própria intuição, podendo descobrir, assim, a variada gama de mensagens que se aplicam a seu momento presente.

As Cartas do Caminho Sagrado são auto-orientadas para que cada indivíduo possa refletir melhor sobre os papéis, talentos e capacidades que lhe permitam desenvolver a autoconfiança nesta sua Caminhada sobre a Terra. Este processo de crescimento é ilimitado e, assim como cada espírito, é eterno.

# AS SEQUÊNCIAS

Cada uma destas sequências lhe trará um ponto de vista diferente acerca do caminho que você está seguindo na vida. A intenção destas sequências é permitir que você reflita acerca das diferentes maneiras pelas quais você aplica as lições que escolheu aprender nesta sua Caminhada sobre a Terra. O poder da verdade é a força que rege as lições contidas nestas cartas. A magia reside na forma pela qual elas simplesmente lhe retransmitem as mensagens que você está precisando ouvir e que são originárias do seu próprio coração.

Estas sequências são diferentes das sequências das Cartas de Cura, porém cada conjunto de cartas pode ser utilizado junto com todas as sequências. A energia da verdade é sempre intercambiável; por isto, eu divisei um caminho em que ambos os baralhos poderiam ser usados em conjunto, refletindo diferentes aspectos de um mesmo quadro geral.

### Lições Diárias

As Cartas do Caminho Sagrado podem ser usadas muito eficazmente como guias de nossa vida diária. Basta escolher uma carta todos os dias, esforçando-se para que este ensinamento seja aplicado na vida prática. A leitura de uma carta diária poderá ajudar a aumentar a qualidade de nossa vida cotidiana. Cada vez que uma mesma carta é retirada do baralho, e que uma mesma lição é revista, a sua aplicação prática poderá mudar, conforme o processo de evolução do indivíduo. Através da introspecção e da descoberta do Ser, podemos encontrar novas maneiras de caminhar pelo Caminho Sagrado. Quando permitimos que o nosso próprio Ser se lance nesta aventura, descobrimos que a vida continua a ser mágica e plena de realizações.

Como sempre acontece, é na quietude do Coração-que--Procura que conseguiremos alcançar os níveis mais sutis destes Ensinamentos Nativos e penetrar no mundo dos conhecimentos mais profundos. Os Sistemas que virão à tona serão os seus próprios, e estarão baseados em suas próprias verdades fundamentais. Eu confio em que sua jornada será repleta de maravilhas, e que este seu processo de crescimento será agraciado com uma nova compreensão do mundo.

# A SEQUÊNCIA DO PÉ DE MILHO

# A SEQUÊNCIA DO PÉ DE MILHO

O milho vem sendo o sustento diário de nosso povo há centenas de anos. Acreditamos que o pólen do milho é sagrado, e que somos alimentados pela terra fértil, que nos dá o nosso milho de presente.

Um sábio Xamã declarou certa vez que uma filosofia que não "dava milho" não tinha valor. O milho é o símbolo de bondade, abundância e fertilidade para o nosso povo, e são estas as coisas que nos alimentam em nosso dia a dia. Quando procuramos beleza em nossas vidas diárias, conseguimos alimentar o corpo, a mente, o coração e o espírito. A beleza de viver em equilíbrio é que "dá milho".

A sequência do Pé de Milho é uma forma de receber o Maná da Vida, que provém do pólen sagrado do milho. É um delicado lembrete diário alertando que a beleza pode ser sempre vivenciada, se estivermos abertos e prontos a recebê-la.

1. A primeira carta é a carta da Raiz, que denota a beleza que pode ser vivenciada ainda hoje se nos conectarmos com a Mãe Terra. Esta carta pode significar também a "raiz" do problema, se você estiver passando por um momento confuso, relacionado a alguma situação de vida. A carta da Raiz também pode lhe permitir ver os recursos que estão a seu alcance através da ligação com a Mãe Terra.

2. A segunda carta é a carta do Caule, que expressa a atitude necessária para Caminhar em Beleza e Equilíbrio. A carta do Caule pode também denotar a lição que você precisa aprender para que possa tornar-se uma ponte entre uma trilha tortuosa e o Caminho do

Conhecimento. Esta ponte humana é caracterizada por um indivíduo pacificador, uma testemunha honesta, ou, ainda, por uma pessoa com dons de cura. Você pode ser chamado a desempenhar um destes papéis a qualquer instante. A coragem, o talento, ou a habilidade necessários para tornar-se uma ponte humana estarão sempre apoiados pela carta do Caule.

3. A terceira carta é a do Grão, que lhe revela tudo aquilo que os frutos do seu trabalho lhe trarão. A lição desta carta precisa ser totalmente digerida para que o milho possa fornecer a energia necessária para o corpo, a mente e o espírito, além de servir de apoio para o seu atual momento de vida. Para o Povo Nativo, os grãos de milho representam as sementes do futuro. Esses grãos também fornecem alimento para o presente; é aprendendo as lições do presente que o futuro estará garantido.

4. A quarta carta é a do Maná do Milho, que denota como está sendo recolhido por você o pólen sagrado, que traz abundância à sua vida. Se você está sentindo medo da escassez, a carta do Maná do Milho trará a lição que você precisa aprender para realinhar-se com o Campo da Fartura. Se sua vida e sua filosofia pessoal são "milho em crescimento", esta carta mostra como continuar a crescer.

NOTA: Atitudes podem mudar todos os dias e dependem dos acontecimentos que você vivencia. Para mudar sua atitude, você talvez queira conhecer os recursos disponíveis (raiz) e a colheita que pode estar indo ao seu encontro através da carta do Milho. Repare que a integração destas duas pistas para aquilo que você está criando é apoiada por seu caule. O caule é a atitude que dará forma física à abundância.

# A SEQUÊNCIA
# AVÔ SOL/AVÓ LUA

Na sequência Avô Sol/Avó Lua procuramos o equilíbrio natural entre os nossos lados feminino e masculino. Ambos os aspectos de nossa personalidade estão presentes para que usemos a energia das características masculina e feminina, permitindo-nos manter maior equilíbrio em todas as situações de vida.

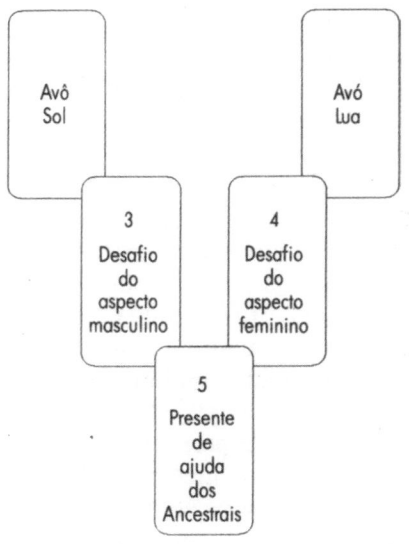

Devemos reconhecer que não faz a menor diferença saber qual o gênero de nossos corpos ou quais são as nossas preferências sexuais, já que todas as formas de vida possuem três aspectos: masculino, feminino e Divino.

Ao nos conscientizarmos das necessidades de nossas facetas masculina e feminina, passamos a reconhecer nossos desejos ou conflitos internos e a trabalhar na cura daquelas partes do nosso Ser que necessitam de ajuda. É somente a partir deste Ser equilibrado que podemos começar a buscar o alinhamento com a energia divina do Grande Mistério.

1. A primeira carta representa a lição que o seu aspecto masculino está aprendendo neste momento.

2. A segunda carta representa a lição que o seu aspecto feminino está aprendendo neste momento.

3. A terceira carta representa o desafio contido na lição do seu aspecto masculino.

4. A quarta carta representa o desafio contido na lição do seu aspecto feminino.

5. A quinta carta representa a assistência que você está recebendo dos Avôs e das Avós, enquanto aprende estas lições. Esta quinta carta é um presente dos Ancestrais que palmilharam a Boa Estrada Vermelha antes de você. Este presente pode ser bem recebido ou, então, ignorado. Ele pode lhe chegar em sonhos ou sob uma forma material. Um Ser-Criatura (animal) ou uma pessoa podem chegar com alguma mensagem, uma folha pode cair à sua frente servindo de lembrete, ou uma Pessoa-em-Pé (árvore) pode lhe conceder a sua sombra e um espaço silencioso necessários ao seu aprendizado. Aceite esse presente. Ao aceitar esse presente de sabedoria, você está concedendo a você mesmo uma maneira de vencer os desafios colocados em seu caminho pelos seus lados masculino e/ou feminino. É hora de enfrentar o movimento de evolução que existe dentro de você e de prosseguir em direção à sua próxima lição de autodescoberta.

# A SEQUÊNCIA
## DAS QUATRO DIREÇÕES

A sequência das Quatro Direções representa uma visão ampla sobre a forma pela qual você está harmonizando os seus Escudos. Cada Escudo representa uma faceta do seu poder de Cura, ou de sua própria estrutura interna, que permite a você tornar-se tudo aquilo que realmente é. Ao empregar o termo "Poder de Cura", estamos, uma vez mais, expressando as propriedades únicas de cura com as quais cada manifestação viva foi dotada, desde os primórdios do mundo físico. Qualquer manifestação física em nosso Universo possui um potencial necessário para curar, em vez de ferir. Cada flor, pássaro, árvore, pessoa, planta ou nuvem são portadores de alguma mensagem, e sua expressão permitirá que outras criaturas da natureza, necessitadas de Cura ou de lições de Sabedoria, cresçam e se curem.

(Para entender o que são seus Escudos pessoais, você precisa avaliar as suas forças e fraquezas com um "olho frio", não permitindo que o seu próprio ego atrapalhe. Para conseguir isso, utilize as lições das cartas dos Escudos das Quatro Direções deste baralho. Esta é uma lição paralela, que não faz parte da sequência das Quatro Direções.)

O arranjo para a sequência das Quatro Direções é o seguinte:

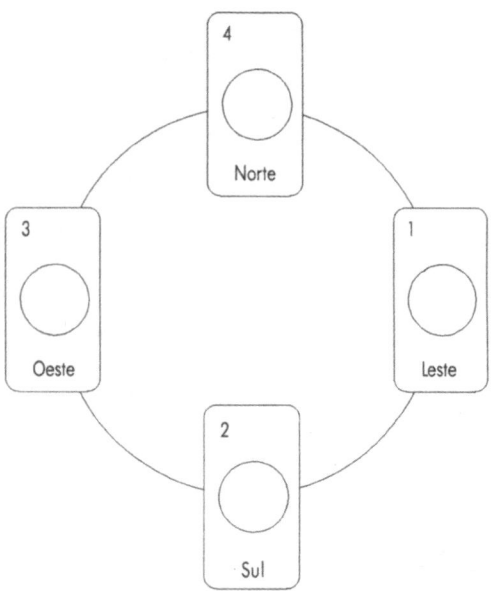

1. A carta Leste expressa a porta espiritual que você está abrindo neste momento em sua vida. Esta carta é a semente espiritual que necessita de terreno fértil e alimento. A forma pela qual você consegue alimentá-la depende da sua situação e do seu estado de espírito.

2. A carta Sul indica em que direção sua fé deve ser orientada, ou as situações nas quais uma perda de fé fez com que você se sentisse fraco. Você precisa determinar que enfoque toca a criança que existe dentro de você. Essa criança conhece toda a verdade, devido à sua fé e inocência.

3. A carta Oeste representa o encontro da resposta interior trazida pela introspecção. Para atingirmos nossos objetivos, precisamos buscar nossas próprias verdades quanto ao que desejamos, como planejamos realizar esse desejo, e qual é o nosso propósito ao alcançarmos esse objetivo. A carta Oeste fornece a ferramenta que pode nos ajudar a encontrar essas verdades.

4. A carta Norte expressa a sabedoria que você alcançará se seguir um caminho verdadeiro e aplicar o conhecimento conseguido através das outras três cartas. O Norte é também o lugar dos Anciões, da gratidão e da cura. A carta Norte é uma ferramenta que você pode utilizar para obter uma cura pessoal e/ou para descobrir quais as bênçãos pelas quais você deve ser grato neste exato momento de sua vida.

# A SEQUÊNCIA DA TENDA

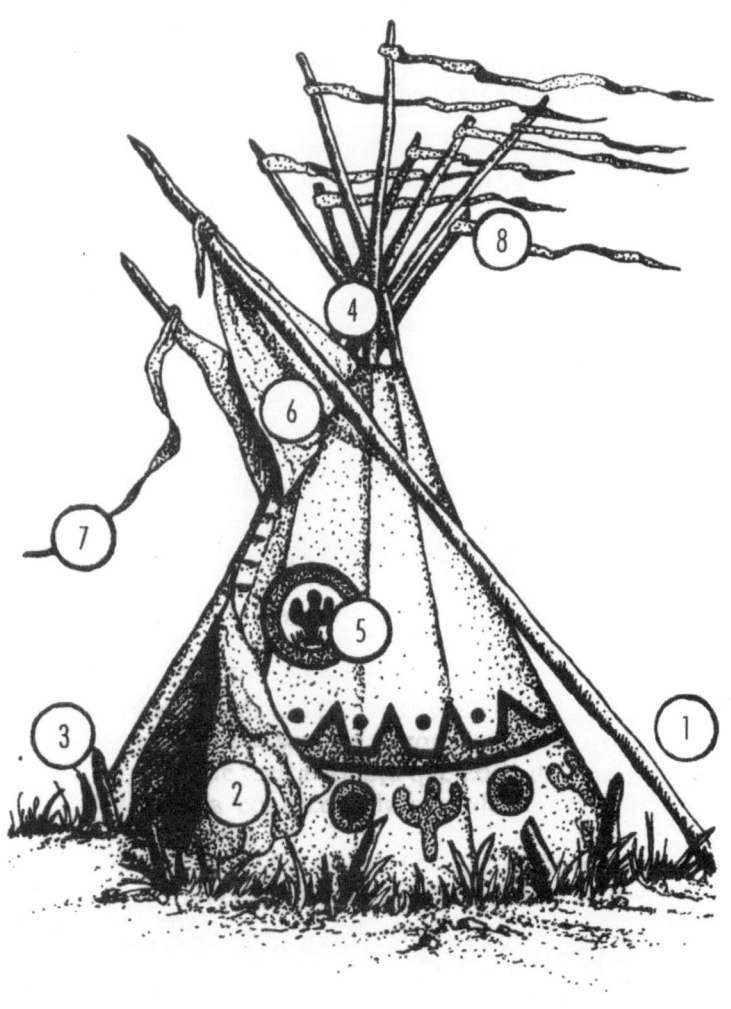

# A SEQUÊNCIA DA TENDA

A sequência da Tenda apresenta uma visão abrangente das lições de vida que você mesmo criou e revela o impacto futuro do seu modo de lidar com essas lições. Nesta tenda encontramos a casa que nos abriga e as coisas familiares que alimentam o nosso sentido de Ser. O formato cônico da Tenda permite que a Energia da Roda da Vida circule em espiral para dentro e para fora da Nação da Grande Estrela. A tenda representa também uma moradia móvel, que demonstra a flexibilidade do nosso Povo e reflete a constante necessidade de sermos maleáveis num mundo que está sempre em mutação. A Sequência da Tenda esclarece a posição de cada pessoa face a um mundo em constante movimento.

1. A primeira carta representa o Passado, ou a lição que acabou de ser aprendida.

2. A segunda carta representa a porta da Tenda, ou seja, o Presente. Esta porta significa a lição que estamos aprendendo no presente momento.

3. A terceira carta é o Futuro, localizado em frente ao momento presente. A forma pela qual vivenciamos este momento presente costuma ser determinante para o nosso futuro.

4. A quarta carta é a carta do Mastro Central, que vem a ser a estrutura que sustenta a lona, ou as peles da Tenda. Esta carta expressa a estrutura necessária para podermos manter as nossas atividades atuais em andamento.

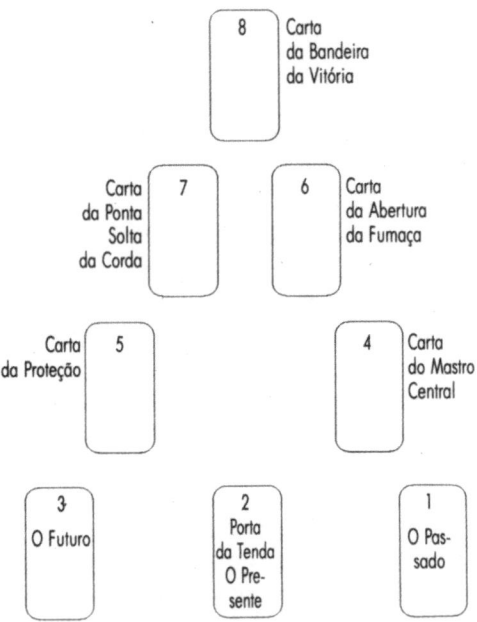

5. A quinta carta é a carta da proteção da Tenda. Cada Tenda exibe símbolos de proteção pintados na cobertura do abrigo, que representam o tipo de magia pessoal do seu morador. Esta carta revela o sistema de Cura específico para o seu próprio caso, e as forças que você tem o direito de invocar.

6. A sexta carta é a carta da Abertura da Fumaça. Ela representa o buraco existente no topo da Tenda. É por esta passagem que a fumaça da fogueira sai, para retornar ao Pai Céu. Esta carta representa determinada situação, na qual as necessidades são satisfeitas e as orações são atendidas.

7. A sétima carta é a carta da Ponta Solta da Corda, e significa que a segunda corda da abertura da fumaça soltou-se e ficou balouçando ao vento. Se esta corda não estiver bem amarrada, pode permitir a entrada de neve, chuva e vento dentro do seu abrigo. A sétima

carta representa, portanto, o desafio inesperado desta nova situação.

8. As tiras no topo dos mastros denotam a função da Tenda e o papel do proprietário dela no seio da Tribo. Essas tiras são Bandeiras da Vitória; a oitava carta, portanto, é a carta da Bandeira da Vitória, que reflete a capacidade adquirida através da realização vitoriosa de sua atual trajetória.

# A SEQUÊNCIA DA ÁRVORE DA PAZ

# A SEQUÊNCIA
# DA ÁRVORE DA PAZ

A sequência da Árvore da Paz deve ser usada se você não estiver se sentindo à vontade com o ambiente que o cerca ou com determinados aspectos do seu *Ser*. A Árvore da Paz é o Pinheiro Branco, que simboliza o fim da luta e a união das Cinco Nações Originais da Confederação Iroquesa de Paz. Nós, do Clã do Lobo, consideramos a paz nossa estrela-guia.

Para compreender o papel da paz no Quinto Mundo, para o qual estamos nos dirigindo, precisamos primeiro encontrar a paz interior. A serenidade que provém de uma consciência limpa, de um coração humilde, de um rosto sorridente, um piscar de olhos, um toque suave e uma visão positiva é a meta. No mundo moderno no qual as serenas florestas nem sempre estão ao nosso alcance, confusão, preocupação, pressa e barulho cobram o seu preço bem alto. A Árvore da Paz vive nos corações e mentes dos que procuram os lugares silenciosos do espírito.

1. A primeira carta é a do Talento Enterrado, que representa o dom ou a capacidade que você ainda não descobriu, porque não enterrou suas raízes com suficiente profundidade em nossa Mãe Terra. Este talento será aplicado diretamente na busca de sua paz interior.

2. A segunda carta é a Raiz, que representa a força a ser adquirida. Esta carta lhe fornece a ferramenta necessária para enterrar o seu atual momento de confusão e substituí-lo por novas energias e forças vitais. Quando você estiver estudando a lição apresentada por esta carta, poderá visualizá-la como sendo a raiz de uma nova compreensão do mundo.

3. A terceira carta é a do Tronco e significa a lição que você precisa aplicar a seu corpo físico e aos níveis mais profundos de seu próprio Ser. Você deve começar a aplicar esta lição em sua vida para poder caminhar com altivez, adquirindo saúde e equilíbrio.

4. A quarta carta, a do Galho, lhe ensina a lição necessária para alcançar a claridade do amor e da compreensão do Avô Sol. Esta carta também fornece uma chave para que seja criada uma nova atitude mental. Caso as suas atuais atitudes estejam limitando a alegria que você sente em sua vida, este aspecto ficará ainda mais evidente. Ou seja, esta carta reflete algum aspecto importante que está sendo deixado de lado e revela a atitude mental que lhe trará de volta o equilíbrio para que você possa alcançar a paz que procura.

5. A quinta carta é a do Pai Céu e indica o tipo de liberdade pessoal que você poderá obter. Torne-se consciente de que poderá conseguir a liberdade pessoal sempre que encontrar a paz interior. Assim, você encontrará coragem suficiente para deixar de lado os julgamentos, conflitos ou dúvidas que o estão afastando da liberdade de voar no nosso Pai Céu. Os ventos da mudança vivem no Pai Céu e podem também tornar-se seus Guias, assim que você deixar de lado os velhos hábitos que criaram a atual estagnação.

# A SEQUÊNCIA
# DA MONTANHA SAGRADA

A Montanha Sagrada é a sede do conhecimento interno e da perspectiva correta. A Montanha Sagrada de nossos Ancestrais não é um lugar físico; é um lugar de equilíbrio que existe dentro do Espaço Sagrado de cada indivíduo. Para alcançar esse centro da sabedoria e iluminação equilibrando-o com fé, confiança, inocência e coragem, você precisa escalar as montanhas e colinas de suas próprias limitações e dominar os temores que o afastam do verdadeiro conhecimento. Quando os desafios forem muitos, e o caminho for tortuoso, você pode chegar a se sentir confuso ou temporariamente perdido. Nesses momentos, a sequência da Montanha Sagrada é a ferramenta que lhe ajudará a enxergar a Verdade, a partir da perspectiva da Águia. Em liberdade, e visto do alto, o significado global é colocado numa perspectiva muito mais esclarecedora.

Eu costumo chamar essa sequência de "sequência de trabalho", pois você precisa chegar ao topo utilizando sua própria força e coragem, ao invés de ser carregado por alguma outra pessoa. Se a sua subida está se tornando difícil, e você deseja enfrentar a limitação que colocou no próprio caminho, esta é a jogada correta para o seu atual momento de vida.

As primeiras quatro cartas representam as áreas de criatividade que se abrem e que vêm complementar as limitações ou negações *que* você mesmo criou. A carta da Montanha Sagrada representa a recompensa ao final da escalada, ou os novos talentos que se revelarão assim que a jornada se completar.

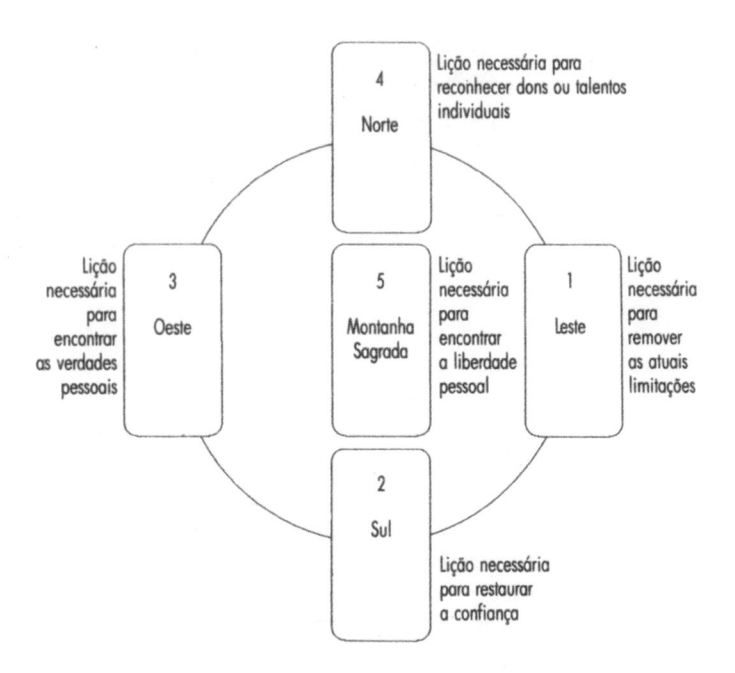

```
                    ┌─────────┐
                    │    4    │   Lição necessária para
                    │  Norte  │   reconhecer dons ou talentos
                    │         │   individuais
                    └─────────┘

  Lição      ┌─────┐   ┌──────────┐   Lição    ┌─────┐   Lição
necessária   │  3  │   │    5     │ necessária │  1  │ necessária
  para       │Oeste│   │ Montanha │   para     │Leste│   para
encontrar    │     │   │ Sagrada  │ encontrar  │     │  remover
as verdades  │     │   │          │ a liberdade│     │  as atuais
 pessoais    └─────┘   └──────────┘  pessoal   └─────┘ limitações

                    ┌─────────┐
                    │    2    │
                    │   Sul   │
                    │         │   Lição necessária
                    └─────────┘   para restaurar
                                  a confiança
```

1. A primeira carta aparece no Leste e significa a lição necessária para que qualquer das atuais limitações possa ser removida. Este é o local da Porta Dourada que se abre para todos os outros níveis de consciência. A carta que aparecer nesta posição está sugerindo que você observe bem tudo aquilo que ainda não conseguiu atingir dentro da lição desta carta. Assim, as suas próprias limitações ficarão bem mais claras e aparentes.

2. A segunda carta aparece no Sul e representa a lição necessária para restaurar sua confiança. A carta do Sul também indica o ponto em que você bloqueou a fé que tinha quando criança, os aspectos de seu ego que ainda necessitam ser trabalhados; ou como você pode se curar da dor que sente por causa da traição de alguém em quem confiou. Esta carta também pode revelar se você resolveu assumir o papel de vítima, ao invés de continuar sendo aquela criança corajosa, que encarava o mundo como uma grande aventura a ser vivida.

3. A terceira carta aparece no Oeste e aponta a lição necessária para encontrar sua verdade pessoal. Essa carta pode também indicar que existe uma limitação autoimposta com relação à sua capacidade de reconhecer tudo aquilo que é mais acertado para você.

4. A quarta carta é o Norte e representa a lição que o ajudará a reconhecer seus talentos ou dons pessoais. Se você não valorizar os seus dons, talentos, habilidades e posses materiais, pode estar afastando de você mesmo as dádivas presentes no Campo da Fartura, por não saber reconhecer a beleza de todas as dádivas que possui atualmente.

5. A quinta carta, a da Montanha Sagrada, representa a lição necessária para encontrar a liberdade pessoal. Ao deixar de lado a limitação que você pode ter colocado em seu próprio caminho, as oportunidades de crescimento começam a vir à tona. O centro do seu conhecimento interior e do seu equilíbrio, que está situado bem no topo da Montanha Sagrada, está mais acessível agora, porque você soube confrontar o seu próprio medo e a sua autolimitação. Agora chegou o momento de poder desfrutar da beleza da visão ilimitada.

# A SEQUÊNCIA DA KIVA

# A SEQUÊNCIA DA KIVA

Imagine que você está no meio do deserto, cercado de mesetas vermelhas e formações rochosas amarelentas que lembram castelos. Lá longe você vislumbra a névoa púrpura do crepúsculo, salpicada de nuvens rosadas brilhantes e os reflexos da forma radiante do Avô Sol. À sua frente está a entrada da Kiva sagrada. A abertura foi feita no solo; o buraco cavado na Mãe Terra dá apoio a uma escada que conduz para o fundo, até o espaço interior de oração, reflexão e rituais sagrados.

No fim da escada está o chão de terra; há uma pequena fogueira cerimonial ardendo a leste do centro da Kiva. As paredes brilham com o reflexo do fogo. As sombras parecem fantasmas de velhos Kachinas dançando ao redor das paredes circulares da Kiva.

Este é o local da reflexão interior. Este é o local onde o Elo Sagrado de todas as nações é integrado. À medida que você se aproxima do fogo, vai lhe sendo revelada a Magia que lhe permitirá conhecer o seu próprio lugar dentro do Elo Sagrado. Seu relacionamento com Todos os Seus Parentes torna-se mais claro. A forma como você se relaciona com cada conjunto de criaturas e formas de vida do Grande Mistério é revelada num conjunto de visões postas diante de seus olhos pelas nuvens de fumaça da fogueira cerimonial.

Imagine agora que você está jogando pedacinhos de cedro ressequido na fogueira e a fumaça do cedro produz, a cada momento, novas visões. As mensagens que você recebe dessas visões são os presentes que cada grupo de seus relacionamentos lhe oferece. Todos os Seus Parentes lhe mostrarão como compreender melhor sua própria relação com eles.

A primeira nuvem de fumaça lhe traz a visão de como você se relaciona com o Povo de Pedra, os guardiões dos registros da Mãe Terra. A visão do Escudo do Leste brilha diante de você na luz silenciosa da fogueira da Kiva. Ela lhe revela que seu caminho para a iluminação será auxiliado pelos registros que o Povo de Pedra traz. Quando você precisar de direção e força espiritual, poderá invocar o Povo de Pedra como Aliado. Pelo uso de sua intuição, você começa a compreender que os três caminhos para a iluminação estão lhe dando de presente um Ajudante de Cura. Você saberá empreender um Caminho de Cura, e poderá ouvir a voz da Pessoa de Pedra chamando por você. Essa Pessoa de Pedra fará parte de sua Sacola de Talismãs, e o ajudará a procurar as verdades do escudo do Leste. A voz dessa Pessoa de Pedra pode parecer a sua própria voz lhe falando através de seus pensamentos, ou talvez *você* simplesmente comece a sentir tudo aquilo que deseja saber.

A segunda nuvem de fumaça lhe traz uma visão do Povo-em-Pé (as árvores). Você avista nas profundezas das nuvens que se avolumam uma visão do Cachimbo chegando até você. O Cachimbo está cantando uma canção agradável que lhe transmite muita paz interior. O Cachimbo vem com a mensagem de que você deve buscar o silêncio da floresta e escutar o Povo-em-Pé, para que eles possam lhe mostrar o tipo de Pessoa-Árvore que lhe ensinará serenidade. Eles podem também estar lhe revelando que o altar para o seu Cachimbo da paz deve ser feito com uma determinada madeira. A madeira deve ser obtida da sua árvore da paz. Aprofundando-se mais na visão, você percebe que as raízes dessa espécie de Pessoa-em-Pé podem significar uma energia que vem da terra para você. A força da terra lhe permitirá apoiar-se em seus próprios valores a fim de manter a paz em sua vida. A força terrena pode lhe ensinar a fazer a conexão com a Terra e a sentir o poder da força e coragem que a Mãe Terra oferece tão livremente a todos os seus filhos.

Cada uma dessas visões vai lhe parecer muito familiar e você vai precisar usar sua intuição, que é parte de seu poder pessoal, para determinar qual é a sua mensagem particular. A sequência da Kiva deve ser feita *apenas uma vez,* e o ajudará a estruturar melhor o caminho a ser percorrido na Boa Estrada Vermelha.

1. A primeira carta é a carta do Mundo Exterior, que lhe dará uma pista para o modo como você deverá

se conduzir no mundo da vida moderna. Essa atitude o ajudará a manter o equilíbrio na vida cotidiana, para que você possa se apoiar na Verdade de seu Espaço Sagrado, convivendo bem com aqueles que o cercam.

2. A segunda carta, a carta do Entrar, lhe diz qual a atitude que deverá assumir toda vez que entrar no silêncio do ritual, da busca de visão, ou da natureza. Ela lhe revela o instrumento de que você precisa para manter a unidade com o Espaço Sagrado no qual está entrando. A carta do Entrar é representada pela escada da Kiva, e pode também lhe falar dos passos de sua jornada interior.

3. A terceira carta é a carta do Chão. Quando chegar ao escuro espaço interior da Kiva, você poderá precisar ajustar seus sentidos. A carta do Chão é a ferramenta que afinará seu senso intuitivo para que você possa compreender melhor as mensagens que a Vida apresentará em sua Caminhada pela Terra. Você está aqui para procurar respostas. No vazio do Grande Mistério, todas as respostas estão à disposição da pessoa que as procura com um coração humilde e a mente aberta. Até mesmo os estados alterados de consciência podem ser alcançados com a ajuda da carta que você puxar nessa posição.

4. A quarta carta, a carta da Pessoa de Pedra, é o presente que lhe é concedido pelo Povo de Pedra para ajudá-lo em sua Caminhada pela Terra. Esta carta pode também falar de sua própria relação com as Pedras e dos registros que elas contêm. As verdades reveladas por esta carta são bastante profundas e lhe trarão muitas revelações acerca de como o reino mineral está o ajudando nesta sua jornada.

5. A quinta carta é a carta do Povo-em-Pé, que denota a relação que você tem com a Nação das Árvores, que tipo de assistência elas oferecem a você, e em que

passos de sua caminhada pela Estrada Vermelha você precisará receber um pouco de sua paz e de sua influência terrena. Elas também ajudam na descoberta de suas raízes, da raiz de um problema, e dos ramos em que você pode desdobrar sua criatividade. Outro aspecto de seus presentes de sabedoria são os frutos de seus membros, que são as verdades daqueles que buscam a luz do Avô Sol.

6. A sexta carta é a carta das Criaturas. Fala dos meios que você precisa utilizar para se relacionar com os animais da Mãe Terra. Os seres de quatro pernas, os de barbatanas, os de asas e os rastejantes são nossos Mestres e desejam ajudar no progresso dos Filhos da Terra. Essa carta fala dos meios necessários para tornar essa ligação mais forte, assim como determina a área de sua vida em que eles possam dar-lhe maior assistência.

7. A sétima carta é a carta da Nação dos Céus, que denota o relacionamento que você tem com o Avô Sol, a Avó Lua, os seres do Trovão, o Povo Nuvem, todos os planetas, galáxias, estrelas e sistemas solares. Eles constituem a família da Nação dos Céus, e cada membro carrega consigo uma magia própria. Cada um pode lhe falar de uma forma diferente e assistir a ele em diferentes momentos de sua Caminhada pela Terra. A carta da Nação dos Céus denotará em que áreas de sua vida essa família celestial poderá ajudar, as atitudes que você precisa desenvolver para ligar-se à sua energia, ou o caminho que você precisa honrar para chegar a "alcançar as estrelas".

8. A oitava carta é a carta dos Subterrâneos, que vivem no interior da Terra. Nossos Ancestrais carregaram cem mil anos de história oral em seus corações, e através dessa história ficamos sabendo que nos originamos do interior da Terra, no princípio de cada um dos quatro mundos precedentes. As mudanças na superfície da Terra, que terminaram com cada um dos mun-

dos, foram captadas por aqueles que sabiam ouvir as vozes da natureza. Os túneis cavernosos que levam à Terra interior se tornaram acessíveis a alguns seres Duas-Pernas, em virtude de sua fé e de seu equilíbrio. Muitos representantes de nosso povo ainda vivem no mundo interior, servindo como Guardiães das sementes e das Criaturas que virão à superfície durante o Quinto Mundo. Essa família está em contato permanente com as criaturas que cavam túneis, com as raízes do Povo-em-Pé, e com o Povo de Pedra que constrói o corpo da Mãe Terra. Essa oitava carta se refere a como você pode se relacionar com os membros da família da Terra interior e a tudo aquilo que eles podem lhe ensinar. Também revela como ouvir as vozes da natureza dentro da Terra. O sol interior dos subterrâneos pode ser visto no Polo Norte, e a Aurora Boreal é um presente que o Grande Mistério nos ofertou. Essas luzes ao norte representam um Arco-Íris de paz que a família da Terra interior nos envia como um lembrete, fazendo-nos recordar o nosso maior objetivo em qualquer caminhada pela Terra: alcançar a paz.

9. A nona carta, a carta dos Ancestrais, simboliza todos aqueles que já caminharam pela Estrada Vermelha antes de você. Esses Avôs e Avós que agora caminham pela Estrada Azul do Espírito, no Acampamento do Outro Lado, estão sempre presentes aqui, prontos a ajudá-lo. Eles lhe trazem uma poderosa sabedoria e um antigo conhecimento que podem lhe abrir muitas trilhas novas de iniciação e crescimento. A nona carta fornece pistas para uma aproximação com a Estrada Azul do Espírito, e a descoberta das áreas em que os Ancestrais podem o ajudar. Ela indica o conhecimento que eles desejam partilhar, e revela se o seu caminho presente é aquele que você havia escolhido originalmente ou não. Os Ancestrais podem apresentar rotas alternativas ou podem, simplesmente, lhe mostrar o desvio que lhe permitirá corrigir um caminho torto.

10. A décima carta é a carta do Kachina, carta que fala do seu relacionamento com os Kachinas. Os Kachinas, provenientes da Grande Nação das Estrelas, vieram ter com os nossos Irmãos e Irmãs Hopi, Tewa e Zuni. Eles são os professores vindos de outros planetas e sistemas solares e trouxeram muita sabedoria e conhecimento para nosso povo. Existem muitos tipos de Kachinas, e todos eles são mestres e ajudantes. Eles podem o ajudar em sua procura da visão de futuro, na proteção de sua casa, na sua busca da verdade pessoal e da compreensão universal, e podem também o ajudar a conhecer sua origem nas estrelas e o local para onde você retornará após sua Caminhada pela Terra. Seja qual for a área que os Kachinas desejem ajudar em sua vida, esteja certo de que esta carta está lhe oferecendo os meios necessários para aprender as suas lições. Os Kachinas presenteiam todos os Buscadores da Verdade, dando-lhes intuição para atingir o verdadeiro conhecimento, coragem para enxergar bem além da ilusão física, e uma Visão mais ampla, baseada na compreensão da Grande Sabedoria Universal.

# A SEQUÊNCIA
# DA INICIAÇÃO

Cada ato ou lição de vida possui suas próprias iniciações. Assim também cada uma de nossas atividades possui um poder animal, ou Totem, que poderá nos ajudar no aprendizado de alguma lição em particular. Esse Totem torna-se nosso guia, nosso protetor, mestre e amigo. Muitas vezes as lições são difíceis de aprender, e não conseguimos enxergar os fatores que impedem o nosso progresso na vida. Quando pedimos a uma destas criaturas para nos dar assistência, estamos abrindo nossa consciência para o potencial de crescimento que cada Totem possui. Estas Criaturas aprenderam naturalmente aquelas lições que nós ainda estamos tentando aprender. Elas conseguem nos indicar, através de suas ações, e pelo seu instinto, os caminhos para que estas lições sejam aproveitadas da melhor maneira possível.

A sequência da iniciação nos ajuda a entrar em sintonia com a lição que estamos aprendendo nesse instante de nossas vidas. Podemos encontrar milhões de aplicações para cada lição que for aprendida e podemos chegar a diversos níveis de compreensão, à medida que vamos aprendendo e reaprendendo estas mesmas lições. Foi-nos ensinado que existem sete níveis de compreensão para cada ensinamento encontrado. Quando conseguirmos enxergar cada lição contida nas Sete Direções Sagradas que cercam o nosso Espaço Sagrado (Carta 44) – Leste, Sul, Oeste, Norte, Acima, Abaixo e Dentro –, estaremos preparados para perceber melhor cada um dos níveis que compõem o nosso Ser Total.

Se olhássemos para uma montanha desde cada uma destas direções, cada face da montanha seria diferente da outra, mas ela continuaria a ser a mesma montanha. O mesmo ocorre com todas as iniciações. Diferentes indivíduos experimentam diferentes lições porque estas lições dependem muito da experiência pessoal de cada um. Os totens nos fornecem a chave para descobrir como cada uma destas lições pode ser aplicada às atuais situações de nossas vidas.

Você deve utilizar a sua intuição para perceber sua situação individual e a aplicação correta do Totem a ela. O emprego da nossa intuição representa a iniciação a cada lição de consciência que surge à nossa frente. A intuição funciona melhor se você tiver uma questão ou uma situação específica claramente elaborada em sua mente, no instante em que estiver pedindo aos Professores-Totens e também aos Ensinamentos Sagrados que venham e se manifestem.

Colocamos à sua disposição 44 Totens, ou seja, animais-símbolos, junto com o tipo de qualidade energética que eles representam.

1 – ÁGUIA .................................. ESPÍRITO
2 – GAVIÃO ............................. MENSAGEIRO
3 – ALCE .................................. ENERGIA
4 – VEADO ............................... GENTILEZA
5 – URSO .................................. INTROSPECÇÃO
6 – COBRA ............................... TRANSMUTAÇÃO
7 – GAMBÁ AMERICANA ... REPUTAÇÃO
8 – LONTRA ............................ CURADORA
9 – BORBOLETA .................... TRANSFORMAÇÃO
10 – TARTARUGA ................... MÃE TERRA
11 – ALCE AMERICANO ....... AUTOESTIMA
12 – PORCO-ESPINHO ........... INOCÊNCIA
13 – COIOTE ............................ ARDILOSO
14 – CACHORRO .................... LEALDADE
15 – LOBO ................................ PROFESSOR
16 – GRALHA .......................... MAGIA
17 – PUMA ............................... LIDERANÇA
18 – LINCE .............................. SEGREDOS
19 – BÚFALO .......................... ORAÇÃO E ABUNDÂNCIA
20 – RATO ................................ MINÚCIA
21 – CORUJA ........................... DESILUSÃO
22 – CASTOR ........................... O CONSTRUTOR
23 – GAMBÁ ............................ DIVERGÊNCIA
24 – CORVO ............................. A LEI

25 – RAPOSA .......................... CAMUFLAGEM
26 – ESQUILO ........................ ARMAZENAMENTO
27 – LIBÉLULA ....................... ILUSÃO
28 – TATU ................................ LIMITAÇÃO
29 – TEXUGO ........................ AGRESSIVIDADE
30 – COELHO ........................ MEDO, TEMOR
31 – PERU .............................. DOAÇÃO
32 – FORMIGA ...................... PACIÊNCIA
33 – DONINHA ...................... DISSIMULAÇÃO
34 – GALO SILVESTRE ......... ESPIRAL SAGRADA
35 – CAVALO ........................ PODER
36 – LAGARTO ...................... O SONHADOR
37 – ANTÍLOPE ..................... AÇÃO
38 – SAPO .............................. PURIFICAÇÃO
39 – CISNE ............................. A GRAÇA
40 – GOLFINHO .................... O MANÁ
41 – BALEIA .......................... RECORDAÇÃO
42 – MORCEGO .................... RENASCIMENTO
43 – ARANHA ....................... TECER
44 – BEIJA-FLOR ................... ALEGRIA

Você tem três formas de jogar esta sequência, e deverá escolher aquela que estiver mais condizente com o seu momento presente. São elas:

1. Você poderá escrever o nome e a qualidade correspondentes a cada Totem em pequenos pedaços de papel, cortados no mesmo tamanho. Assim, você terá feito o seu próprio baralho de 44 cartas, nas quais, em cada uma, constarão o nome e a qualidade de um Totem. A seguir, coloque-os à sua frente, com o nome virado para baixo, e a parte branca para cima. Embaralhe as cartas. Concentre-se bem e retire quatro cartas de dentro do baralho.

2. Você poderá ir mais além, e tentar desenhar, à sua maneira, os Totens em pequenos pedaços de papel, acrescentando, a cada desenho, o nome e a qualidade correspondentes a cada Totem. Isto lhe dará a oportunidade de estudar as características próprias de

cada Totem, através das cores e formas dos animais correspondentes, e de ficar, assim, mais sintonizado com a energia de cada um. A seguir, coloque-os à sua frente, com o desenho voltado para baixo. Embaralhe as cartas, concentre-se e retire quatro cartas do baralho.

3. Você poderá, simplesmente, deixar aberta à sua frente a página em que estão relacionados os nomes dos Totens. Para seguir este processo, aja da seguinte maneira: prepare quatro pedaços de papel em branco e deixe-os a seu lado, perto do livro aberto à sua frente, na página em questão. Feche os olhos e concentre-se bem. Sinta sua respiração fluindo suavemente através de suas narinas. Conecte-se com a energia dos Totens, e peça-lhes uma orientação para o seu atual momento de vida ou para alguma questão que esteja necessitando de esclarecimento. A seguir, e ainda com os olhos fechados, coloque o dedo sobre um dos Totens da lista. Abra os olhos e anote o nome e a qualidade do Totem num dos quadrados de papel que estão à sua frente. Volte a fechar os olhos, a concentrar-se, e peça orientação ao segundo Totem, apontando-o a seguir no livro. Repita quatro vezes esta operação, anotando também, num canto do papel, a ordem da retirada. No final, você terá o nome e a qualidade de quatro Totens escritos à sua frente, e terá anotado a ordem em que os escolheu. Em qualquer dos casos, coloque as quatro cartas à sua frente, na seguinte ordem, e sempre com a anotação do Totem virada para baixo:

|  | Professor-Totem | Lição Consciente |  |
|---|---|---|---|
| Cartas da Cura | 1 | 3 | Cartas do Caminho Sagrado |

Lições na Vida Física

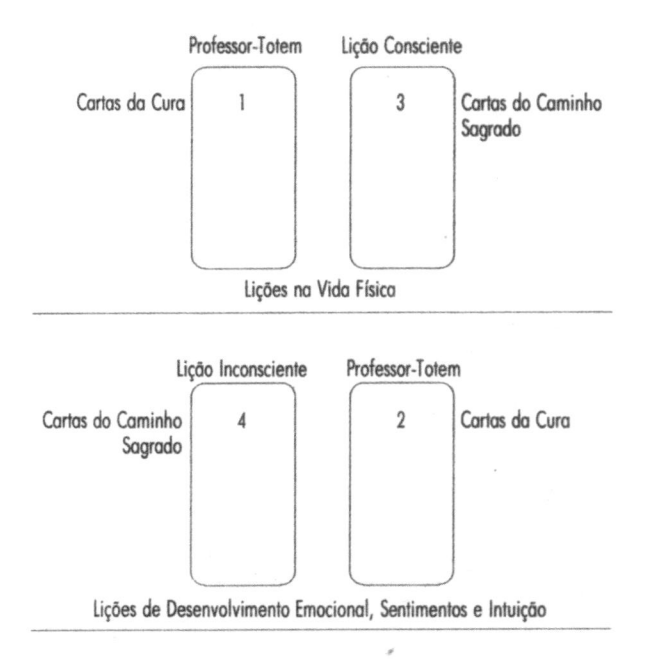

|  | Lição Inconsciente | Professor-Totem |  |
|---|---|---|---|
| Cartas do Caminho Sagrado | 4 | 2 | Cartas da Cura |

Lições de Desenvolvimento Emocional, Sentimentos e Intuição

    Vire a carta número 1 e veja qual é o seu Professor-Totem. Ele será o seu guia. Veja que tipo de energia esta Criatura oferece de boa vontade para o ajudar a ter uma maior compreensão do seu momento de vida. Então imagine o animal andando a seu lado, participando de sua experiência de vida nos próximos dias. Ele será o seu Professor-Totem para suas atividades no plano físico e material.

    Agora vire a carta número 2 e descubra qual é a lição de que você está necessitando a nível emocional, dos sentimentos e da intuição. A carta número 3 lhe trará uma lição necessária para a sua vida física consciente, e a número 4 lhe indicará tudo aquilo que o seu corpo emocional e seus sentimentos estão necessitando em um nível mais inconsciente. É nesse nível que encontramos o nosso Mestre-dos-Sonhos do Totem, que guarda nossos objetivos, sonhos e desejos mais ocultos.

    Olhe para o Totem. Observe-o e sinta-o. A essência desse mestre representa um talento pessoal que você vem ignorando até hoje? Você sente que pode utilizar esse mesmo dom para perceber a lição inconsciente que está prestes a emergir? Esse ensinamento revela a evolução que pode ser necessária para que você vença o seu próximo desafio na vida.

As duas cartas do alto dessa sequência oferecem a orientação necessária para compreender situações de vida que você já conhece, e as duas de baixo fornecem a assistência necessária para entender as emoções que podem ajudar ou inibir o seu crescimento pessoal. Cada pessoa terá que se olhar bem profundamente para reconhecer os aspectos do seu próprio Ser que gostaria de manter ou de modificar. Lembre-se sempre de que o coração representa a sua criança interna, e a verdade deve viver dentro do seu coração para que a vida não se transforme em uma grande mentira.

# AS CARTAS

# O CACHIMBO

Cachimbo de meus Antepassados,
Ensina-me a cantar em louvor
A todos os presentes
Que o Grande Mistério me traz.

Permite-me alcançar
A libertação do espírito,
E transmite ao meu coração
A chama
Da tua paz eterna.

# 1
# O CACHIMBO
## Oração/Paz interior

**Ensinamento**

Desde o momento em que a Grande Mulher Novilha de Búfalo Branco apareceu à Nação Sioux, o Cachimbo vem sendo considerado uma Cura Sagrada, partilhada entre os Irmãos e Irmãs da América Nativa. Trata-se de uma forma de oração, que nos permite falar a verdade e curar relacionamentos feridos ou rompidos.

Nós recebemos o Cachimbo para poder enviar nossas preces e manifestar nossa gratidão ao Grande Mistério e para simbolizar a paz entre todas as Nações, Tribos e Clãs. O fornilho do Cachimbo representa o aspecto feminino de todas as coisas vivas e o tubo é o símbolo do aspecto masculino em todas as formas de vida. O simples ato de colocar o tubo no fornilho simboliza união, criação e fertilidade.

Quando o Cachimbo está abastecido, cada pitada de Tabaco é abençoada, assim como cada ramo de Nossos Parentes é convidado a entrar no Cachimbo na forma de espírito para poder ser honrado e fumado. Honramos a Mãe Terra, o Pai Céu, o Avô Sol, a Avó Lua, as Quatro Direções, o Povo-em-Pé (árvores), o Povo de Pedra, os seres de asas, os seres de barbatanas, os de quatro patas (animais), os rastejantes (insetos), a Grande Nação das Estrelas, os Irmãos e Irmãs do Céu, os povos subterrâneos, os seres do Trovão, os Quatro Espíritos principais (Ar, Terra, Água e Fogo), e todos os seres de Duas Pernas da família humana.

Ao fumar o Cachimbo, é de suprema importância que cada pitada de tabaco colocada no fornilho seja fumada. Cada floco de tabaco assumiu um espírito em seu corpo e é honrado como tendo a essência de Todos os Nossos Parentes em sua forma. Se o fogo, que é parte da Eterna Chama da Vida, não toca nem incendeia o tabaco, o espírito que está lá dentro não pode ser libertado em fumaça. Se a fumaça não é aspirada pelo corpo, os espíritos de Nossos Parentes e de nossos Ancestrais não podem entrar em comunhão conosco. Esvaziar um fornilho que não foi totalmente fumado é cometer um grave erro e desonra os espíritos que vieram fumar conosco. O uso irresponsável do Cachimbo Sagrado pode prejudicar a boa vontade dos espíritos em vir nos assistir na nossa busca de unidade.

A fumaça que sai do Cachimbo representa prece visualizada e nos lembra do espírito presente em todas as coisas. Compreendemos que toda a vida provém do Grande Mistério e retornará a essa fonte original. Graças a essa compreensão, sabemos que estamos todos seguindo o mesmo trajeto, caminhando juntos em cada parte do Elo Sagrado ou da Roda da Vida.

Toda vez que partilhamos o mesmo Cachimbo descobrimos a união com Todos os Nossos Parentes. A essência de toda criatura viva penetra em nós quando a fumamos e passamos a carregar seus espíritos dentro de nossos corpos. Somos lembrados de que a harmonia é alcançada através da união sagrada com todos os seres que nos cercam. Nunca pensamos que o espírito de qualquer forma de vida pode estar fora de nós mesmos, já que através do Cachimbo pedimos a eles que entrem em nosso Ser e dividam nosso próprio Espaço Sagrado e nossa experiência de vida.

Ser um Portador de Cachimbo é uma honra e uma vocação. O Portador de Cachimbo pode ser convocado para fumar em nascimentos, mortes, casamentos, ritos de passagem, acordos contratuais, conselhos, cerimônias especiais de purificação, meditações ao luar, ou quando alguém necessita de conforto, preces, ou deseja agradecer os benefícios recebidos.

É normalmente através de visões ou de sonhos, e somente após um longo período de preparação e purificação, que uma pessoa pode ser chamada para servir ao nosso povo como um Portador de Cachimbo. O caminho do Portador de Cachimbo jamais representa modismo ou tendência; trata-se de um modo de vida que vem do coração. O Caminho da Cura é uma longa e estreita trilha de descoberta, repleta de constantes renascimentos. Jamais deveria ser tratado de maneira frívola. Os Portadores de Cachimbo são os guardiães da nossa Tradição Sagrada e dos nossos rituais. Eles servem ao nosso povo, assim como um pastor ou um rabino servem a uma igreja ou a uma sinagoga.

Os aspectos do ensinamento do Cachimbo que simbolizam a paz são multifacetados. No mundo moderno muitas vezes olhamos para a paz como ausência de guerra, mas a paz representa muito mais do que isto, dentro do nosso modo nativo de pensar. A paz é um modo de agir, saber, criar, ouvir, falar e viver. Em todas as circunstâncias a paz vem do interior de nosso próprio Ser. Essa paz resulta do equilíbrio de reconhecer e honrar as polaridades macho/fêmea, ensino/aprendizagem, humildade/orgulho e todos os outros aspectos do viver em harmonia. Não é algo que possa ser pesado, exceto pelo nosso próprio Ser. Se tivesse que haver uma medida, ela seria determinada pela capacidade do coração de permanecer aberto, sereno e livre de receios.

Meu avô me levou ao lago da fazenda quando eu tinha sete anos, e me pediu para jogar uma pedra na água. Recomendou que eu prestasse atenção aos círculos criados pela pedra. Então me pediu para pensar em mim como essa Pessoa de Pedra. "Você pode criar muitos impactos na vida, mas as ondas provocadas por esses impactos irão perturbar a paz de todas as outras criaturas", disse ele. "Lembre-se de que você é responsável pelo que colocou em seu círculo e que seu círculo também tocará em muitos outros círculos. Você precisará viver de uma forma que permita que o bem que sai de seu círculo envie a paz dessa bondade para os outros. O impacto que vem da raiva ou da inveja enviará esses sentimentos maus para outros círculos. E você será responsável por uns e outros."

Foi a primeira vez que percebi que cada pessoa cria a paz interior ou a discórdia que flui para o mundo. Não podemos construir a paz mundial se estivermos emaranhados em conflitos internos, ódios, dúvidas ou raivas. Nós irradiamos os sentimentos e pensamentos que guardamos dentro de nós, quer os exteriorizemos ou não. O que quer que se passe dentro de nós se espalha pelo mundo, criando beleza ou discórdia frente a todos os outros círculos de vida.

A palavra e a honra de uma pessoa são tão sagradas que elas devem ser mantidas a qualquer preço, mesmo que isto custe a vida dessa pessoa. Sempre que o Cachimbo é partilhado, as palavras ditas e os acordos feitos são baseados na ideia indígena de honra, verdade e compreensão mútua, que sempre emana da paz interior de cada um.

## Aplicação

A carta do Cachimbo fala da paz interior que pode ser encontrada através do equilíbrio do Ser. Agora chegou o momento de saber honrar ambos os lados de sua natureza, o masculino e o feminino, e reconhecer a Chama Eterna do Grande Mistério que vive dentro de você. A forma como você influencia as vidas dos outros depende deste seu equilíbrio interno.

A paz interior pode ser encontrada através da prece, e da compreensão de seu papel individual dentro do Todo da Criação. A paz mundial começa dentro do coração de cada indivíduo. Chegou o momento de fazer as pazes com os outros ou com qualquer conflito interno que impeça você de ver a beleza de seu verdadeiro potencial.

Em todos os casos, a carta do Cachimbo pede que você honre as bênçãos concedidas pelo Grande Mistério. Ela pede a você que honre tudo aquilo que você é e o motivo por que você está aqui. Ela lhe pergunta como você pode ajudar o mundo. Ao fazer as pazes com o seu próprio Ser interno, essas questões serão respondidas e o Caminho Sagrado se tornará mais claro e luminoso dentro de você.

# TENDA DO SUOR

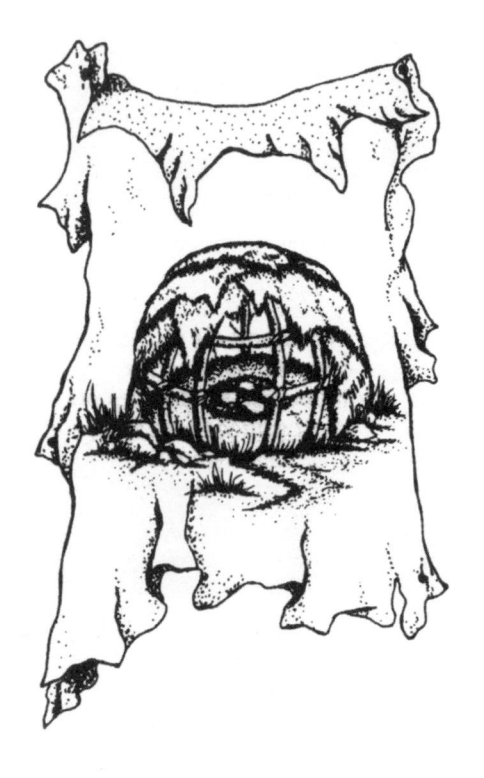

Fogo da Purificação,
　Vapor das Pedras Sagradas,
　　Cordões de preces e tabaco,
　　　Fundem-se nas canções do espírito.

# 2
# TENDA DO SUOR
## Purificação

**Ensinamento**

O termo "Tenda do Suor" é usado há muito tempo e não chega a expressar realmente o propósito dessa cerimônia. O propósito é purificar o corpo, a mente e o espírito, de forma que um novo sentido de Ser possa estar presente em nosso caminho. Você realmente começa a suar ao entrar na tenda, mas este não é o motivo principal pelo qual você participa da cerimônia.

Através dos séculos o povo americano nativo sempre compreendeu o propósito da purificação. O espírito pode ficar um pouco "enferrujado" ao longo do tempo, sempre que as experiências da vida física se tornam descontroladas. A partir do início do Quarto Mundo que representa o Mundo da Separação, cerca de sessenta mil anos atrás, a polarização de todas as nações, credos e raças devastou os Filhos da Terra. Fomos ensinados a odiar qualquer um que pareça, aja, ou possua crenças diferentes das nossas. No mínimo, fomos educados para suspeitar dos outros e menosprezar outros costumes e atitudes devido à ameaça que eles representam para o nosso próprio sistema de crenças (não importa de que raça sejamos ou a que culto nos dediquemos). Os sistemas de conhecimento dos Nativos Americanos são diferentes. Podemos acreditar em algumas coisas, sabendo que estas crenças podem ser modificadas. Porém, encontrar o verdadeiro conhecimento é bastante diferente; significa possuir um dom que passa a fazer parte de nosso Ser total e a representar uma extensão de nós mesmos, assim como um braço ou uma perna. Nossas crenças, entretanto, podem estar repletas de conceitos distorcidos, ou estar baseadas em opiniões alheias, criando ideias confusas. Nossas ideias podem estar baseadas na crença de que uma coisa está certa só porque alguém disse que está. Como Família da Humanidade, há muito nos esquecemos de que este tipo de comportamento precisa ser modificado. Se nos esquecermos de rezar pelo amor e pela paz nos corações de todas as raças, nações e credos, destruiremos a intenção pura de nossas orações e louvores.

Antes da realização de qualquer ritual ou cerimônia dos Nativos Americanos, todos os participantes devem purificar o corpo, a mente e o espírito. Entrar no espaço cerimonial carregando impurezas equivale a diminuir o potencial do resultado da cerimônia. A purificação pode ser feita com fumaça de salva ou de cedro, com uma cerimônia na Tenda do Suor, "emplumação", ou de muitas outras maneiras. Quando os participantes da cerimônia recusam-se a realizar uma purificação antes de tomar parte no ritual, o espaço ritual fica maculado. Não pode haver interação total entre os participantes se um único deles trouxer consigo ressentimento, ódio, ciúme, inveja ou alguma outra emoção negativa. Por isso os nossos Ancestrais Nativos criaram rituais para permitir que cada pessoa se livre da "ferrugem" que a impede de brilhar e de contribuir com seus talentos individuais para o bom resultado da cerimônia.

A Tenda do Suor é construída com salgueiros e tem forma circular. O número de salgueiros usados depende do propósito da tenda. Em nossa tradição Seneca, o salgueiro é a árvore do amor. O salgueiro se curva graciosamente e não se quebra com facilidade. Muitas vezes a porta da Tenda é colocada a Leste para que o espírito e a iluminação da Estrada Azul possam entrar e participar da cerimônia. Outras vezes a porta abre-se para a direção Oeste, permitindo que a energia feminina, receptiva e curadora, possa entrar na Tenda. A porta da Tenda da Purificação é bem baixa, para que se tenha que entrar de joelhos. Trata-se de um lembrete para que permaneçamos humildes e possamos compreender que não somos nem maiores nem menores do que as outras formas de vida.

Costuma-se usar Pessoas de Pedra vulcânicas no buraco da fogueira para que seus corpos não se quebrem nem se estilhacem quando se joga água sobre elas, para liberar o vapor. Estas Pessoas de Pedra são portadoras dos Registros da Terra e, enquanto liberam o vapor, vão nos transmitindo suas antigas lições. Quando voltamos a nos ligar com estas antigas mensagens, passamos a ser colaboradores da continuidade da vida em nosso Planeta. À medida que transpiramos, e que nosso suor retorna à Mãe Terra sob a forma de vapor, a Terra passa a ser novamente nutrida. E quando, em determinados momentos, a porta da Tenda é aberta, o vapor viaja em direção ao Pai Céu para levar nossas preces de volta ao Grande Mistério.

Algumas cerimônias de purificação começam ou terminam com uma cerimônia do Cachimbo e outras não, dependendo do propósito da cerimônia. A Tenda da Purificação é recoberta com lonas (originalmente com peles de animais) que servem para bloquear a entrada de luz. A escuridão faz aflorar um sentimento de volta ao ventre de nossa Mãe Terra e nos concede um lugar seguro para nos livrarmos de todas aquelas coisas que já criaram "ferrugem" em nossas vidas. As canções e preces são uma forma de preencher o espírito enquanto se realiza o processo de purificação. Os ciclos de canções e preces que honram as Quatro Direções são em número de quatro. Esses ciclos permitem que os participantes possuam diferentes pontos de vista acerca do propósito e sua purificação. Cada ciclo, ou período, é orientado para diferentes segmentos da Criação e permite que os participantes tornem a reunir-se com Todos os Nossos Parentes através da prece.

Na fase em que aprendi a fazer meus primeiros cordões de fumo, aprendi também a arte da prece. Esses cordões representam o louvor e a gratidão que enviamos ao Grande Mistério durante a cerimônia. Cada cordão é uma pitadinha de fumo embrulhado dentro de uma quadradinho de pano colorido e depois enlaçado com fio de algodão. De cinco em cinco centímetros um laço é dado em volta do saquinho seguinte. Nessa forma cerimonial de confeccionar cordões de oração, nunca prendemos nossas preces com nós, o que obstruiria os resultados. Os laços permitem que nossas preces fluam livremente.

A maioria das Nações usa seis cores para os cordões de fumo, sendo que cada cor possui um significado especial. Cada cordão de oração convida o espírito de sua cor a entrar na tenda e pede as bênçãos desse parente. Amarelo é a Águia, a energia masculina e a iluminação do leste. Vermelho é a energia da criança, o sul, fé, confiança, inocência e um ou mais dos animais pertencentes ao Escudo do Sul. Nas Tribos do Leste é o porco-espinho; nas Tribos das Planícies é o rato ou coiote. O preto representa o oeste, a energia feminina, o urso, e o lugar de introspecção e dos objetivos. O cordão de fumo branco significa o norte, o Ancião, gratidão e sabedoria. Para as Tribos do Leste significa o alce, e para as do Oeste, o Búfalo. O cordão azul traz a energia do Pai Céu, a Grande Nação das Estrelas, e todas as coisas que estão no alto. O cordão de prece verde contém a energia da Mãe Terra, o reino vegetal, e todas as coisas verdejantes e viçosas. O ritual envolvido na fabricação dos cordões de fumo varia de acordo com a tradição e o propósito da cerimônia.

Quando nos humilhamos e passamos rastejando pela abertura da Tenda de Purificação, devemos examinar os nossos próprios egos, ainda na entrada. O termo "sacrifício" significava, originalmente, "tornar sagrado". Assim, abordar cada ato da vida de maneira sagrada tornou-se o modo de vida típico dos Nativos. A forma circular da Tenda de Purificação nos recorda de que não devemos culpar os outros quando vacilam ou falham, mas devemos partilhar gentilmente o amor e o carinho para que o Círculo do Elo Sagrado possa permanecer intacto. O salgueiro é o nosso lembrete do amor purificador, tão necessário para que esse crescimento aconteça.

### Aplicação

A carta da Tenda do Suor fala da necessidade de purificar algum aspecto de sua vida. Se você prosseguir firmemente no Caminho Sagrado, esta purificação poderá ser realizada de maneira bastante suave e curativa. Este é um momento favorável para livrar-se de pensamentos e atitudes negativos. Se houver pessoas por perto, que o estejam puxando para baixo, impedindo o seu progresso, está lhe sendo sugerido que você afaste as barreiras e prossiga em seu Caminho.

Você mesmo deve decidir se a purificação mais importante, neste momento, é a do seu corpo, a da mente, das emoções, das suas atitudes, ou, ainda, da sua vida espiritual. A regra básica da carta da Tenda do Suor é que o processo de purificação, conduzido de maneira serena e harmoniosa, acaba abrindo espaço para que um novo tipo de energia possa manifestar-se. Assim que toda a "ferrugem" for removida, você poderá usar todo o seu potencial criativo de forma mais brilhante e luminosa.

# BUSCA DA VISÃO

No alto da Montanha Sagrada.
  Com visão ilimitada.
A clareza da paisagem
  Chega a nós renovada.

O Grande Mistério indica
  O propósito da vida.
Nossos Guias poderosos
  Iluminam sonhos de Cura.

# 3
# BUSCA DA VISÃO
## Procura/Encontro

**Ensinamento**

A Busca da Visão é um dos instrumentos mais antigos usados pelo povo das Tribos ao buscar a sua direção na vida. Sempre orientado por um Xamã, o indivíduo que Busca a Visão é enviado a um local remoto para jejuar e orar por três ou quatro dias. O objetivo dessa atividade, que é chamada de "Subida da Colina" pelos Sioux, é que a pessoa obtenha uma compreensão mais ampla de seu papel ou caminho no mundo.

O Grande Mistério permite que as Ajudantes da Medicina Sagrada apareçam em forma de visão frente àquela pessoa que a está buscando. O espírito do animal, da árvore, pedra, Lua, estrela ou Ancestral que aparecer, será um Aliado, ou guia, durante a Caminhada deste buscador pela Terra, e passará a proteger o seu Caminho Sagrado dali por diante. Outro aspecto dessa visão envolve um fluir de energias que se revela sob a forma de talentos pessoais. Se esses dons forem usados de forma adequada, podem permitir a obtenção de um potencial de crescimento que acompanhará o discípulo pelo resto da vida. O caminho a ser seguido para desenvolver esses talentos também pode vir a ser revelado durante a Busca da Visão.

Na minha primeira Busca da Visão, Joaquin, meu belo professor mexicano de sangue iaqui, asteca e maia, levou-me às montanhas do Estado de San Luis Potosí. Caminhei muitas horas até conseguir um lugar que "falasse" comigo. Nós marcamos um encontro num determinado lugar, para daí a três dias, e Joaquin me deixou. Tive bastante tempo para refletir sobre os meus motivos para estar ali, no Alto da Colina, enquanto me preparava para assinalar o meu Círculo de Busca.

Eu havia decidido realizar a Busca da Visão porque tinha então vinte e dois anos e me sentia como se todas as direções que eu havia tentado tomar até então na vida houvessem terminado em desvios e atalhos. Eu cantava numa banda de rock mexicana e estudava com Joaquin. A opção de viver no México apresentava dificuldades, particularmente no que dizia respeito ao relacionamento com meu pai, e agora estava na hora de liberar todo o turbilhão emocional para que eu pudesse começar a viver "em tranquilidade". O torvelinho interior causado pelos meus problemas de família havia limitado minha capacidade de Parar o Mundo, de modo que eu precisava de ajuda para compreender quem eu era e para onde deveria seguir.

O lugar que eu escolhi ficava próximo a um arroio. Uma formação rochosa fornecia um pouco de sombra, mas havia pouca vegetação, pois o Estado de San Luis é praticamente um deserto. Exceto alguns arbustos e ervas do deserto, e um cacto ou outro, o corpo acobreado da montanha era meu único companheiro. Construí meu círculo de Pedras que representaria a Roda da Cura de meu Espaço Sagrado pelos próximos três dias. A última Pedra a ser colocada era a Porta do Leste. No momento em que a Pedra do Leste fosse colocada, eu não poderia mais deixar o Círculo Sagrado. Eu havia disposto o Povo de Pedra de forma que elas abrangessem o arroio. Eu não tinha a permissão de beber a água, mas podia molhar o rosto e refrescá-lo. O calor do Avô Sol era muito intenso naquele desfiladeiro alto; portanto a Água corrente era minha Aliada.

O primeiro dia foi difícil, e lutei bastante contra as carências e necessidades do meu corpo. Os dias eram quentes e às noites fazia muito frio, embora estivéssemos na primavera. O segundo dia também foi terrível, e eu murmurava as orações cada vez mais rapidamente, esperando encontrar forças para suportar um pouco mais. Naquela época, eu ainda tentava usar minha própria teimosia e força de vontade para aguentar. Mas nada de visão! Eu tinha visto pontos dançando na frente dos olhos e tive medo de desmaiar; porém continuei sem ver nada...

Lá pelo terceiro dia, no auge do calor, eu tive a certeza de que iria morrer. Minha língua estava inchada e o rosto queimado, meu corpo doía, porque ficara dormindo sobre as rochas, e os olhos estavam tão ressecados que não conseguiam formar lágrimas nem mesmo quando eu sentia que precisava chorar. Tive de lidar com uma carga fortíssima de medo devido à "síndrome do medo de morrer sozinha", que me perseguia desde criança. Finalmente, o crepúsculo do terceiro dia chegou. Eu tinha certeza de que algo me tocava profundamente à medida que as cores dos raios do Avô Sol iluminavam o vale embaixo e acendiam o fogo do amor em meu coração. Senti uma onda de confiança me envolver e dar-me forças para chegar até a noite com coragem. Mas nada de visão ainda!

Por volta da meia-noite, soltei um grito em direção ao Grande Mistério, e aí então, finalmente, me entreguei. Abandonei o orgulho, a teimosia, a arrogância e a dor de um só fôlego, e comecei a chorar feito uma menininha. Sabia que não poderia chegar ao fim dessa busca da Visão, ou até mesmo da vida, sozinha. Sem a ligação com o Grande Mistério, eu não era nada, eu não era ninguém. Eu havia observado as criaturas da montanha durante três dias. Elas haviam me ignorado completamente. Me mostravam que eu não era menos ou mais importante do que as aranhas e os lagartos da região. E tinham razão!

Abandonei de vez o meu pequeno "Eu" e implorei para ser integrada ao eterno "Nós". Senti como se estivesse explodindo e me fundindo com a noite escura, como se todo o Povo das Estrelas estivesse vivo, ao mesmo tempo dentro e fora de mim. Levantei a cabeça e olhei para os céus, que estavam cobertos de horizonte a horizonte por uma vastidão maravilhosa de estrelas, e deixei as lágrimas correrem soltas. Subitamente, na Nação dos Céus, eu vi todas as Estrelas ganhar cores; muitas delas eu nunca vira antes! Cada Estrela tinha uma tonalidade diferente. O Povo das Estrelas começou a cantar para mim e eu comecei a repetir a canção, deixando meu espírito tornar-se Uno com a música.

Muito tempo depois aprendi que as palavras da minha canção de poder pessoal eram em Seneca, e constituíam parte de minhas raízes. Foi através de minha Canção de Poder, que me foi dada pela Grande Nação das Estrelas, que recebi meu nome de Cura: Canção da Meia-Noite. Através da visão que se seguiu, foi-me revelada a verdade de meu caminho pessoal, que me levaria a um maior crescimento enquanto palmilhasse a Boa Estrela Vermelha.

Quando desci da montanha, senti como se tivesse renascido. Estava totalmente exausta, queimada do sol, tonta, porém muito feliz. Quando encontrei Joaquin no fundo da parede do desfiladeiro, ele me presenteou com um copo de papel cheio da água mais doce de que eu jamais havia provado. Depois de beber metade do copo, derramei o resto da água sobre a Mãe Terra em sinal de gratidão, como uma oferenda para a Vida que ela me concedera tão generosamente e para a nova Vida que eu estava começando. Joaquin amarrou uma Pena de Águia nos meus cabelos como uma lembrança da nova liberdade que eu havia conquistado através de minha visão de união com todas as outras formas de vida.


As Buscas da Visão constituem um instrumento utilizado por aqueles que procuram novas direções na vida. Toda vez que alguém Busca o Silêncio de um coração equilibrado, o processo da intuição pode permitir que a verdade superior se manifeste. A verdade constitui o destino final do caminho de qualquer peregrino. Quando a verdade é descoberta dentro do próprio Ser, já não há necessidade de procurar mais. Já que nós, os seres Duas-Pernas, estamos aqui para crescer e experimentar a Boa Estrada Vermelha, descobrimos que o caminho muda muitas vezes e pode incluir muitas mudanças de percepção. A visão criada a partir da verdade representa o desejo do coração de Caminhar em Beleza. Se uma visão for criada a partir da necessidade de controlar os outros ou for criada pelo sentido da ambição, estará baseada em mentiras sobre a ordem natural da Criação. Uma visão do Caminho Sagrado é sempre clara e cristalina.

Todos os aspectos da vida e todos os estados de consciência se tornam acessíveis àqueles que buscam a serenidade do Silêncio. Não é necessário empregar a Busca da Visão caso esse equilíbrio natural já tiver sido alcançado dentro do próprio Ser. O propósito original da Busca da Visão era ajudar o caminhante a encontrar um meio de contatar esse estado de conhecimento interior para que a verdade estivesse presente em cada momento da vida dessa pessoa. Aprender a Parar o Mundo à vontade é um talento que vai manifestar-se através do trabalho sobre os próprios níveis superiores de consciência. E quanto mais uma pessoa se sentir ligada à Mãe Terra e ao Grande Mistério, mais fácil se torna encontrar esse equilíbrio interno.

Não se deve jamais tentar empreender uma Busca da Visão sem ter a orientação de um Xamã bem treinado. No entanto, todas as pessoas vivem uma Busca da Visão diariamente. A chave é estar sempre consciente disso. Saber procurar os sinais e presságios que permitem aos seres humanos tomar decisões adequadas, e então agir de acordo com esses sinais, torna-se uma parte da Busca pela Vida. Durante a jornada física a Boa Estrada Vermelha concede ao peregrino centenas de lições que conduzem ao conhecimento interior. O objetivo é alcançar este Centro de serenidade interna para que o mundo interior se harmonize com o mundo exterior. Quando estes dois mundos se tornarem Um, nós nos transformaremos no Sonho Realizado.

## Aplicação

A carta da Busca da Visão fala de um momento de novas direções ou fortalecimentos do caminho atual baseado na verdade pessoal. Muitas vezes, para encontrar esta Verdade é necessário Entrar no Silêncio e eliminar a confusão pessoal. Em outros casos torna-se realmente necessário partir para uma Busca da Visão.

Esta carta lhe diz que o curso de sua vida precisa ser esclarecido através da Visão. Agora é a hora de pedir ajuda aos seus Guias, e também aos Ancestrais, para que as decisões tomadas sejam respaldadas pela sua sabedoria e assistência. A chave reside na busca de respostas pessoais. A melhor maneira de encontrar a verdade consiste em confiar plenamente em seus sentimentos, e acompanhá-los pela ação. Para conseguir isto, você deve eliminar a confusão e a dúvida, e depois passar a agir, permitindo que a sua própria verdade aflore. Não se esqueça de que, quando você busca, está pedindo respostas; esteja preparado para aceitar e reconhecer a verdade assim que ela surgir. O reconhecimento e a aceitação sempre preparam o caminho para o autoconhecimento.

# CERIMÔNIA DO PEIOTE

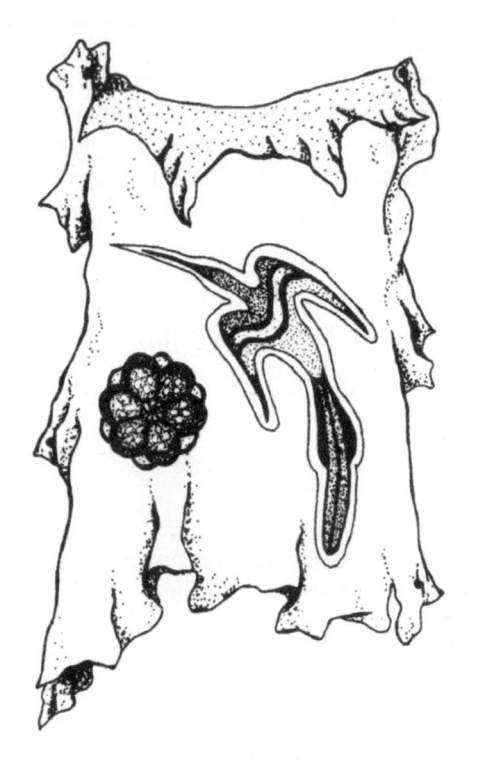

Quando o espírito do povo se rompeu,
 Quando o Búfalo deixou de vaguear,
  Quando todas as nossas terras foram tomadas
   E nós não tínhamos mais casa.

O reflexo do Pássaro da Água
 Dos universos interiores
Nos indicou novas aptidões
 E nos trouxe de volta a esperança.

# 4
# CERIMÔNIA DO PEIOTE
## Novas aptidões

---

**Ensinamento**

O povo americano Nativo havia sido roubado de suas terras e virtualmente despojado de seus costumes quando a Trilha de Lágrimas terminou em fins do século XIX. Forçados a viver em reservas, impedidos de educar seus próprios filhos por causa das escolas missionárias e da burocracia reinante, eles lutaram para salvar os últimos vestígios de sua liberdade pessoal.

Joaquin, meu professor Nativo, contou-me uma história que retrata o ponto de vista dos Irmãos e Irmãs que vivem ao sul da fronteira. O surgimento da Igreja Nativa Americana foi um presente de Cura que trouxe uma nova perspectiva de vida para o nosso povo. A liberdade voltou a imperar entre a Raça Vermelha após uma fase de trevas que parecia aprisionar o próprio espírito das Nações Vermelhas que vivem ao norte da fronteira.

Era um dia frio e seco em San Luis Potosí, no México. Procuramos nos proteger do vento que descia as montanhas vindo das velhas minas de prata, Joaquin me guiava em mais uma Caminhada de Cura. Atravessamos os arroios, descemos um leito seco de rio e galgamos um desfiladeiro. Enquanto subíamos por esse caminho, eu ia olhando todas as ervas e plantas que Joaquin usava em seu trabalho de *curandero*. Localizávamos sempre a Planta-Mestra para lhe pedir permissão e lhe oferecer tabaco antes de colhermos qualquer coisa. As rochas vermelhas davam lugar a tufos de Chamisa e a outras ervas nativas ao longo da trilha. O vento já não parecia tão cortante atrás da parede do desfiladeiro, e o enorme céu turquesa criava um bonito arco que parecia proteger nossa caminhada.

Joaquin parou um momento, e fez sinal para que eu desse uma volta ao redor de um daqueles cactos. "Este é Mescalito, a divindade do Peiote", disse ele. "Ele é o cacto-Mestre nessa área e tratamos seu Espaço Sagrado com reverência", continuou. "Mescalito tem servido bem ao nosso povo, e as outras nações ao norte da fronteira também se beneficiaram de seu uso." "Joaquin", perguntei, "quando foi que a Cerimônia do Peiote chegou ao nosso povo no norte?" Ele respondeu: "Vamos nos sentar naquela saliência do rochedo ali adiante, pois essa é uma longa história."

Quando nos instalamos no meio do Povo de Pedra com suas cores açafrão e ferrugem, ele continuou: "Antes que meu avô se tornasse um adulto, os iaquis recebiam visitas dos clãs de Guerreiros Apaches e dos Clãs de Cura que vagavam pelo norte do México. Agora a reserva deles está instalada perto de Ruidoso, no Novo México. Esses Irmãos eram bravos lutadores que viram seu povo ser ofendido pelos Olhos Brancos que levantaram cercas na terra e mataram o Búfalo. O espírito do povo fora quebrantado. Esses bravos contaram aos nossos Anciões que haviam sido despojados de tudo, menos de suas almas. O medo deles era que os Olhos Brancos lhes roubassem os espíritos também caso descobrissem uma forma de fazê-lo."

Joaquin parecia perdido em pensamentos enquanto revivia o passado em sua mente. Depois de um tempo, recomeçou: "Sabe, Canção da Meia-Noite, fez-se necessário criar uma nova forma de Cura nesta ocasião. Foi em 1882 que o irmão de meu bisavô ensinou aos Apaches a Medicina de Mescalito." Sorriu, e sua voz grossa transformou-se num sussurro: "Ninguém pode capturar as almas de nosso povo, já que elas não têm mais medo da morte. Através do Mescalito, eles conseguiram ver além do Vazio e visitaram o Acampamento do Outro Lado. Aprendemos que sempre continuaremos a viver, de uma forma ou de outra. Este é o novo tipo de poder que transmitimos aos Apaches, os quais, por sua vez, partilharam a Medicina do Peiote com outras Tribos e Nações do Norte. Esses Apaches, que constituem um grupo honrado, são desde então chamados de Apaches Mescaleros."

Fiquei muito comovida. Comecei a compreender que a morte do corpo ou a morte do ego constituía apenas o primeiro passo para o próprio renascimento. Parei minhas divagações assim que Joaquin prosseguiu. "A Cerimônia do Peiote é um ritual sagrado que impele o espírito para a abertura no universo onde não existe tempo nem espaço, apenas a energia pura da Criação, que provém do Grande Mistério. Tudo aquilo que vive dentro de você pode lhe dar alegria ou assustá-la até o momento em que você resolva enfrentá-lo. Assim que as pessoas veem a verdade e tocam a eternidade, não há mais maneira de afastá-las de sua dignidade ou dos seus conhecimentos. Muitas pessoas acham que as substâncias de poder ingeridas agem como narcóticos, que nos transformam em um bando de loucos. Nós deixamos que pensem o que quiserem. A verdade é que nós colhemos nossas plantas de maneira sagrada, honrando a força vital de cada uma e fazendo nossas preces de gratidão durante todo o tempo. Sempre deixamos uma oferenda de tabaco de presente para a Mãe Terra, como forma de gratidão pela Cura que ela nos proporcionou. Cada planta é amarrada e fixada num cordão de plantas atrás da cama da pessoa que tomará o Remédio, e fica ali secando por um bom espaço de tempo. Cada semente de peiote é cortada durante o ritual das Quatro Direções, podendo ser moída ou fervida como chá, e todas as partes das sementes são usadas; jamais desperdiçamos um pedaço sequer."

A seguir, Joaquin instruiu-me no ritual de colher, encordoar e cortar. As canções e preces serviam para honrar a preparação. A cerimônia em si nunca é revelada. Trata-se de um dos mais secretos rituais da Igreja Nativa Americana. As canções de Joaquin são diferentes das cantadas pelas outras tribos no norte, porém o seu significado é o mesmo. Todas as canções são cantadas à glória da vida e em gratidão pelo poder de "enxergar além" da ilusão física.

A abertura no universo nos coloca em contato com a criatividade em estado puro e nos permite perceber nossas aptidões e talentos, confrontar nossos temores, e caminhar em direção a tudo aquilo em que estamos nos transformando. O potencial puro, aquele que constitui o nosso Ser verdadeiro, nos conduz em busca daquele conhecimento que trará liberdade a todas as pessoas. O Pássaro do Peiote, ou Pássaro da Água, é o Totem da Cerimônia do Peiote. Este Pássaro de Cura Sagrada mira-se no lago e observa o seu próprio reflexo dentro dele. O dom do autoexame permite que o indivíduo enxergue os aspectos do Ser que jazem abaixo da superfície da realidade física e descubra novos universos de consciência. As inseguranças e os medos, que não costumam vir à tona devido à repressão, começam então a afluir, para serem trabalhados através da oração e do canto. O aspecto principal do ritual do Peiote é a religação ao Grande Mistério dentro da Cerimônia Sagrada.

Para compreender como essa Cerimônia se tornou parte da religião da Igreja Nativa Americana, é preciso lembrar-se de que a Raça Vermelha sempre manteve vínculos estreitos com a Mãe Terra através dos séculos. O Povo Nativo tem usado as ervas medicinais que a Mãe Terra concede, para todos os tipos de cura. Quer se trate de curas do corpo, da mente ou do espírito, o processo é sempre o mesmo. Qualquer substância usada de forma adequada pode tornar-se um agente de cura; se for ingerida em excesso, a mesma substância pode tornar-se tóxica e até mortal.

O ritual da Cerimônia do Peiote não ocorre regularmente. Os Xamãs que comandam a Cerimônia percorrem grandes distâncias para poder prestar apoio aos membros da Igreja. Portanto, esta Cerimônia só é efetuada quando eles chegam a alguma região. Os Homens-de-Estrada da Igreja Nativa Americana, que equivalem aos ministros da religião organizada, são os oficiantes das cerimônias e das preces. Eles também dão aulas, aconselham e confortam o Povo em tempos de necessidade.

O ritual da Cerimônia do Peiote não é tradicional entre os povos Sioux, Seneca e muitas outras Tribos, mas é seguido por todos aqueles que entram para a Igreja Nativa Americana. Muitos Xamãs não efetuam esta cerimônia porque não perderam ainda a capacidade de alcançar por si sós este Centro de compreensão. Muitos conseguem viajar até a rachadura do universo sem o auxílio do Mescalito ou do espírito do Pássaro da Água. Porém, aqueles que não precisam da ajuda do Peiote honram o direito que os outros têm de praticar os seus próprios ritos e cerimônias, pois compreendem que este ritual constitui a ferramenta adequada para a evolução de alguns dos membros do Povo Nativo.

Existem milhares de Tradições entre os Americanos Nativos, e embora o governo dos Estados Unidos só reconheça cerca de 276 Tribos, existem, na verdade, mais de 387 Tribos e Tradições na Ilha das Tartarugas. Os membros destas diversas Tradições estão finalmente começando a trocar informações e a ensinar a indivíduos de fora de suas Tribos as Magias, os Rituais, costumes e visões de mundo de seus Ancestrais. Nesta época do Búfalo Branco é tempo de repartirmos tudo aquilo que aprendemos através dos nossos Sagrados Pontos de Vista, sem deixarmos de respeitar as opiniões alheias. Este tipo de compreensão está se tornando uma nova habilidade em si mesma. Saber honrar todas as habilidades do Ser, em si mesmo e nos outros, cimenta o caminho da Paz Universal.

## Aplicação

Se o Pássaro da Água acabou de sobrevoar o seu Caminho, trazendo-lhe a Carta da Cerimônia do Peiote, você está sendo convidado a tomar consciência do seu próprio espírito imortal. Encontre a Abertura do Universo, para adquirir novos talentos que possam ajudá-lo a crescer. Afaste qualquer sentimento negativo que o esteja impedindo de desenvolver suas novas habilidades e passe a utilizar os seus próprios talentos, da maneira mais abrangente possível.

    A carta da Cerimônia do Peiote pode ajudá-lo a perceber que as oportunidades para expandir-se e alcançar o âmago do seu próprio Ser estão agora, mais do que nunca, a seu alcance. Novas oportunidades abrem-se à sua frente, e este é um bom momento para fazer aflorar todo o seu potencial criativo. Ao vencer a limitação criada pela sua própria mente, você passará a descobrir novas habilidades e perceberá que todos os objetivos podem ser alcançados. Lembre-se sempre: a decisão de atacar corajosamente os próprios medos representa o primeiro passo em direção ao Caminho Sagrado.

# POVO-EM-PÉ

Olá, Árvore Sagrada da Vida,
    Raiz de cada árvore,
Obrigado por me concederes
    Os dons que me concedes.
Olá, Povo-em-Pé,
    Que me ensinarás
A fincar raízes na Terra,
    Enquanto alcanço o Avô Sol.
Olá, Salgueiro, árvore do amor,
    Ensina-me a me curvar,
Até formar um círculo perfeito,
    Cada parente um amigo.

# 5
# POVO-EM-PÉ
Raízes/Doação

**Ensinamento**

Os seres do Povo-em-Pé, as árvores, também são nossos Irmãos e Irmãs. Eles são os Chefes do reino das plantas. O Povo-em-Pé fornece oxigênio ao resto dos filhos da Terra. Através de seus troncos e de seus galhos, as árvores dão abrigo aos seres que têm asas. Nos vãos de suas raízes as árvores fornecem asilo às pequenas criaturas de quatro patas que vivem abaixo do solo. Os materiais para a construção das casas de seus companheiros humanos constituem outro presente que a Nação Árvore nos oferta.

Os Cherokees ensinam que o Povo de Pedra guarda energia para a Mãe Terra e detém os registros específicos de tudo aquilo que aconteceu num determinado lugar. Eles ensinam que o Povo-em-Pé e todos os outros povos do reino das plantas são os seres dadivosos que proveem, o tempo inteiro, às necessidades dos outros seres. O Povo de Pedra e o Povo-em-Pé equilibram-se uns aos outros dando e recebendo, preenchendo as suas necessidades mútuas.

O Povo-em-Pé percebe as necessidades de todos os Filhos da Terra e se esforça por atendê-las. Cada árvore e planta possui seus próprios dons, talentos e habilidades a serem compartilhados. Por exemplo, algumas árvores nos dão frutos, enquanto outras fornecem curas para distúrbios em nossos níveis emocionais ou físicos. O Pinheiro Branco é a Árvore da Paz, e pode trazer serenidade à vida de uma pessoa que se senta à sua sombra. As florestas tropicais estão cheias de árvores que possuem propriedades curativas ou fornecem substâncias como a borracha, que pode ser usada para auxiliar a humanidade na fabricação de vários artigos. O mundo está repleto dos presentes que nos foram concedidos pelo Povo-em-Pé. Móveis, goma de mascar, *rayon,* livros, papel, lápis, fósforos, especiarias e temperos, frutas, oleaginosas, cordas, pneus, remédios à base de ervas e casas com telhados de sapê são apenas alguns dos presentes que o Povo-em-Pé vem generosamente nos concedendo. Porém, cada uma das Pessoas-em-Pé tem uma lição especial a ser transmitida à humanidade, que vai muito além dos presentes materiais. A bétula ensina a essência da verdade, nos incita a ser honestos com nós mesmos ou nos mostra como podemos ser enganados por mentiras alheias. Os pinheiros são pacificadores. O pinheiro nos ensina as lições de como estarmos em harmonia com nós mesmos e com os outros, além de nos ensinar a obter uma mente silenciosa. A sorveira-brava, ou Cinza da Montanha, nos traz proteção, nos ensina a ver através das mentiras e também nos mostra como proteger o nosso Espaço Sagrado. O plátano ensina-nos a alcançar nossos objetivos e a fazer nossos sonhos se realizarem. A nogueira nos ensina clareza ou concentração através da utilização de nossos dons mentais, e nos ensina a empregar a nossa inteligência de forma adequada. O carvalho nos ensina a ter força de caráter e manter nossos corpos fortes e sadios. O salgueiro é a madeira do amor, e nos ensina a dar, a receber, e a saber ceder, qualidades tão necessárias para que o amor frutifique. A cerejeira nos ensina a abrir o coração e a nos relacionarmos com os outros usando o sentido da compaixão.

A mimosa é a árvore que representa o nosso lado feminino e revela um coração apaixonado. Aprendi muitas lições com a mimosa enquanto subia em seus galhos quando ainda era criança. Ela me ensinou a beleza que reside em se sentir feminina, enquanto suas doces flores perfumavam meus cabelos. Ela me contou o segredo dos Vaga-lumes, e me revelou que eles escondiam estrelas ainda não nascidas em suas caudas. A mimosa contou-me que essas estrelas cresceriam dentro de qualquer pessoa de coração aberto. Elas assumiriam seu lugar entre a Grande Nação das Estrelas depois que tivessem amado e sido amadas na Terra. A mimosa me disse que as dores e as traições que cada coração sofre correspondem a um punhado de água atirada sobre o fogo destas pequenas estrelas, para ver se elas continuariam a crescer, apesar da dor. As pessoas que continuavam a amar, apesar de tudo, se transformariam algum dia em estrelas, e enviariam todo o amor que haviam reunido para todos os outros seres do universo, como uma lembrança do coração aberto do Grande Mistério. A mimosa me ensinou a abrir o meu coração e a amar, não importando o quanto fosse grande a minha dor, todas as vezes que eu visse minha estrela se iluminando, na forma de um vaga-lume que passasse voando perto de mim.

Os Nativos de todas as partes do mundo têm vivido em harmonia com o reino das plantas, em suas respectivas regiões, e têm utilizado o reino vegetal como ajuda à sua sobrevivência. O povo indígena da Mãe Terra só tem usado aquilo de que necessita, e não armazena, por medo de escassez, as oferendas que as árvores lhe proporcionam. Em nossa Tradição Americana Nativa, recolhemos todas as plantas de maneira cerimonial e sagrada. Em minha Tradição Nativa particular nós nos aproximamos da maior planta da espécie que vamos colher, lhe oferecemos tabaco e pedimos permissão para a colheita. Essa é a Planta ou Árvore-Chefe daquela espécie, por ser a maior e a mais velha. Assim que recebemos uma indicação ou uma mensagem de que está tudo certo, pulamos as primeiras sete plantas ou árvores que poderíamos colher para que as próximas sete gerações de seres humanos possam estar bem providas. Honrando nossos filhos, e os filhos de nossos filhos, garantimos um futuro feliz para todas as Criaturas assim como para o reino das plantas.

Se recebemos um "não" ao pedirmos permissão à Planta-Chefe, vamos para outra região de coleta e começamos tudo outra vez. Se estivermos recolhendo pinhas, por exemplo, pegamos apenas um pouco de cada árvore, para que nossos Irmãos e Irmãs do reino das Criaturas também fiquem bem providos. E como sabemos quando já acabamos de colher o suficiente de determinada planta? Isto é fácil de saber quando nos colocamos em sintonia com os nossos Irmãos e Irmãs Verdes. A planta não solta mais seu fruto, erva ou pinha, quando já recolhemos o bastante. Ela enrijecerá os seus galhos e se recusará a liberar os seus frutos. É assim que os seres das plantas nos dizem: "Você já pegou o bastante, vá embora!"

Os Senecas dizem que toda árvore tem mais raízes do que galhos. Este ensinamento nos fala de como cada Pessoa-

-em-Pé está ligada profundamente à Mãe Terra. À semelhança do Povo-em-Pé, nós, os seres Duas-Pernas, temos uma espinha que lembra um tronco, braços que parecem galhos, e cabelos que lembram folhas. Crescemos em direção à luz, da mesma forma que os galhos da árvore esticam-se em direção ao Avô Sol. Recebemos compreensão através de nossas antenas – os nossos cabelos – assim como as árvores recebem a luz através das suas folhas. Cada ser humano possui um corpo diferente do outro. O mesmo se dá com o Povo-em-Pé; não existem dois seres iguais. Caminhamos sobre duas pernas e vemos muitas coisas, ao passo que nossas irmãs árvores ficam fixas em um só lugar e recebem alimentação da Mãe Terra constantemente, para que possam repassar aos outros tudo aquilo que recolhem. Nós, os Duas-Pernas, também estamos sempre dando e recebendo quando estamos Caminhando-em--Equilíbrio. O Caminhar-em-Equilíbrio pode ser conseguido quando nos recordamos de nossas raízes, a única parte física das árvores que nos falta enquanto seres humanos.

O Povo-em-Pé nos mostra como enterrar fundo nossas raízes na Terra para receber nutrição espiritual, assim como nos ensina que a energia da reconexão conserva nossos corpos saudáveis. Sem essas raízes perderemos a Conexão com a Terra e não poderemos mais Caminhar-em-Equilíbrio. Em minha Tradição ensinam-nos que a humanidade forma a ponte entre a Mãe Terra e a Nação do Céu, e que nós, assim como o Povo--em-Pé, pertencemos a estes dois mundos. Para conseguir este equilíbrio, devemos viver em harmonia com Todos os Nossos Parentes, estar bem enraizados neste mundo através de nossa Mãe Terra e permitir que os nossos espíritos voem livres pelos outros mundos, fundindo-se com estas outras realidades. Se não estivermos bem enraizados em nosso mundo físico, não conseguiremos entender totalmente o propósito de nossas visões, sonhos, potenciais, ou, ainda, descobrir as verdades que nos são reveladas durante o sono.

No momento em que conseguimos retribuir a gratidão pelos presentes que recebemos dos outros, passamos a reconhecer a raiz de cada bênção. A raiz de qualquer coisa constitui a sua fonte original. Toda vez que retribuímos nossa gratidão à fonte de nossas bênçãos, voltamos a equilibrar o nosso mundo e a reconhecer todas as dádivas que recebemos. Devemos recordar também que os Ancestrais que Cavalgaram o Vento antes de nós tornaram-se parte de nossas raízes e que estamos aqui para honrar o valor de seus presentes e de suas vidas, buscando viver de forma equilibrada. A raiz de todas as civilizações que estão por vir já vive neste momento dentro de cada um de nós. Nutrir o futuro equivale a honrar as sementes do presente, permitindo que elas cresçam e se desenvolvam. O Povo-em-Pé nos inspira como Guardiães de nossa Mãe Terra a olhar a raiz de cada bênção, reconhecer a sua verdade e utilizar esta bênção para o Bem, de tal forma que a sua dádiva não tenha sido ofertada em vão.

## Aplicação

A carta do Povo-em-Pé nos fala de raízes e de doação. Devemos nos reabastecer sempre, através de nossa ligação com a Terra, para podermos doar livremente, sem nos exaurirmos. A raiz do Ser está ali onde está a força. Esta raiz deve estar plantada firmemente no solo de nossa Mãe Planeta. Sem esta conexão os sonhos não poderão se manifestar, e os nossos atos de doação não poderão ser recompensados pela Mãe Terra. Caso você esteja "viajando" pelo espaço afora, pare um pouco e reconecte-se com a Terra. Silencie e torne-se Uno com as árvores para poder observar melhor tudo aquilo que está crescendo neste momento em sua floresta interna. As raízes de todas as respostas para a vida física podem ser descobertas aqui mesmo na Terra. Estude a sua árvore genealógica e busque a força oferecida pelos seus Ancestrais. Ao erguer bem alto os seus galhos, buscando a luz do Avô Sol, verá como as suas raízes continuam a prendê-lo na Terra. Assim, será construída uma ponte equilibrada para o Mundo dos Céus.

O Povo-em-Pé lhe pede que você se doe mais. Pergunte a si mesmo se está realmente disposto a dar e a receber. Observe a raiz de cada bênção com profunda gratidão. Perceba qualquer bloqueio que esteja prejudicando o seu processo de enraizamento ou a sua capacidade de mergulhar mais fundo nas coisas. A seguir, remova esta sensação limitadora e passe a mergulhar mais fundo até obter as respostas que procura. Lembre-se de que nós também somos a raiz do futuro e de que é através de nossas vidas que as futuras gerações serão alimentadas. Afaste-se de tudo aquilo que possa inibir o seu crescimento. Deste modo você poderá erguer a cabeça, orgulhoso, toda vcz que estiver no meio de seus parentes Árvores.

# DANÇA DO SOL

Dentro do caramanchão sagrado,
Os guerreiros dançam o sol,
Atados à Árvore da Vida,
Até que a dança termine.

Eles sentem a dor da mulher,
Para que o povo possa viver,
Buscando Visões de Cura,
Na dor que eles ofertam.

# 6
# DANÇA DO SOL
## Autossacrifício

**Ensinamento**

A Tradicional Dança do Sol é a Cerimônia Sagrada ou o ritual que permite aos Guerreiros o direito de ofertar sua dor, seu sangue, suas preces e a si mesmos, sacrificando-se pelo bem de todo o Povo. A Dança do Sol é realizada normalmente uma vez por ano em cada Tribo. Esta cerimônia dura quatro dias e honra as Quatro Direções e a sagrada Árvore da Vida. Durante a cerimônia, os guerreiros têm a oportunidade de provar o seu valor como protetores do Povo.

A Dança do Sol é assim chamada porque nela o Avô Sol é reconhecido e honrado como fonte do calor e amor da Mãe Terra. O aspecto masculino do Avô Sol é um exemplo de como os Guerreiros podem constituir uma força protetora e amorosa, permitindo a todos os membros da Tribo crescerem e florescerem sob sua proteção. O Avô Sol dá luz a tudo aquilo que é verde e a todas as coisas que crescem sobre a Mãe Terra, e também nos protege da escuridão do pensamento, do coração, ou na noite total. Da mesma forma os Guerreiros do Povo devem proteger as suas Nações dos inimigos, da perda da coragem, e da noite escura da alma, que se manifesta sempre que o medo começa a imperar.

A preparação do local usado para a Dança do Sol segue todo um ritual. Cabe às mulheres da Tribo preparar um terreno circular. Enquanto isso, vai-se abrindo uma clareira ao redor do centro, ali onde a Árvore da Dança do Sol será colocada. A Pessoa-em-Pé (árvore) escolhida deve ser carregada sem tocar o solo, a partir do local onde foi cortada, até o centro do círculo para ser replantada na terra. Esta Árvore da Dança do Sol representa a Árvore da Vida. O ritual da Dança do Guerreiro não é revelado. No entanto, posso afirmar que se trata de uma cerimônia muito bonita, envolvendo Pessoas-em-Pé, dançarinos, a Mãe Terra, as Tradições Nativas Tribais e o nosso Avô Sol.

Depois de fixar a árvore em seu lugar, uma Sacola da Dança do Sol (veja a carta 28) é colocada no alto do Mastro da Dança do Sol. De acordo com o ritual, esta passa a ser a nova identidade mágica da Pessoa-em-Pé. Dentro das Tradições Sioux, Kiowa e Crow, a honra de trepar na árvore e colocar a Sacola era concedida a um Ma-ho, pessoa de quem se dizia possuir duas almas em um só corpo. A pessoa possuidora de "Duas almas" sempre era um homem com características femininas, ou uma mulher com características masculinas. Na América Nativa, isto era visto como terceiro sexo, e era considerado um dom bastante raro e muito bonito. Os Ma-ho possuíam a faculdade de representar homens e mulheres igualmente. Como apenas uma pessoa podia subir no Mastro da Dança do Sol, possuir uma pessoa assim, de dois sexos, dentro da Tribo era considerado um sinal de sorte.

A Sacola da Dança do Sol é uma bolsa de couro que contém a Magia Sagrada dos Totens. Estes pedaços de pelo, dentes, penas, ossos e garras representam a magia e a capacidade de Cura destas Criaturas. A Sacola da Dança do Sol também contém objetos especialmente escolhidos para que os objetivos da Tribo, naquele ano, sejam alcançados. A Sacola costuma conter alguns objetos tradicionais, como um Cachimbo, uma Boneca da Dança do Sol, ou um Apito de Asa de Águia. Estes objetos asseguram a proteção dos diversos Totens e Espíritos Benevolentes. Cada Dançarino do Sol está em busca de uma Visão de Sabedoria para que lhe seja revelada sua função no crescimento da Tribo, assim como sua responsabilidade no destino do grupo.

Tradicionalmente cada Dançarino do Sol deveria ser apadrinhado por um outro dançarino que já tivesse participado da Dança antes dele. O padrinho se tornava responsável pela coragem do dançarino e pela sua força de caráter.

Os membros do Clã dos Guerreiros que escolhem o caminho do sacrifício pelo bem do Povo devem preparar-se durante três dias antes da dança, através de jejuns e de preces, seguindo as instruções dadas pelos Anciões. No terceiro dia os dançarinos são trespassados através do tecido conjuntivo dos músculos peitorais, primeiro com um furador e depois com um bastão afiado de cerejeira. Depois prendem-se tiras de couro às pequenas estacas que lhes atravessavam o peito, atando-os à Árvore da Dança do Sol ou à Árvore da Vida e criando um efeito especial de guarda-chuva ou de carrossel.

Muitos dos primeiros agentes do governo dos Estados Unidos viam a Dança do Sol como uma tortura autoinfligida porque não conheciam o propósito da cerimônia. Consequentemente ela foi proibida em 1941 pelo Departamento do Interior. Só nos últimos anos as Danças do Sol começaram novamente a devolver o espírito ao nosso povo. O objetivo da Dança do Sol é permitir que jovens Guerreiros partilhem o sangue de seus corpos com a Mãe Terra. Acredita-se que as mulheres fazem isso durante sua Lua, ou ciclo menstrual (veja as cartas 17 e 21). As mulheres doam sua dor durante o parto, e os homens durante a Dança do Sol, para que o seu povo possa continuar a existir. As mulheres nutrem as sementes das futuras gerações enquanto os homens comprometem suas vidas com a proteção desse futuro através da cerimônia da Dança do Sol.

Durante os últimos dois dias, quando ocorrem a cerimônia do trespasse e a da dança final, muitas mulheres fazem pequenos cortes nos antebraços ou perfuram os bíceps ou os pulsos. Deixam o sangue escorrer e tocar o corpo da Mãe Terra em sinal de respeito pelos dançarinos e para, uma vez mais, consagrar suas vidas à guarda e à preservação de todas as coisas vivas. Esse é um ato de sacrifício pessoal para as mulheres, como é a perfuração do peito dos dançarinos Guerreiros. Tradicionalmente, as mulheres não praticam a Dança do Sol, já que elas provam sua fé e lealdade através do parto e da amamentação, que são inerentes à sua condição.

Essas Mães da Força Criativa reconheceram que qualquer líquido saído de nossos corpos é um elemento feminino como é o Chefe do Clã da Água. As lágrimas, a urina, o sangue e a saliva constituem elementos da água, os quais, quando são devolvidos à Mãe Terra, podem ser reciclados, servindo para a fertilização e o crescimento de futuros seres. A Dança do Sol reconhece o aspecto feminino, e os dançarinos honram ambos os lados de sua natureza através desse Rito Sagrado. Assim como o elemento água viaja até o Pai Céu para assumir a forma do Povo Nuvem, o coração de um Guerreiro viaja até o Avô Sol para ser iluminado durante a Dança do Sol enquanto seu sangue alimenta o corpo da Mãe Terra.

A disposição e a coragem necessárias para ficar dançando sem ingerir comida ou água durante quatro dias tornam-se um verdadeiro teste da estrutura e do caráter do dançarino. Os meses de preparação que precedem a Dança do Sol incluem o jejum, a Busca da Visão, as Cerimônias de Purificação, o treinamento de Soldado-Cão (veja a carta 12), e muitas horas de oração pessoal. Uma queda durante a Dança do Sol traz desonra ao padrinho do guerreiro que caiu e pode ser o presságio de um período de infortúnio para a Tribo ou Nação. O primeiro a se sentir desonrado é o padrinho, que não preparou adequadamente o guerreiro através de métodos mais rigorosos antes do início da prova.

Às vezes um Guerreiro recebia uma visão durante a Dança do Sol. Isso era considerado um sinal de Magia positiva. A visão poderia ser de uma batalha prestes a acontecer, a de um Golpe, uma esposa, novos cavalos ou outras coisas semelhantes. Em muitas Tribos das Planícies os homens não eram considerados prontos para o casamento enquanto não tivessem participado da Dança do Sol. Desta forma o Guerreiro aprendia a ter maior respeito pela mulher que seria mãe de seus filhos. Ele já poderia também dirigir-se para a tenda nupcial coberto de honrarias, e de provas de sua coragem. Se durante a Dança do Sol ele tivesse recebido alguma visão, vinda de um Guia ou Ajudante de Cura, poderia estar certo de que a sua vida, dali por diante, seria longa e frutífera. Porém quando o dançarino não recebia visão nenhuma, ele se sentia frustrado, como se, de alguma maneira, não tivesse completado o Ritual Sagrado. Alguns Guerreiros não conseguiam abrir-se às mensagens dos Guias por medo de cair, e trazer desgraça ao seu próprio Clã. Quando isto acontecia, ele continuava a dançar, ano após ano, para ajudar seu Povo e, uma vez mais, rezar para obter uma visão.

Nesta visão o guerreiro poderia receber a revelação dos símbolos que deveria colocar em seu escudo durante a Dança do Sol. Em algumas Tradições os dançarinos carregam versões menores de seus escudos pessoais ou do Clã feitos especialmente para a Dança do Sol. Cada dançarino põe na cabeça uma coroa de sálvia e recebe um Apito de osso de Águia, que é soprado a intervalos regulares para acompanhar o ritmo do tambor e criar e conservar a energia da cerimônia.

As estacas de cerejeira devem ser arrancadas da pele quando cada guerreiro se apoia na Árvore da Vida a que está preso. Ao fazê-lo, cada homem está oferecendo sua própria dor para que o Povo possa continuar a florescer. O meu Irmão-de--Sangue, Homem-Águia da tribo dos Sioux Ogalala, participou da Dança do Sol seis vezes. Ele me contou que o tecido conjuntivo leva muitos meses para sarar. Já vi muitos outros Irmãos que ostentam as cicatrizes da Dança do Sol e as exibem com orgulho. Estes bravos conheceram uma pequena fração da dor que as mulheres sentem no parto e passaram a respeitar o papel desempenhado pelas mulheres no plano do Grande Mistério.

A Dança do Sol voltou a ser realizada, restaurando o espírito de nosso Povo. Quando os direitos sagrados de criatividade de qualquer povo começam a ser desrespeitados, o espírito da vida pode desaparecer. A Dança do Sol não pode ser dançada por qualquer pessoa, mas as lições que ela transmite constituem uma bela maneira de se compreender o equilíbrio entre homens e mulheres, coragem e dor, fantasia e obstinação, lealdade e amor. O sacrifício dos participantes se baseia no pressuposto de que o Guerreiro deve prestar lealdade total a seu Povo. Este antigo ritual pode ser considerado um profundo ato de amor. Ele nos ensina a Caminhar em Equilíbrio e a deixar de lado certas facetas que só estão girando em torno do nosso pequeno "Eu" pessoal.

## Aplicação

A carta da Dança do Sol nos pede que olhemos para aquilo que precisa ser sacrificado para que a sacralidade de nossas vidas seja resgatada. Pode ser que a dúvida ou o medo estejam cerceando os nossos sonhos e precisam ser sacrificados para que nossos sonhos possam viver. Por outro lado, se algum mau hábito vem limitando as nossas capacidades criativas, é importante que ele seja vencido. O descaso e a indulgência podem constituir sérios empecilhos para uma vida próspera e feliz. Precisamos fazer um sacrifício para nos libertarmos das partes do nosso Ser que representam a nossa sombra.

Sua sombra está sempre pronta a ser sacrificada. Se você aprendeu com o fato de dançar com as trevas da ignorância, ficará sabendo do que já não é sagrado em sua vida. Então o sacrifício se torna a sua verdade. Se você usa menos papel a fim de poupar as florestas tropicais úmidas, você as torna sagradas. De todas as maneiras, você é instado a desistir de alguma coisa para estar à altura de suas convicções. Renunciar aos aerossóis, à apatia, à amargura, aos amigos gananciosos, ou ao excesso de açúcar pode dar nova dignidade à sua vida.

Lembre-se que o autossacrifício não significa negar as suas necessidades. Trata-se de uma decisão consciente de seu próprio Ser, no sentido de escolher sacrificar as próprias limitações, substituindo-as por ações mais positivas.

# RODA DA CURA

Pedras que demarcam o Espaço Sagrado,
 O elo da vida que se completou.
Que venham a Águia, o Coiote, o Urso cantar
 Com o Grande Búfalo Branco.

Aqui saudamos os ventos da mudança,
 Louvamos o Avô Sol,
Aqui exaltamos a integridade de tudo
 Que unido se torna um só.

# 7
## RODA DA CURA
## Ciclos/Movimento

**Ensinamento**

Entre o Povo Nativo, a Roda da Cura também costuma ser chamada de "Elo Sagrado". Este símbolo, que engloba todos os ciclos da vida, inspirou ao Povo da América Nativa um propósito de evolução que persistiu através dos séculos. Cada ciclo de vida passou a ser honrado de forma sagrada. Esta atitude nos leva a valorizar cada passo de nosso Caminho e adquirir uma nova compreensão de nosso processo de crescimento.

Cada indivíduo e cada um de seus talentos são honrados como tesouros vivos da Tribo e o mesmo ocorre com todas as lições de vida. Os membros de cada Tribo partilham a sua Sabedoria, adquirida através da experiência, e toda a Nação se beneficia com as histórias que vão sendo repassadas entre os diversos bandos ou Clãs. Ao compreender a experiência única vivida por cada indivíduo, os outros membros da Tribo passam a interiorizá-la, como se fosse sua.

A Roda da Cura representa o círculo de lições pelas quais cada pessoa deve passar para poder completar a sua jornada na Boa Estrada Vermelha da vida física. A vida física principia no instante do nascimento, que é a direção Sul no Elo Sagrado. Cada um de nós deverá viajar, através deste Círculo, do Sul para o Norte, até chegar ao lugar do Ancião, situado bem ao Norte do Círculo.

Nosso Espírito é feito de Vento, que é um dos Quatro Chefes de Clã deste mundo. Nosso espírito viaja ao redor da borda externa da Roda da Cura, passando a enviar-nos mensagens sobre as lições que ainda precisamos aprender. O Leste é a casa da Porta Dourada, e é o ponto de entrada para todos os outros níveis de percepção e consciência. Os espíritos dos Ancestrais que já terminaram sua caminhada pela Terra partem pelo Norte da Roda, seguindo, pela borda do Elo, até o Leste. Isto permite que eles passem pela Porta Dourada e penetrem na Estrada Azul do Espírito, que atravessa a Roda, indo de Leste para Oeste (veja diagrama). Nós também retornamos às nossas novas vidas físicas através desta Estrada Azul. Voltamos a passar pela Porta Dourada, a Leste, sob a forma de espíritos, e continuamos viajando pela borda da Roda de Cura até o Sul, onde nossos espíritos renascem em outros corpos físicos.

Os poderes (lições, dons e talentos) das Quatro Direções podem significar respostas imediatas, sempre que são enviados pelos Espíritos do Vento. Os professores Americanos Nativos Tradicionais sempre ensinam às crianças de sua Tribo a sentir o Vento para que saibam como agir quando estiverem perdidas ou com medo. Se o Vento sopra do Oeste, elas se sentam e buscam coragem e resposta em seus corações. Se o

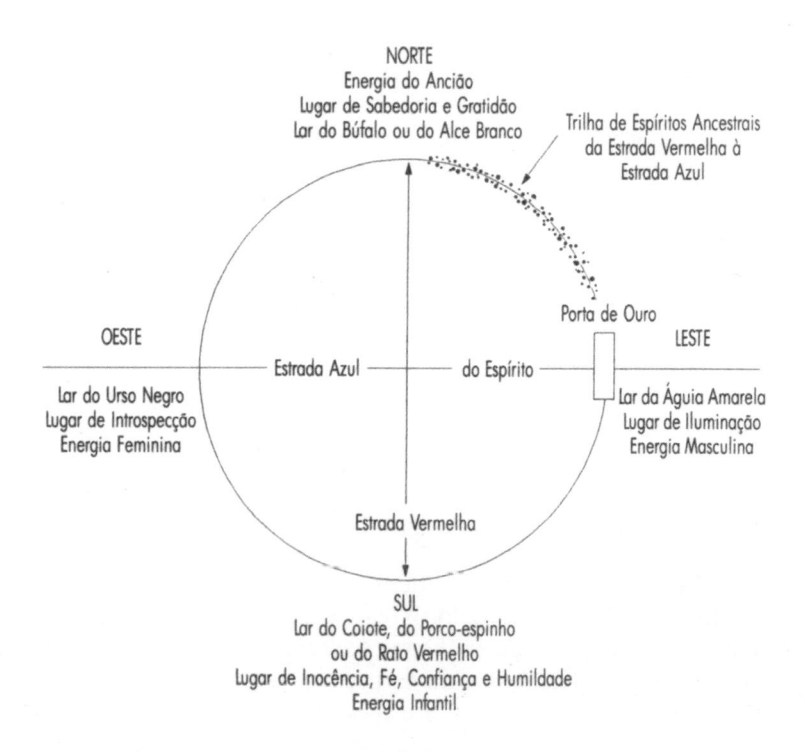

**NORTE**
Energia do Ancião
Lugar de Sabedoria e Gratidão
Lar do Búfalo ou do Alce Branco

Trilha de Espíritos Ancestrais da Estrada Vermelha à Estrada Azul

Porta de Ouro

**OESTE**
Lar do Urso Negro
Lugar de Introspecção
Energia Feminina

Estrada Azul — do Espírito

**LESTE**
Lar da Águia Amarela
Lugar de Iluminação
Energia Masculina

Estrada Vermelha

**SUL**
Lar do Coiote, do Porco-espinho
ou do Rato Vermelho
Lugar de Inocência, Fé, Confiança e Humildade
Energia Infantil

Vento viesse do Sul, elas parariam de fingir que sabem todas as respostas e encontrariam a humildade seguindo talvez outra criança que soubesse o caminho de casa. Se o Vento as apanhasse num redemoinho, elas deveriam aguardar o socorro. Se viesse do Norte, as crianças saberiam que os Anciões, em sua sabedoria, sabiam onde procurar por elas. Quando o Vento viesse do Leste, elas deveriam usar o bom senso ou buscar ideias lógicas que trouxessem uma resposta para as suas necessidades.

A Roda da Cura simboliza a orientação a ser seguida em todas as situações, e pode ser utilizada sob uma infinidade de formas. Para construir uma Roda da Cura, para uso Cerimonial Sagrado, é necessário ter doze Pessoas de Pedra. A primeira é colocada no Sul, no início da vida. A segunda e a terceira são colocadas no Oeste e no Norte. Não se coloca nenhuma pedra no Leste; a porta é deixada aberta. Seguindo o círculo, a quarta pedra é colocada na posição das quatro horas do relógio e a quinta na das cinco horas. O Sul é a posição das seis horas e é ocupado pela sexta pedra. As pedras preenchem cada posição vazia até que se chegue ao Leste novamente.

Antes que a Pessoa de Pedra do Leste seja posta a fechar o círculo, a Roda de Cura é abençoada. Os Espíritos das Quatro Direções são convidados a entrar no círculo através da porta Leste. Depois os Espíritos das outras três direções sagradas Acima, Abaixo e Dentro também são convidados a vir equilibrar o Elo Sagrado. Quando as Energias destas direções tiverem entrado, dedica-se a Roda da Cura a honrar o Espaço Cerimonial Sagrado. As Pessoas de Pedra recebem agradecimentos especiais por sua função de Guardiães, e por estarem contendo a energia do círculo. Neste momento, a Pedra do Leste é colocada em seu respectivo lugar, fechando a Porta Dourada. Depois da Cerimônia da Dedicação, realizam-se comemorações e banquetes.

O Círculo de Pedra da Roda da Cura é um símbolo de Espaço Cerimonial Sagrado que vem sendo honrado por nosso povo há séculos como sendo um lugar especial, no qual a beleza dos ciclos da vida física pode ser sentida e vivenciada. Estes ciclos de plantio, gestação, nascimento, crescimento, mudança, morte e renascimento são as lições de vida do Elo Sagrado.

Quando se começa a buscar as respostas para o Vazio onde reside o futuro, a vida torna-se extraordinária, excitante, e cheia de beleza. A percepção mundana da vida cotidiana se transforma, sempre que conseguimos parar e ficar atentos às constantes mensagens enviadas pelos Quatro Ventos da Mudança. Não importa onde estamos – por toda a parte a vida nos chama. A todo instante estamos cercados por formas de vida que procuram comunicar-se conosco, seres de Duas-Pernas. Nós, os seres humanos, somos as únicas criaturas que perderam o sentido de pertencer à totalidade do Grande Mistério. Ao compreender as lições que o Elo Sagrado nos transmite, aprendemos a nos aproximar da vida de forma mais profunda e delicada. Quando esta compreensão nos atinge, descobrimos uma nova maneira de ser, de viver e de pensar.

Para poder trilhar o caminho da Roda de Cura, devemos enxergar as oportunidades de crescimento que cada nova direção nos oferece. Muitas vezes basta reparar nas coisas óbvias que estão ao nosso redor, ficando atentos aos nossos sentimentos e procurando entender o que eles significam. Este processo representa o início de uma busca interna. O alinhamento com as Quatro Direções é realizado através das conexões dos Animais Totens com estas direções. Quando nos conectamos com as lições da Águia, do Coiote, do Urso e do Búfalo, ou com suas contrapartes nestas direções, as lições nos chegam muito mais facilmente. Nós costumamos pedir as respostas que os Totens têm a nos oferecer, e damos permissão para que eles se aproximem de nós em sonhos. É assim que conseguimos chegar ao ponto do conhecimento interior. (O iniciante pode começar usando as quatro cartas dos Escudos deste baralho como sistema de orientação para trabalhar com as quatro Direções.)

Em muitos escritos sobre a Tradição Nativa Americana menciona-se um Elo Sagrado rompido que volta a tornar-se inteiro. Por isto, alguns leitores se perguntam: "Afinal, como foi quebrado o Elo?" Bem, na verdade o Elo jamais foi rompido. O profundo sentimento de fé que reunia todas as Nações manteve viva a Chama Eterna em seus corações desde o início dos tempos. O Elo Sagrado está ficando mais forte porque os indivíduos que pertenceram ao Povo Vermelho em outras vidas estão se recordando agora de suas raízes e estão se reencontrando, vindos por caminhos diferentes, para conseguir preservar a Mãe Terra e tornar a se ligar com os espíritos da natureza. Quando nós, como Filhos da Terra, perdemos nosso senso de onde devemos nos encaixar na Roda da Cura da vida, também perdemos de vista o círculo unificado e nos esquecemos de viver de maneira sagrada.

Nossas Nações Nativas estão reunindo os Ensinamentos e preparando o caminho para o Quinto Mundo da Paz, retornando às cerimônias, aos rituais e utilizando a sabedoria dos Ancestrais para curar quaisquer amarguras e feridas antigas. O Espírito do Povo está voltando, e a energia que emana do Arco-Íris da Paz está curando os nossos corações.

## Aplicação

A Roda da Cura prevê um tempo de novos ciclos, ou, então, de movimento. Você é solicitado a perceber em que estágio do ciclo está passando neste momento. Será o início, a fase da criação, o tempo de crescer, o desenvolvimento ou o fim de um ciclo? A percepção clara e objetiva do seu momento atual o ajudará a esclarecer tudo aquilo que você precisa fazer de agora em diante. Qualquer tipo de recuo, hesitação ou paralisação passam a pertencer ao passado.

Através desta carta você está sendo levado a se dar conta de que a estagnação acabou, e de que novos inícios criaram raízes no presente. Não se deixe conduzir por seus velhos padrões. Observe qual é a direção da Roda da Cura que o auxiliará em seu avanço e aplique logo essa lição à sua vida. Suas escolhas agora são as seguintes: a iluminação e o esclarecimento (Leste), fé e humildade (Sul), introspecção e objetivos (Oeste) ou sabedoria e gratidão (Norte). É hora de decidir por você mesmo que tipo de movimento o ajudará a manter sua Roda girando. Qualquer que seja o caso, a carta da Roda da Cura serve para lhe assegurar que a vida continua. A qualidade deste novo ciclo depende de você, de suas próprias ações e das atitudes que você passar a tomar, de agora em diante, tendo em vista o seu crescimento pessoal.

# ESCUDO DO LESTE

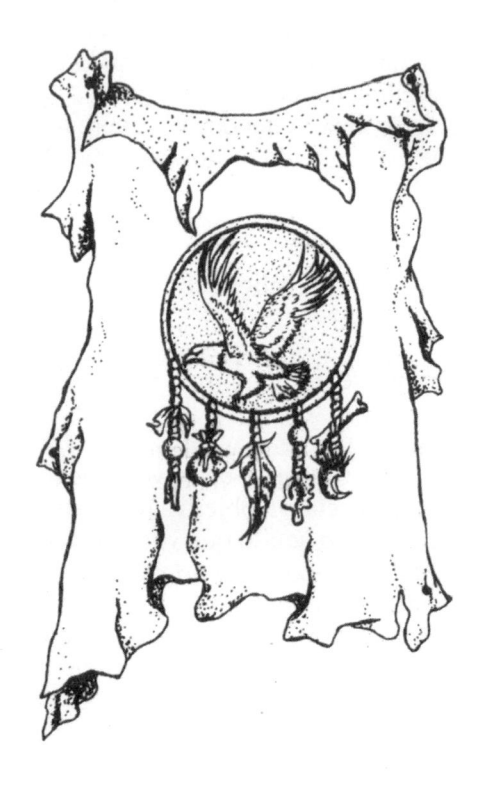

Escudo do Leste
   Ilumina meu caminho
      Para que eu possa voar com a Águia
         Para a casa da primeira luz do Avô Sol.

# 8
# ESCUDO DO LESTE
## Iluminação/Esclarecimento

### Ensinamento

O velho Xamã Três Dedos Amarelos chegou quebrando o silêncio da minha manhã com suas palavras, e sentou-se à minha frente, tirando cuidadosamente sua bandana vermelha da testa. Olhou no fundo dos meus olhos. Um sorriso fraco, quase imperceptível, cruzou num relance seu rosto vincado pelas intempéries. Ele conseguiu tocar a minha mente. Suas palavras caíram como lanças de oração no terreno fértil de minha memória.

– Vim lhe dar uma lição sobre seu Escudo do Leste – disse ele.

Vi-o mergulhar os três primeiros dedos da mão esquerda numa tigela de pólen de Milho sagrado e passá-los suavemente de um lado a outro da testa, criando três linhas amarelas. De Oeste para Leste elas atravessaram os penhascos rochosos de sua testa estriada e curtida pelos anos. Observei em silêncio, sabendo que cada movimento era um passo de dança do Escudo do Leste.

– O Escudo do Leste é aquele centro de iluminação onde habita a Águia. É nesse local que você encontrará a Porta Dourada que conduz a todos os outros níveis de percepção e compreensão. O Leste é onde o Avô Sol nos saúda a cada manhã. Existem três caminhos que levam à sabedoria do Escudo do Leste – disse ele. – Aqui em Tsankawi, onde cresceram meus antepassados, você encontrará os símbolos desses três caminhos. Acompanhe-me numa Caminhada de Cura, e partilharemos tudo o que existe de bom e de luminoso neste dia de folhas que caem.

Enquanto caminhávamos, deparei-me com uma lasca de uma antiga cerâmica, e Três Dedos Amarelos me mandou oferecer Tabaco e levá-la comigo. Continuamos a caminhar ao redor de um pequeno penhasco, e ele me recomendou que prestasse atenção aos locais por onde andava. Parei, e olhei para baixo. Bem à minha frente, aos meus pés, uma cobra protegia os seus ovinhos. Ofereci-lhe tabaco e me desviei. Continuei a caminhar, descendo pela parte de trás de um rochedo, e dei de cara com uma moedinha de cobre esperando por mim, deitada sobre um monte de terra vermelha. Apanhei-a, e lhe ofereci Tabaco. Três Dedos Amarelos acenou que "sim", e em seguida apontou para um grande pedregulho ao pé da colina.

Nós nos sentamos e ficamos em silêncio por algum tempo, até que ele começou a falar: "Os três Caminhos podem ser encontrados nestes símbolos. A lasca do pote que você encontrou simboliza a criatividade do artista. O primeiro Caminho é utilizar qualquer talento ou criatividade que você possua em seu interior. Seguindo simplesmente este Caminho, poderá atingir a Iluminação."

"O segundo Caminho nos é indicado por nossa irmã, a Cobra. Ela costuma livrar-se da sua pele, e nós encaramos isto como uma forma de livrar-se de velhos hábitos. O verdadeiro Xamã da Cobra transmuta os seus próprios venenos, visando a mudança e à Cura. O segundo Caminho para a Iluminação é o da Cura, da transmutação dos próprios venenos."

Três Dedos Amarelos fez uma pausa, mas logo continuou: "O terceiro Caminho para a Iluminação funciona da mesma maneira que o símbolo do dinheiro para o homem branco. Trilhando este Caminho, aprende-se a usar e a trocar cada energia adequadamente. A troca de energia pode tomar a forma de uma barganha, um acordo comercial ou, ainda, um pagamento. Pode dar-se através de uma doação, um empréstimo, ou de pura ganância. A troca é realizada por aquele que dá e por aquele que recebe. Neste sentido, dinheiro e energia representam a mesma coisa. As pessoas costumam ter medo de perder dinheiro ou de perder algumas formas de energia, como a da saúde. Elas têm medo de que estas energias lhe sejam usurpadas, e também têm medo de lutar contra a própria ganância. O terceiro Caminho da Iluminação é bastante delicado. O uso adequado da troca de energia fará as pessoas compreen-

derem que existem tanto formas materiais quanto formas mais sutis, suprafísicas, de energia. A lição do Terceiro Caminho é a seguinte: a verdadeira energia da troca é saber partilhar a sua própria energia com os outros."
Foi isto que aprendi naquele dia, e é isto o que tenho para partilhar hoje com vocês.

Para me aprofundar na lição de Três Dedos Amarelos, eu precisaria explicar melhor o significado das três linhas de tinta amarela em sua testa. Muitas vezes os Guias do Povo Nativo lhe mostravam em sonhos como pintar os seus rostos para representar a sua Magia pessoal. Uma linha amarela usada acima dos olhos simbolizava um Vidente, ou seja, alguém capaz de ver além da ilusão física. A cor amarela representa a cor do Leste na Roda da Cura, e, na maioria destas Rodas, também simboliza o lar dos Videntes. (O Xamã Alce Negro, devido à sua visão, usava o vermelho no Leste, e o amarelo no Sul.) A maioria das Tradições, no entanto, faz uso do Amarelo no Leste, por ser a cor do Avô Sol, quando o saudamos pela manhã.

Em nossa Tradição Seneca o Leste também simboliza a casa da Porta Dourada. Esta porta conduz a todos os outros níveis de imaginação e percepção. Passar através da Porta Dourada significa conseguir enxergar além do mundano e chegar a tocar o Pai Céu. Ao se realizar uma Jornada através da Porta Dourada, pode-se montar nas costas da Águia e voar até a liberdade do Verdadeiro Conhecimento. Do outro lado da Porta Dourada não existe limitação, não existe hesitação e não existe medo. Não há como sentir medo em presença do amor dourado do Avô Sol. A verdade sempre caminha ao nosso lado, quando conseguimos desafiar as nossas limitações, e atravessar qualquer conjunto de pensamentos negativos até alcançar a expansividade dos grandes ideais, permitindo-nos enxergar a Luz Dourada da Compreensão.

O Leste também contém a energia do lado masculino de nossa natureza, que tem a capacidade de avançar sobre áreas ainda não estratificadas da vida em busca de novos ideais. A beleza de nossa natureza humana reside na coragem de reconhecer nossas limitações, de saber recuar e esperar que outros passem à frente. A nota principal do Escudo do Leste é a independência. Esta qualidade nos permite assimilar as ideias que conduzem à iluminação. É pelo lado Leste que desafiamos o mundo, aprendemos nossas maiores lições e conseguimos progredir no caminho da vida.

Dentro da Roda da Cura o Escudo do Leste é a casa Tradicional onde reside a Águia. Por isto, todos os três caminhos para a iluminação do Escudo do Leste são agraciados pela Magia e proteção da Águia. A Águia é o símbolo da superação de todas as formas de ignorância e intolerância. A Águia é a guardiã do Centro das ideias elevadas. Ela vive nas proximidades do Avô Sol e banha-se no amor desta luz dourada. Compreender o Escudo do Leste significa convidar a Águia a penetrar em nosso coração. Um coração que já assimilou as lições do Escudo do Leste torna-se livre para voar até as grandes alturas, acima da Montanha Sagrada, para enxergar do alto toda a Criação.

## Aplicação

A carta do Escudo do Leste representa uma necessidade de clareza em alguma parte de sua vida. Pode também marcar um momento de iluminação, durante o qual, subitamente, as coisas começam a se encaixar e a fazer sentido para você. Se você tem estado um tanto confuso, agora chegou o momento de colocar mais ordem em sua vida. Esta ordem pode ser restaurada através de algumas atitudes simples, como, por exemplo, organizar uma lista de coisas a fazer, limpar o espaço em que você vive, ou finalizar antigos projetos deixados de lado por algum tempo. Depois que a ordem tiver sido restabelecida, você se encontrará mais receptivo e terá mais clareza para enxergar seu próprio Caminho.

A iluminação vinda do Leste pode estar lhe pedindo também que ajude outras pessoas a encontrar maior clareza em suas vidas. Partilhar suas próprias ideias pode conduzir à iluminação, já que, através desta troca, poderão lhe chegar as respostas necessárias. Este também pode ser o momento de curar velhas feridas ou de superar os pensamentos negativos, abrindo novos espaços para que a clareza entre em sua vida. Seja ousado e criativo, ampliando o seu autoconceito, descobrindo quem você realmente *é,* e aventure-se, até chegar a alcançar novos níveis de compreensão.

De todos os pontos de vista, o Escudo do Leste assinala um tempo de novas liberdades, que afloram sempre que você limpa a poeira que lhe cobre os olhos, e começa a enxergar de cima, das alturas, através do olho da Águia. Observe que tipos de pensamento ainda o mantêm atrelado, e ilumine esta cegueira, reunindo toda a sua coragem, e alçando novos voos a partir de agora.

# ESCUDO DO SUL

Terra Vermelha, Escudo do Sul,
  Criança plena de maravilhas,
  Ensina-me a soltura,
O riso é sua Entrega,
  Em inocência e alegria,
Sorrindo eu volto
  A me sentir criança.

# 9
# ESCUDO DO SUL
Inocência/Criança interior

**Ensinamento**

O Escudo do Sul é o Escudo da criança interior e também representa o lugar onde começa a vida física. O vermelho, a cor da fé, corresponde ao Sul na Roda da Cura, ou dentro do Elo Sagrado. Do Sul ao Norte, a Boa Estrada Vermelha de nossa Caminhada pela Terra faz com que passemos por experiências que acabam nos ensinando a viver em harmonia. Entre as Tribos do Ocidente, é o Coiote ou o Rato que se senta ao Sul, e nas Tribos do Leste, o Porco-Espinho é a Criatura que simboliza a energia da criança na Roda da Cura.

Em nossa vida cotidiana, o Ser humano adulto muitas vezes se esquece de permitir que a maravilha e a beleza da vida penetrem no espaço do coração e acaba abrindo caminho para que o sarcasmo penetre por esta brecha. É durante esses momentos que o ego começa a permitir a perda da autoestima e que se destroem as melhores intenções, impedindo que se use a criatividade de forma positiva. Medos e temores podem destruir a perfeita sincronicidade de nosso ritmo interno e nos desviar da consciência de nossa União com o Todo. Foi o Grande Mistério quem colocou todas as pessoas em seus próprios Espaços Sagrados, munidas de seus próprios dons, talentos e habilidades. O filho do Escudo do Sul está consciente desse processo e está mais do que disposto a permitir que outros partilhem desta cocriação, usando todos os seus talentos para ajudar a melhorar Todo o Universo. O Ensinamento do Escudo do Sul me chegou numa fase em que eu havia me tornado uma pessoa séria e sisuda demais.

Eu estava sentada numa colina ao lado de um desfiladeiro bem acima dos ruídos da cidade, olhando para o Sul, e tentando penetrar no Silêncio do meu coração. À minha direita havia o desfiladeiro distante cuja parede estava coberta com arbustos gigantescos de salva verde, Cactos Nopales, e com cheirosas esporinhas. Era início da primavera e o lugar em que eu estava sentada era perfeito para que eu pudesse descortinar todo o desfiladeiro. A intensidade do orvalho da manhã sobre a salva penetrava pelos meus sentidos com seu rico perfume. Fechei os olhos e rejubilei-me pela glória de estar viva.

O som da voz do Avô Taquitz encheu minha mente e me guiou até o meu espaço interno que continha o ensinamento do Escudo do Sul. Ele havia saído da Estrada Azul do Espírito para conseguir tocar meu coração e me mostrou uma garotinha que estava montada nas costas de um Coiote. Observei-a com os olhos da mente, à medida que ela subia a trilha do desfiladeiro, rindo às gargalhadas enquanto fustigava o Coiote que lhe servia de montaria.

O Avô Taquitz mandou que eu prestasse atenção ao jeito gentil como se relacionava com o animal. Ele disse: "Ela pode parecer uma criança comum, mas olhe como ela se relaciona com o Coiote. Ela não tem medo. O Coiote também não deseja enganá-la, e nem sair em disparada para que ela caia."

Comecei a compreender por que o Coiote era chamado de Embusteiro. O Coiote nos ensina a beleza que existe em nossa confiança e nossa inocência infantil, até que nos tornemos sérios demais. Aí ele arma um ardil para nos enganar, derrubando o excesso de seriedade que serve para mascarar nossos temores e ansiedades. Toda vez que nos esquecemos de ser crianças e de encarar a vida de forma alegre e tranquila, o Coiote se manifesta para nos importunar, até que deixemos de lado a nossa dor interna. É esta dor que nos impede de conhecer as alegrias da vida.

A menininha dirigiu-se até a grande pedra onde eu estava sentada e entregou-me uma cesta contendo três objetos. Ela começou a rir, e o Coiote revirou os olhos, uivando, como se também risse. A voz do Avô Taquitz ressoou na minha mente enquanto ele me instruía a olhar os presentes contidos na cesta. "Esses presentes são os símbolos dos três caminhos para se compreender o Escudo do Sul. Toque-os e fique atenta aos seus significados."

Apanhei o primeiro presente. Era uma boneca de *Heyokah*.

– O primeiro caminho para compreender a sabedoria da criança é o espírito da jovialidade – disse ele. – Se você puder rir das coisas que despem você de seu orgulho egocêntrico, reencontrará a inocência e a humildade. É a partir desse lugar de novos começos que todas as coisas tornam-se claras e repletas de verdade. A seriedade do adulto não terá como destruir seu relacionamento com os outros se você souber honrar a sabedoria que a criança possui, ao equilibrar sempre o lado sagrado com uma pitada de irreverência. Todas as coisas têm o seu lugar, e chegam a seu tempo, permitindo que o riso traga equilíbrio ao seu sentido interno de ver a vida.

A seguir, o Avô Taquitz me mandou pegar o presente seguinte, explicando-me o seu significado. Era uma reluzente bola vermelha. No momento em que a toquei, ela pulou para longe de minha mão, e desceu, quicando, pela parede do desfiladeiro. A garotinha e o Coiote correram atrás, gargalhando, enquanto tentavam alcançá-la.

"A boa forma física é o segundo caminho para o Escudo Sul", recomeçou o Avô. "Assumir a alegria de poder usar o seu corpo, desenvolvendo a habilidade e a graça que chegam através das brincadeiras, permite que o corpo se libere das tensões do mundo adulto. Desta forma, será mais fácil confiar em você mesma e permanecer em equilíbrio. A capacidade de reconhecer tudo que o seu corpo pode fazer, de assumir as suas necessidades e permitir que ele se expresse livremente, constitui o segundo caminho para recuperar a fé em si mesma."

Então perguntei ao Avô:

– Mas o Escudo Sul também não significa ter confiança nos outros, na própria vida, e no Plano do Grande Mistério?

O velho Xamã sorriu, dizendo:

– Você aprende bem rápido, minha pequena. Claro que é. Agora, você precisa aprender o valor da confiança. Deve ter certeza de que cada ser vivo manifesta exatamente aquilo que deve ser naquele determinado momento. Sua grande amiga, Carol Pomba Azul, já havia lhe falado isto, tempos atrás. Às vezes, você ainda se esquece de observar qual é a essência verdadeira de cada indivíduo, e projeta no outro os seus próprios desejos. É nestas ocasiões que o Coiote se manifesta, realizando os seus truques, para tirá-la deste estado de ilusão.

Vovô Taquitz fez uma pausa, antes de continuar:

– Saber equilibrar o seu próprio corpo lhe fornece a chave para poder observar a verdade em todas as coisas. Se você utiliza o corpo somente para trabalhar, ele acaba se cansando e ficando bloqueado demais. Se você souber equilibrar o seu corpo através de brincadeiras físicas, ele poderá se liberar da imagem de ser um escravo do trabalho. Ao agir assim, você descobrirá que não há necessidade de guardar rancores. Quando o seu corpo não guarda ressentimentos, os seus pensamentos tornam-se mais claros. Você passa a encontrar alívio para a tensão que a impede de conhecer a você mesma e aos outros, e de admirar a beleza e o equilíbrio dentro do plano do Grande Mistério.

Compreendi tudo muito bem e guardei o conhecimento do Segundo Caminho em meu coração. A seguir, peguei o terceiro presente que se encontrava dentro da cesta. Tratava-se de um espelho.

A garotinha e o Coiote vieram galopando de volta para me devolver a bola vermelha e tentaram acertá-la na cesta. Porém a bola escapuliu e acabou quebrando o espelho. Fiquei aterrorizada quando vi a imagem do meu rosto se estilhaçar à minha frente. De repente encontrei-me olhando no fundo dos olhos negros do Avô Taquitz.

– Não se preocupe – riu ele. – Isto faz parte da lição do Escudo do Sul. Quando você puder destruir a ilusão da imagem que criou para mostrar aos outros e voltar a ser você mesma, verá restaurada a sua inocência.

Voltando a olhar para o espelho, percebi os milhares de pequenos reflexos do meu próprio rosto. Cada pedaço de espelho partido refletia uma figura inteira. Comecei a perceber que existem muitas facetas – ou lados de nós mesmos – que estamos sempre exibindo para os outros. Isso quase sempre correspondia àquilo que queríamos que eles vissem. Cada um dos modelos de rosto nos poderia trazer aprovação e aceitação. Eu percebi que a forma de recuperar a minha verdadeira imagem estava simbolizada na figura da menina. Esta criança interior representava a essência do início da minha vida e não carregava nenhum dos temores da minha vida adulta. Ela passaria a ser minha professora, ensinando-me a quebrar os espelhos da autoimportância e a rir das expectativas e das projeções que os outros colocassem em meu caminho, até que eu conseguisse voltar a ser eu mesma!

Vovô Taquitz sorriu, dizendo:
— Sim, você já compreendeu que o terceiro caminho para o Escudo Sul é conseguir ser quem você realmente é, e compreender a beleza desta sua essência original. Você não precisa afastar-se de sua inocência e beleza infantis só para satisfazer os outros. Trata-se de um presente que você poderá dar aos outros. Eles poderão refletir-se nesta sua atitude, para que deixem cair as máscaras de seus temores, e passem a enxergar que também possuem esta beleza toda dentro de sua própria criança interior. Assumindo a sua criança interior, você poderá recuperar a fé na Vida e recapturar a sensação do Maravilhoso que existe no fato de estar vivo.

Agradeci a meus três professores do Escudo do Sul e ofereci Tabaco às Quatro Direções, à Mãe Terra e ao Pai Céu. Tratava-se de um dia bom para se estar viva, de um dia bom para rir, e de um dia bom para recomeçar!

## Aplicação

A carta do Escudo do Sul marca um tempo de retornar às partes infantis do Ser, que não necessitam de máscaras. Observe se você não pode sentir-se mais humilde em sua presente situação. Equilibre trabalho com lazer e saiba harmonizar o sagrado com um lado mais irreverente. Em outras palavras, você precisará sentir-se mais leve e soltar as partes mais rígidas do seu Ser antes de seguir adiante.

Este pode ser um tempo bom para realizar alguns exercícios físicos, soltar músculos enrijecidos ou rir até desopilar o fígado. Deixe de sentir-se tão apegado às coisas e lembre-se de viver com mais soltura e liberdade. Como é possível confiar verdadeiramente em alguma coisa ou em alguém se esta imagem refletida no espelho não é verdadeiramente a sua?

A carta do Escudo do Sul afirma que a sua criança interior está tentando ensinar-lhe algo pertinente à sua atual situação. Escutar e confiar nesta pequenina voz pode recuperar um pouco da Magia que ficou perdida durante a·sua vida de adulto. Trate de lembrar-se sempre: o bom humor cura muitas feridas! Quanto mais a sério você levar o jogo, menos chances terá de ganhá-lo!

# ESCUDO DO OESTE

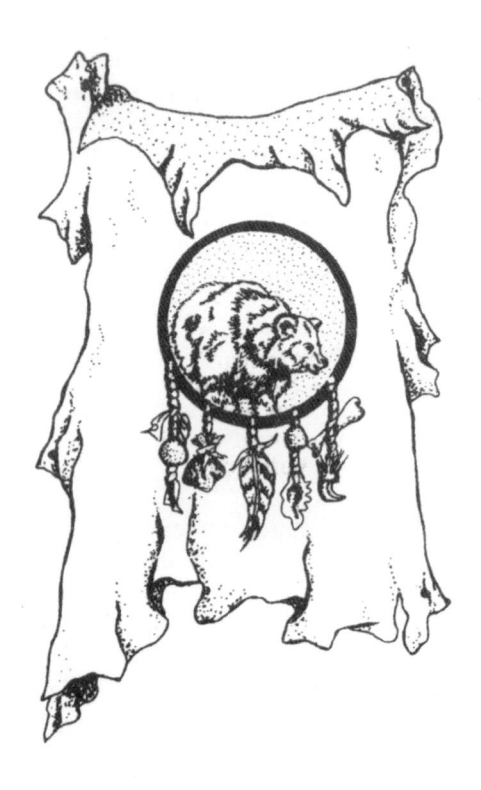

Escudo do Oeste
O poder da Mulher
Em busca de respostas.
Lugar da Caverna do Urso,
Luz poente do Avô Sol.
O Horizonte do Amanhã
Me dará novas forças
Para alcançar
Meus objetivos.

# 10
# ESCUDO DO OESTE
## Introspecção/Objetivos

**Ensinamento**

O Oeste é a morada tradicional do Urso dentro da Roda da Cura. Esta direção está relacionada ao Vazio e é representada pela cor preta. As suas respostas provêm da caverna escura do Urso. A capacidade de exercer a interiorização e a introspecção faz parte da energia feminina, que é uma energia mais receptiva. O ventre da mulher é o lugar onde todas as ideias, assim como os bebês, são alimentadas e chegam à existência. A escuridão do ventre fértil é o lugar no qual cada um de nós, que caminha pela Boa Estrada Vermelha da Vida Física, teve seu começo. Nós já fomos, em tempos passados, a geração futura em relação aos nossos pais. Tudo aquilo que o futuro nos reserva está sempre a Oeste, o lugar dos nossos amanhãs.

Para compreender mais profundamente o Oeste, o lugar de "olhar para dentro", precisamos compreender primeiro as nossas verdadeiras naturezas. A menos que estejamos em estreito contato com todos os Nossos Parentes – o Povo-em-Pé (as árvores), o Povo de Pedra, as Criaturas, a Mãe Terra, o Pai Céu, o Avô Sol, a Avó Lua, os Quatro Espíritos Chefes (Ar, Terra, Água e Fogo), os Rastejadores (insetos), e todas as demais formas de vida, desde o átomo até a Grande Nação das Estrelas – sentiremos que todas as respostas vivem fora de nós. Quando entendermos que o espírito de todas estas outras formas de vida vive dentro de nossos corpos, começaremos a compreender que podemos olhar para dentro, em busca de todas as respostas. As nossas células, dentro de nossos corpos terrenos, guardam a memória de tudo o que já aconteceu. As respostas estão contidas no potencial de conhecimento de nosso espírito.

A Ursa me apareceu durante um estado de vigília dentro da Dimensão dos Sonhos, muitos anos atrás. Ela invadiu a minha consciência e me acompanhou em uma Caminhada de Cura da Dimensão dos Sonhos. Quando dei por mim, eu estava numa floresta, no alto das Montanhas Rochosas, perto do grande cemitério, em Creede, no Colorado. A Ursa dirigiu-se à fonte que brotava por cima da meseta Moonshine e saciou sua sede com aquela água pura e gelada saída do seio da Mãe Terra. Só então a Ursa dirigiu-se a mim e começou a falar:

– Nós costumávamos usar palavras, assim como vocês de Duas-Pernas – disse ela. – Nós nos recolhemos ao nosso silêncio no final do Segundo Mundo. Quando a Terra foi purificada pelas grandes montanhas de gelo, o seu povo já havia se agrupado em Clãs e famílias. Eles haviam ouvido a Canção do Lobo da Tundra e começaram a usar as suas próprias palavras. Nós sabíamos que vocês, humanos, não ficariam isolados, e que só poderiam sobreviver se pudessem se comunicar uns com os outros. Assim, nós, as Criaturas, deixamos os Duas-Pernas sozinhos, para que pudessem descobrir os seus próprios sons, e aprendessem a se comunicar uns com os outros. Porém, infelizmente, nesta época os Duas-Pernas se deixaram levar tanto pelas opiniões dos outros que começaram a desconfiar de suas verdades pessoais. Eles começaram a se preocupar com o que os outros pensavam, acabando por tornar-se incapazes de encontrar as próprias respostas dentro de seus corações.

Compreendi que a Ursa tentava me mostrar como nós, os Duas-Pernas, vivíamos preocupados em buscar aprovação. Tornamos as nossas vidas confusas e emaranhadas pelo medo de parecermos diferentes uns dos outros. Por isto, algumas pessoas, com ideias novas e desafiantes, sentem dificuldade em permanecer fiéis às suas verdades pessoais.

A Ursa continuou:

– Foi durante aqueles dias, em que fazia cada vez mais frio, que a humanidade aprendeu a comer carne. Durante o Primeiro Mundo, os Duas-Pernas haviam sido vegetarianos. Até a época da purificação havia frutas, sementes, raízes e vegetais em abundância. Quando as grandes montanhas de gelo avançaram sobre o rosto da Mãe Terra, as plantas que haviam, até então, servido de sustento a todas as Criaturas começaram a desaparecer. Os Duas-Pernas passaram fome até aprenderem a comer carne. As outras Criaturas, compreendendo a necessidade de equilíbrio e de partilha, ofereciam os corpos como alimento para os Duas-Pernas. Meus Ancestrais transmitiram o calor do pêlo de seus corpos e o instinto de sobrevivência aos Duas-Pernas. E foi assim, consumindo a carne do Urso, que as lições do Escudo do Oeste foram aprendidas.

– Eu me lembro da forma como nosso presente foi aceito por uma fêmea Duas-Pernas – disse a Ursa. – Ela se chamava Alona. Alona comeu a carne do urso e mergulhou num sono profundo e reparador. Ela viu, em sonho, o registro de nosso Clã do Urso e aprendeu os três caminhos do Escudo do Sul.

Ouvi atentamente a explicação da Ursa.

– Durante o sonho – continuou ela –, Alona viu a Ursa Cinzenta comer tudo o que pudesse encontrar no caminho: frutas, mel e o peixe dos rios. O gigantesco animal estava se preparando para a época de hibernação, quando teria de viver da gordura armazenada em seu corpo. Depois Alona viu a Ursa Cinzenta entrar em sua caverna para dormir, protegida pelo manto branco do inverno. Em seu sonho, Alona acompanhou a Ursa Cinzenta e dormiu a seu lado. Na primavera, quando a Ursa Cinzenta acordou, Alona seguiu os seus passos até o âmago da floresta. A Ursa Cinzenta parecia muito preocupada em redescobrir a floresta, e perceber mudanças ocorridas em seus troncos favoritos. O profundo sono invernal havia colocado a Ursa Cinzenta em um novo estado de consciência.

– Mamãe Cinzenta havia deixado Alona entregue a seus pensamentos, e havia partido para continuar sua rotina de vasculhar a floresta – disse a Ursa. – Foi somente depois que Alona ficou sozinha que uma voz pequena e tranquila lhe falou ao coração silencioso, e lhe mostrou o valor das lições transmitidas pela grande Ursa Cinzenta. Alona viu que ao provar os frutos de todas as ideias, a pessoa poderia expandir o seu próprio enfoque da vida, da mesma forma que a Ursa Cinzenta fizera ao comer todos os tipos de alimento. Depois, Alona lembrou-se do descanso na caverna. A Ursa lhe havia ensinado a entrar no silêncio de seu próprio Espaço Sagrado para poder digerir melhor as ideias assimiladas. As ideias que não lhe oferecessem sustento suficiente poderiam ser eliminadas e as restantes seriam usadas como alimento durante todo o tempo de introspecção. Alona percebeu que poderia atingir melhor os seus objetivos quando passasse a agir de acordo com as ideias que a nutriam melhor.

Olhei bem dentro dos grandes olhos castanhos da Ursa e sorri. Eu começava a entender agora o Escudo do Oeste de uma nova maneira. Perguntei à Ursa:

– Então os Três Caminhos que nos ensinam a olhar para dentro de nós mesmos, e a atingir os nossos objetivos, são como as ações da Ursa Cinzenta no sonho de Alona, não é verdade? – É isto mesmo – respondeu a Ursa. – Agora diga-me: como é que você enxerga o significado destes Caminhos?

Refleti um pouco antes de responder:

– O primeiro Caminho é o de penetrar na quietude de nosso Espaço Sagrado. Basicamente é estar disposto a perceber as respostas que nos são oferecidas pela nossa própria vida cotidiana. Isto significa permitir que o nosso lado feminino aflore, tornando-nos mais receptivos e mais aptos a magnetizar e a receber, em estado silencioso. Assim, aprendemos a Entrar no Silêncio.

– Correto – disse a Ursa. – E o segundo Caminho?

– Bem, suponho que o próximo passo seja digerir as respostas que nos chegam e aprender a sentir quais as que melhor se aplicam a nós. Portanto, o Segundo Caminho significa integrar a informação e discernir qual é a nossa verdade pessoal.

– Está correto outra vez – disse a Ursa. – Através do Segundo Caminho que alimenta as respostas recebidas, o Terceiro Caminho torna-se mais evidente.

– Ah, agora entendi! O Terceiro Caminho significa a estrutura baseada em nossa verdade pessoal. Se tivermos consciência de nossas ideias digeridas, poderemos nos organizar melhor para atingir os nossos objetivos, partindo de uma base mais sólida. Sempre que nossos objetivos estiverem baseados em nossos desejos e verdades pessoais, serão alcançados com alegria. Serão objetivos que nos esforçaremos por alimentar porque são verdadeiramente nossos, e não objetivos que outros esperam de nós, não é mesmo?

A Ursa começou a rir, rolando no chão, perto do riacho, enquanto coçava as costas em um pedregulho.

– Você captou bem a ideia – assentiu ela. – As ações da Ursa Cinzenta permitirão que cada pessoa penetre em seu conhecimento interior. Tal como aconteceu com Alona, muito tempo atrás, meu Clã poderá lhes transmitir a energia necessária para poder receber cada manhã com renovada alegria. Toda vez que você se inspirar na Vovó Ursa Cinzenta para digerir o conhecimento de sua verdade pessoal, não precisará temer o desconhecido que o futuro lhe traz.

Agradeci àquela Ursa as lições recebidas e comecei a trilhar o Caminho do Entendimento de meu próprio Escudo do Oeste. Espero que esta lição também possa o ajudar em sua busca pessoal. Que ela seja satisfatória e repleta de alegrias, e que você consiga chegar à Terra da Ursa e às sábias lições que nos chegam do Oeste.

## Aplicação

Se o Escudo do Oeste apareceu em sua sequência, a Ursa está lhe pedindo para observar seus atuais objetivos e compreender como eles afetarão o seu futuro. Será que as respostas que você procura pertencem a seu próprio mundo interno? Caso contrário, este pode ser um bom momento para penetrar no Silêncio e digerir as perguntas, de forma que as suas próprias respostas individuais possam começar a emergir.

A Ursa também nos lembra que o Escudo do Sul é o local de todos os amanhãs. Se você ainda tem medo do desconhecido, pode ter chegado a hora de dissipar todos os temores. A coragem de conseguir esta clareza interna é a maior Cura que a Ursa pode lhe oferecer. Chame pela Ursa e encha-se de coragem, a fim de abrir-se para novas coisas em sua vida.

Como resposta a qualquer pergunta, o Escudo do Oeste nos fala da capacidade de concretizar nossos objetivos e do pleno reconhecimento de nossas forças interiores. O Escudo do Oeste enfatiza o poder de descobrir e conhecer as nossas próprias respostas. Lembre-se de que as opiniões dos outros acabam misturando-se às nossas próprias dúvidas, transformando-se em limitações, sempre que nos esquecemos de Entrar em nosso próprio Silêncio.

# ESCUDO DO NORTE

Escudo do Norte –
   Lugar sagrado dos Anciões.
      Com gratidão, canto teu louvor.

Búfalo Sagrado,
   Branco como a neve,
      Proteja meu coração
         Até o fim de meus dias.

# 11
## ESCUDO DO NORTE
## Sabedoria/Gratidão

**Ensinamento**

Quando me preparava para Entrar no Silêncio, numa noite de inverno, muitos anos atrás, fui levada para a Dimensão dos Sonhos e conduzida até uma antiga floresta, recoberta pela neve recém-caída. Os troncos nus da Bétula e do Choupo destacavam-se contra o verde-esmeralda das Árvores da Paz, os Pinheiros. Flocos gigantes de neve cristalina caíam ao meu redor, à medida que eu avançava até a borda da floresta.

Abaixo de mim havia uma vasta campina coberta por uma profunda camada branco-azulada, na qual não se enxergava uma única folha de relva. Bem mais adiante, em frente a outro grupo de árvores, estava um Búfalo do Espírito Sagrado. Ele fez sinal para que eu me acercasse. Enquanto descia a colina, a franja de meu vestido de couro de cervo deixava leves traços sobre o manto novo de neve que recobria a Mãe Terra. Só se ouvia mesmo o ruído que meus mocassins faziam ao bater nas pequenas Criaturas de Neve, as bordadeiras daquele vasto manto branco.

Quando me aproximei, percebi que as narinas do Búfalo exalavam vapor, como se fossem fumaça de Cachimbo, e que seus enormes olhos castanhos encararam os meus, enquanto nossas mentes se uniam. Esse Búfalo Sagrado da Dimensão dos Sonhos fez com que eu me sentasse de pernas cruzadas sobre a neve, a seus pés, e me transmitiu o calor de seu hálito para que eu não sentisse mais frio. Um raio de intensa luz nos envolveu. Seus cascos se tornaram brancos, e ao erguer a cabeça vi toda a cor desaparecer de seu corpo. Os olhos ficaram da cor do céu de verão, de um azul intenso.

Seus chifres se tingiram de um branco prateado, e ele me chamou pelo nome.

– Canção da Meia-Noite, siga os meus chifres em direção ao céu, até o Conselho dos Anciões, para receber o ensinamento do Escudo do Norte – ordenou ele. – Lá você verá as três trilhas que conduzem à Sabedoria, e receberá as lições do Búfalo Branco Sagrado.

Quando ergui os olhos, a cena subitamente mudou. Eu estava sentada ao Sul de um grande Fogo do Conselho. Nesse círculo de Anciões havia mais de duzentos representantes. Bem no centro do círculo ardia uma fogueira que iluminava as faces idosas, de tal forma que eu pude enxergar as expressões dos negros olhos faiscantes.

Um dos Avôs, que estava ao Norte do Círculo, ordenou que eu me acercasse da fogueira, e permanecesse em pé no meio do fogo. Obedeci, e senti que a fogueira não me queimava. Nisto, este Avô me falou o seguinte:

– Todas as três Estradas que levam ao Escudo do Norte precisam ser palmilhadas muitas vezes, e cada passo deve ser temperado pelo fogo da experiência – disse ele. – Agora aproxime-se para receber os três Símbolos dos Caminhos para o Norte.

Deixei a fogueira e me encaminhei até o lugar onde o velho sábio estava sentado. Ali, três Anciões esperavam por mim. A primeira Anciã era uma Avó, que me ofereceu uma grande concha marítima. A seguir, ela sorriu e disse:

– Esta concha o ajudará a ouvir melhor a Mãe Terra, suas Criaturas e seus filhos. Aprendendo a escutar, você conseguirá alcançar a Sabedoria.

O segundo Ancião, um outro Avô, ofertou-me uma machadinha, dizendo:

– Esta machadinha aqui representa o Pacificador, aquele que sabe perceber o momento de esquecer as hostilidades e perdoar, mas também conhece o momento certo de lutar pela verdade. Através do Caminho da verdade, do perdão e da humildade, você também poderá alcançar a Sabedoria.

O terceiro Ancião era a Grande Mulher Novilha de Búfalo Branco. Ela me presenteou com um Cachimbo. Sua voz era grave, mas seus olhos reluziam quando me disse estas palavras:

– O Cachimbo simboliza o equilíbrio de todos os Escudos, da energia masculina e feminina, da Estrada Vermelha e da Estrada Azul. O Cachimbo também representa a gratidão pela beleza do plano perfeito do Grande Mistério. O Terceiro Caminho compõe-se de gratidão e preces de agradecimento. Através deste Caminho você também poderá alcançar a Sabedoria.

Agradeci aos Anciões e me encaminhei de volta para o centro da fogueira. Nisto, chamas azul-alaranjadas me tomaram de roldão, e um vértice de fumaça prateada me impulsionou diretamente para o céu, bem acima do Fogo do Conselho dos Anciões. Subitamente tomei consciência de estar num local totalmente diferente. Eu me achava sentada ao sul de uma enorme mesa circular de pedra, de cor metálica. Havia um Conselho sentado àquela mesa, constituído por mais de quatrocentos indivíduos. O choque que senti ao enxergar os seus rostos quase me mandou de volta ao meu corpo, no plano físico. Eram as raças que vinham das estrelas! Alguns dentre eles pareciam terrestres, mas a maioria pertencia a raças que eu sequer havia imaginado que pudessem existir. Compreendi então, pela primeira vez, como os Kachinas deviam ter sido vistos pelos Hopis que os receberam na Terra.

– Os Irmãos e Irmãs do Céu constituíam um estranho agrupamento de raças. Eles me envolveram com sentimentos cálidos de boa vontade e carinho. Apesar deste sentimento de amor, eu continuava perplexa, por causa de suas aparências. Alguns daqueles seres pareciam ter mais de dois metros; tinham cabelos dourados, olhos muito azuis, e eram muito parecidos com os seus irmãos terrestres; outros tinham cerca de um metro de altura, possuíam olhos enormes, eram totalmente negros, com cabeças em forma de lâmpada e pés em forma de teias. Outros, ainda, tinham a pele cor de cobre, corpos humanos bastante altos, e olhos azuis de formato oriental. Havia também alguns seres que me lembraram tubarões-martelo, com suas cabeças achatadas, e olhos nas laterais do rosto. Creio que ali haviam se reunido mais de setenta e cinco espécies de seres extraterrestres.

Levei algum tempo para me acostumar com a sensação de estar sendo observada, e resisti à tentação de não fazer o mesmo. Um daqueles seres, de pele azul-acinzentada, careca, e de orelhas pontudas, estava sentado ao Norte desta gigantesca mesa redonda. Foi ele quem se levantou e falou comigo, esclarecendo-me sobre a missão que me era confiada neste momento de Caminhada pela Terra. Ele revelou fatos sobre a minha vida em épocas passadas, e explicou por que havia cabido justamente a mim ajudar a divulgar os ensinamentos da Raça Vermelha.

Olhei ao redor da mesa e sorri para cada um dos seres que ali se encontravam, tentando enxergar além da aparência externa, e sentindo toda a beleza interior expressada por esta variedade de raças. O Caminho Sagrado da Sabedoria Universal também depende de nossa capacidade de aceitar tudo aquilo que é incomum e estranho, com um sentimento de graça, leveza e compreensão. Fiquei abismada ao reconhecer, no meio daquele grupo, alguns rostos famosos que faziam parte da História da Terra.

Ali, durante aqueles momentos, tive uma Visão fantástica, que me proporcionou uma compreensão mais profunda do que significa tornar-se um Ser Universal, e de não possuir mais uma identidade limitada. Descobri que a beleza está nos olhos de quem vê, e que todas as raças de nosso Universo estão prontas a nos ajudar. Guardei na memória toda a Sabedoria que me havia sido transmitida e me despedi do Conselho dos Espíritos. Voltei a sentir-me envolvida no redemoinho esfumaçado de energia prateada, que me devolveu ao meu corpo físico terreno.

O principal ensinamento do Escudo do Norte é mostrar-nos que, em cada uma de nossas Rodas da Cura, o Norte está no topo, porém o Sul fica logo em frente. O Sul representa o começo de uma nova Roda da Cura e é o lugar de nossos Ancestrais. Para muito além do Norte de nossa Roda da Cura, situa-se o Sul, ou seja, o início da grande Roda da Cura Universal. À semelhança dos Elos gigantescos que conectam todas as Criaturas do Grande Mistério, nós também transcendemos os nossos ciclos – um de cada vez – e viajamos por cada Roda, evoluindo constantemente e sempre unificados. Lembre-se de que, uma vez alcançado o Centro da Sabedoria, não existem mais limites. Os segredos sempre serão revelados a todos aqueles que têm olhos para ver e ouvidos para ouvir.

# Aplicação

Caso você tenha escolhido a carta do Escudo do Norte, um novo degrau de Sabedoria está lhe sendo revelado neste ponto do seu caminho. O seu momento agora é o de demonstrar gratidão por todos estes novos conhecimentos, para poder prosseguir em seu processo de crescimento. A Sabedoria é uma das formas pelas quais você consegue experienciar a ordem natural do Universo, sentindo como se aplica a seu próprio microcosmo, ou seja, à sua vida pessoal.

A Sabedoria representa um sólido conhecimento interior, que ninguém consegue tirar de nós, e que jamais poderá ser comercializado, roubado, ou vendido. O saber mais profundo brota das Verdades que já foram experienciadas em nossas vidas. O Escudo do Norte revela que você já aprendeu a sua lição e que soube extrair dela um sentido de realidade que lhe poderá ser útil pelo resto da vida. A complementação desta lição deveria ser sublinhada por preces de ação de graças e por um profundo sentimento de gratidão. Ao agir assim, você terá completado o círculo do Elo Sagrado e sabido honrar a fonte desta Verdade Única. Lembre-se de que o dom da Sabedoria está sempre no coração daquele que recebe, e que permanecerá vivo enquanto for honrado como uma bênção, proveniente da inesgotável Fonte Universal.

# A FLECHA

Clã do Guerreiro, suas flechas
Voam diretas e certeiras.
Coração corajoso,
Fé comprovada.
Vida que manifesta
Carinho e proteção.

# 12
## A FLECHA
## A verdade como proteção

**Ensinamento**

Cabia aos Clãs Guerreiros da América Nativa zelar pela segurança do nosso Povo. O espírito do Clã dos Guerreiros é representado pela Flecha. A Flecha é direita, certeira, e torna-se mortal quando é apontada para matar. Os Bravos Guerreiros só adquiriam o direito de ser chamados por esse nome depois de passar por muitos testes de liderança e agilidade. A coragem era o ingrediente principal na formação de um Guerreiro, porém deveria ser temperada pela verdade, pelo senso comum, pela destreza física, integridade e ligação com os níveis espirituais antes que se merecesse o direito de pertencer ao Clã dos Guerreiros.

Uma vez concluídos os Ritos de Passagem (veja carta 21), para os rapazes de 13 anos, iniciava-se o lento e árduo processo de aprendizado para tornar-se um Homem. As lições eram aprendidas com o pai, um tio, com outro membro do Clã do Guerreiro ou com um Chefe. Estas lições consistiam em aprender a caçar, a rastrear, a participar de um ataque e a colaborar na Contagem de Golpes. Havia ainda a Busca de Visão, a Dança do Sol, e a liderança de um grupo de caça. Durante a dança noturna, as atividades eram reencenadas para o resto da Tribo, celebrando assim cada uma destas conquistas.

Cada jovem que honrava seu Clã com atos de bravura era coberto de honrarias. Cada passo que conduzia ao caminho do Clã do Guerreiro era propositadamente difícil, e bastante extenuante, já que a liderança da Tribo, e por vezes da própria Nação, recairia nos ombros da próxima geração do Clã dos Guerreiros. A habilidade de um homem em fabricar flechas pretendia demonstrar a exata medida de seu cuidado com a liderança do Povo. O melhor dos melhores acabaria sendo escolhido como Chefe, após ter as suas capacidades comprovadas. Nesta ocasião, ele já teria, pelo menos, cinquenta anos de idade. Um Guerreiro jamais seria considerado um Ancião, nem sábio o suficiente para tornar-se o Chefe principal da Tribo, enquanto sua vida não estivesse plena de experiências. O indivíduo só era considerado adulto e maduro o suficiente para tornar-se Chefe aos cinquenta anos de idade.

De acordo com a Tradição Sioux, logo após a puberdade o jovem tornava-se um Soldado-Cão da Tribo, aprendendo a servir e a ser leal para com seu povo, enquanto agia como sentinela e protetor do acampamento. Depois que estas lições estivessem bem assimiladas, alguns destes jovens eram chamados a participar da Sociedade do Coração Forte, considerado um agrupamento de elite. A Sociedade era constituída pelos membros que haviam se distinguido na batalha e que já possuíam muitas Penas de golpe. O Clã dos Guerreiros sentia-se muito honrado quando algum de seus membros era escolhido para entrar na Sociedade.

Alguns jovens casavam-se cedo e não conseguiam entrar para o agrupamento do Soldado-Cão porque tinham que sustentar a família. Estes homens passavam a ser tratados com um pouco de escárnio e eram chamados de "Os Toma-Conta das Barracas". Muitos jovens queriam fazer parte do Abrigo--do-Soldado-Cão mas não eram admitidos. Todos os membros do grupo viviam num mesmo Abrigo, no qual as mulheres não tinham permissão de entrar. As mães dos Bravos costumavam preparar as suas refeições. Mas quando levavam a comida de seu filho, só podiam colocar uma das mãos na tenda, no máximo até o pulso.

Os melhores caçadores e rastreadores provinham do Clã dos Guerreiros. Nem sempre estes homens se tornavam Chefes, mas podiam chegar a ocupar lugares de honra no Conselho dos Homens, que incluía todos os líderes dos diversos Clãs. Alguns dos Clãs Guerreiros da América Nativa eram chamados de "Clã da Raposa", o Totem protetor da família. Outros eram chamados de "Clã do Coiote", já que sempre conseguiam enganar o inimigo, sabendo como pegá-lo de surpresa. Cada Nação escolhia um Totem diferente para o seu Clã dos Guerreiros.

O Totem possuía os atributos de algum animal da região, cujas características inspiravam os Guerreiros e os Bravos daquela Nação. Uma vez completado o treinamento de Soldado-Cão, os Guerreiros ficavam livres para casar-se, tornando-se membros muito respeitados por todos em função do serviço que prestavam a seu Povo.

Dependendo de sua atuação, os membros do Clã dos Guerreiros podiam pertencer também a outros Clãs. A partir dos sete anos a criança já demonstrava os seus dons e talentos. A esta altura os avós já haviam merecido um descanso do trabalho cotidiano mais pesado. Eles se incumbiam de observar os talentos naturais que cada criança possuía para oferecer à Tribo. Os dons naturais determinavam a que professores cada criança deveria ser encaminhada, após realizar o seu Rito de Passagem. As meninas aprendiam suas funções junto às outras mulheres, e os meninos aprendiam, junto aos homens dos diversos Clãs, as tarefas para as quais demonstrassem maior aptidão. Desta maneira, cada criança tinha os melhores modelos possíveis, podendo desenvolver seus próprios dons e talentos para continuar honrando a sua Tribo.

Depois de ser honrado com o título de Chefe, um homem jamais deveria levantar a voz contra uma mulher ou uma criança. Esta regra era comum a todos os Clãs dos Guerreiros. Estes Bravos asseguravam a proteção das futuras gerações e sabiam honrar os tesouros vivos simbolizados pelas mulheres, como Mães e Provedoras da Tribo. O sentido de bravura e lealdade destes Guerreiros mantinha-os acima das discussões tolas. No entanto, eles eram, muitas vezes, submetidos a verdadeiras provas, por causa das brigas entre os membros da Tribo que ainda não haviam desenvolvido estas mesmas qualidades. Um verdadeiro Chefe tinha que ser equilibrado e compreensivo, colocando os interesses do seu Povo acima de seus próprios sentimentos. O caráter do Guerreiro era forjado por anos de silêncio, durante os quais ele assimilava a experiência dos Anciões da Tribo. Cada Guerreiro deveria passar por este aprendizado até reconhecer o valor da Flecha em sua essência mais verdadeira.

A Flecha era rápida para proteger e rápida para agir, nos momentos de necessidade. Um Chefe sempre sabia prever todas as possibilidades, era certeiro e corajoso, mirava para alcançar o melhor e o mais alto, e se sentia totalmente responsável pelas decisões que tomasse. O Arco da Beleza expressava a alegria de sua missão de liderança. Mesmo em momentos de grande tristeza, a capacidade de se curvar sem quebrar-se é sugerida através do Arco da Beleza, o Arco da força interior – aquele que faz voar a Flecha. Dizia-se que o Arco da Beleza era feito do mais puro ouro, manifestando a luz dourada do amor do Avô Sol, e era incrustado de pérolas, que representavam a essência do carinho da Avó Lua. Um dos princípios básicos do Clã dos Guerreiros era o de manter o equilíbrio interno entre o masculino e o feminino dentro de cada lutador. Este equilíbrio simbolizava a síntese entre a vontade de se curvar – como o Arco da Beleza – e de disparar para o alto a Flecha da Verdade, para que o resto do Mundo pudesse travar conhecimento com ela.

Para que um Guerreiro chegasse a incorporar a sua Magia pessoal, deveria ter sonhado com ela, ou ter obtido uma Visão em alguma de suas Buscas de Visão. Caso não conseguisse alcançar o lado feminino e receptivo de sua natureza através de jejuns, da Busca de Visão, ou então da Dança do Sol, o Guerreiro deveria comprar uma cópia da Sacola de Talismãs de um outro Guerreiro, ou de algum Xamã conhecido. Este Guerreiro, porém, teria poucas chances de se sobressair e tornar-se um Chefe devido à falta deste equilíbrio básico em sua formação. A falta deste lado feminino e receptivo não era considerada uma desonra, porém tornava o Caminho do Guerreiro mais difícil de ser seguido. O Guerreiro que vivia esta situação tinha que lutar frequentemente contra a sua natureza masculina dominante para tornar-se digno de receber a ajuda de seus Guias de Cura, ou de seus Ancestrais.

A incapacidade de receber os seus próprios Sonhos de Magia constituía uma frustração para o Guerreiro, e costumava criar-lhe problemas junto ao Conselho dos Homens. Considerava-se que os membros mais jovens do Clã dos Guerreiros que fossem incapazes de desenvolver a sua sensibilidade poderiam tornar-se agressivos demais e acabar com a boa sorte da Tribo por causa de sua impetuosidade. Era importante preservar a ordem, dentro do equilíbrio natural criado pelos Chefes, para que o grupo se mantivesse estável. A perda de prestígio era a pior coisa que poderia acontecer a um Bravo do Clã dos Guerreiros. No caso de um crime de honra, um Guerreiro podia até mesmo ser expulso de sua Tribo. Quando a infração era muito séria, a Nação inteira nunca mais receberia aquele indivíduo junto às suas fogueiras. Entre o Clã dos Guerreiros, em toda a América Nativa, imperava, acima de tudo, a Fraternidade.

A cerimônia dos Irmãos de Sangue da América Nativa simboliza a mais pura ligação de homem para homem, baseada na união de coração, corpo e alma. A cerimônia cria um clima propício para que o Espírito do Guerreiro se equilibre e harmonize. Muita coisa já ficou perdida no Mundo da Separação, e a Energia da Unidade precisa ser recuperada. Dá-se um pequeno corte nas mãos dos Guerreiros, e os dois homens fazem um juramento: permitir que seus sangues circulem como se fosse um só. A base da Cerimônia dos Irmãos de Sangue é jurar eterna lealdade a um amigo, agora transformado em Irmão. Nos dias de hoje, este tipo de compromisso tornou-se bastante raro.

Lembre-se de que o caminho da Flecha é reto e estreito, e que o alvo é sempre o coração. Dentro do coração de cada Guerreiro reside o espírito de compaixão de um Chefe e o sentido da liderança voltada para o Bem do Povo. A felicidade dos filhos da Mãe Terra depende da união de todos os Guerreiros do Arco-Íris do Mundo. É necessário reforçar a Irmandade dos Guerreiros para que se possa completar a formação do Quinto Mundo da Paz. Para que esta paz se manifeste, precisamos utilizar o ensinamento da Flecha, ou seja, Caminhar somente em Verdade. A Verdade passará a constituir a nossa principal arma assim como a nossa proteção.

### Aplicação

Se a Flecha acertou o Alvo em suas cartas hoje, você está sendo solicitado a descobrir a Verdade de sua situação atual. Proteja-se de situações desagradáveis, usando a Verdade como Escudo. Não se importe com aquilo que os outros pensam de você. Você conhece a *sua* Verdade. Assim que aprender a honrar, sinceramente, esta Verdade, você não será mais ferido pelas mentiras alheias.

A Flecha também nos fala das ideias de Fraternidade. A sua arma atual consiste em aproximar-se de pessoas sinceras e bem-intencionadas. Afasta-se de todos aqueles que deixaram de honrar o seu Caminho e a sua Verdade. Lembre-se: a Trajetória da Flecha é direta e certeira, e ela lhe afirma: "Permaneça no Caminho Sagrado!"

# O CORAL

Lembra-me, por favor, Coral-vermelho,
 O sangue de toda a minha gente.
Cada um de nós tem sentimentos
 Que refletem a alegria interior.

Possa eu suprir minhas carências
 E depois aprender a partilhar
O amor que é minha essência,
 O coração que arde dentro de mim.

# 13
## O CORAL
## Alimento

### Ensinamento

O Coral é muito usado, entre os Nativos americanos, na confecção de joias, juntamente com a Turquesa. O Coral é proveniente dos Mares da Mãe Terra e simboliza o sangue de nosso planeta. A água significa para a Mãe Terra o mesmo que o sangue significa para nós. Os Nativos Americanos veem a Mãe Terra como um ser vivo e consciente, que possui vontade própria. Ela é a verdadeira Mãe de todas as coisas vivas.

A Turquesa, por sua vez, vem do solo da Mãe Terra e representa a Nação do Céu, encarregada de proteger todos os seres que atuam como Guardiães da Terra. A Turquesa é um elemento masculino que pode ser usado como proteção. Da mesma forma que o Clã dos Guerreiros protege o Povo e todas as suas futuras gerações, a Turquesa protege aquele que a usa contra qualquer tipo de energia prejudicial. Esta proteção torna-se necessária para que a nutrição possa se realizar dentro de um espaço seguro. É por essa razão que se usa a Turquesa e o Coral juntos. Nossos pais, Mãe Terra e Pai Céu, trabalham lado a lado para proteger e nutrir todas as criaturas que estejam ligadas pelos laços de família do sangue vermelho. Os enfeites de Prata das joias de Turquesa e Coral trazem o símbolo da pureza e da verdade, ou seja: o casamento da Terra e do Céu.

Cada ser de Duas-Pernas humano tem necessidade de ser nutrido. Do nascimento à morte os humanos buscam conforto e nutrição junto a outros seres de sua espécie, junto a animais de estimação, objetos pessoais, ou ainda através de suas profissões e de outros aspectos de sua Caminhada sobre a Terra. Muitos Duas-Pernas sentem que estão sozinhos e que as suas carências não foram satisfeitas pelos pais que escolheram, pelo trabalho que realizam, pelas relações que mantêm, ou pelo estilo de vida que levam. Essas pessoas estão insatisfeitas porque se esqueceram de sua verdadeira Mãe que é a Mãe Terra. O mesmo sangue vermelho corre pelas veias de todas as criaturas na Terra – de mamíferos a répteis, de pássaros a peixes, de humanos a insetos. Todos nós fazemos parte da grande Família Planetária. Nossos Irmãos e Irmãs desta numerosa família sempre procuram viver em harmonia conosco. É através desta tomada de consciência que começamos o processo de religação com Todos os Nossos Parentes. Não importa se já estamos prontos ou não a acreditar nisto. O fato é que nós nunca estamos sozinhos!

    O Berçário Aquático da Criação deu origem a todas as coisas. Em nossa Tradição Seneca, passada de geração a geração, conta-se que a Mãe Terra foi criada pelo Grande Mistério, e que as suas águas vieram do Campo de Fartura (veja Carta 38). Todas as formas de vida começaram a ser nutridas pelo sangue/água da Mãe Terra. As sementes foram levadas pelas marés até o solo, onde se enraizaram – assim teve início a vida vegetal. Algumas Criaturas começaram a emergir dos oceanos, rios e lagos, iniciando suas vidas sobre a superfície da Terra, enquanto outras preferiram continuar a viver nas águas.

    Enquanto ainda estão no ventre da mulher, todos os seres humanos vivem em um ambiente quente e aquoso, até que chegue a hora do parto. Foi assim que a nossa Mãe Terra pariu as suas formas de vida, dentro do seu Berçário Aquático da Criação. O Coral usado pelos Nativos Americanos é vermelho e provém da água do mar. Ele é utilizado como símbolo de nascimento e de nossa profunda conexão com a Mãe-de-Todas-as-Coisas. Todas as formas de vida são alimentadas através de sua conexão com a Mãe Terra e com Todos os Seus Parentes.

    O uso do Coral permite que voltemos a nos religar ao sangue de nossos corpos e às águas da Mãe Terra. Quando nossos sentimentos e nossa intuição se conectam ao Clã da Água, passamos a ter maior sensibilidade para com as necessidades de nossos corpos, e para com os nossos sentimentos. Tornamo-nos capazes de desenvolver uma comunicação com o nosso corpo físico, que já não é mais baseada no vício, na compulsão, no medo, na gulodice ou, ainda, no egoísmo. Descobrimos os aspectos espirituais das nossas necessidades físicas de ar, alimentos, e da nossa atividade física e sexual. Voltamos a Ver o Sagrado. Os nossos talentos não se revelam totalmente a menos que tenhamos um veículo adequado para cumprir o nosso papel nesta Caminhada sobre a Terra. Este veículo é o nosso próprio corpo. A nossa forma pessoal de ver a vida depende, até certo ponto, de como sentimos, respeitamos e cuidamos de nossos corpos.

Na época do Segundo Mundo – o Mundo do Gelo desenvolveu, entre certas Tribos e Clãs, uma Tradição que os tornou conhecidos como "Povo da Terra Vermelha". Estes seres humanos sabiam reconhecer a Terra como sua verdadeira Mãe. Eles tinham consciência dos ciclos da vida e sabiam que, quando terminassem a sua Caminhada sobre a Terra, seus próprios corpos retornariam ao ventre da Mãe Terra, como preparação para outro ciclo de renascimento. Quando os membros deste Clã faleciam, seus corpos eram esfregados com terra ocre vermelha e colocados na terra em posição fetal, junto com seus talismãs e posses. A seguir, eram cobertos com ervas e flores. O ventre da Mãe Terra voltava a aceitá-los, e o túmulo era fechado. O Povo da Terra Vermelha das Raças Morenas e Vermelhas compreendia que o Círculo deve fechar-se por inteiro. Quando nós viemos a este mundo, o sangue do ventre da nossa mãe circulava em nossos pequenos corpos. Devemos abandonar os nossos corpos da mesma maneira, para que possamos ser alimentados novamente por nossa verdadeira Mãe, a Terra. É assim que nos preparamos para o renascimento de nosso espírito e para mais um ciclo de lições necessárias.

Muitas vezes, quando não se conseguia encontrar o Coral, colocava-se uma concha no túmulo dos membros do Povo da Terra Vermelha a fim de assegurar a sua entrada no Berçário Aquático da Criação. A concha-leopardo e a concha de cauri possuem a forma da vagina da mulher e representavam o elemento de nascimento/renascimento dos ciclos da vida. Estas conchas ainda são usadas pelos Povos Tribais Negro, Vermelho, Moreno e Amarelo. Muitas vezes essas conchas são usadas junto com pedaços de Coral, pedras e ossos para que se possa adivinhar o futuro de um Caminhante. Os Videntes, os Xamãs e as Mulheres da Tenda Negra costumam jogar o

Saco de Ossos (ossos, conchas e pedras) em um Círculo Mágico desenhado na Terra. A maneira pela qual elas se espalham determina os eventos futuros da vida deste Caminhante. Só existem três destinos: Passado, Presente e Futuro. Cada evento na vida de uma pessoa é influenciado e decidido pelas escolhas feitas no Presente. Para transformar o nosso futuro, devemos estar muito conscientes de nossas decisões presentes e acreditar firmemente que nós só iremos manifestar Beleza em nossas próprias vidas. O Coral Vermelho poderá tornar-se um instrumento muito útil, que nos ajudará a ter mais fé nesta Beleza. A melhor maneira de destruir o medo e apressar o nosso processo de Cura é nos conscientizarmos de que somos nutridos pela nossa Mãe Terra e que ela atenderá a todas as nossas necessidades.

A nutrição correta provém da capacidade de prestar atenção às nossas necessidades e sentimentos. Se não estivermos conscientes de tudo que necessitamos, como poderemos nos alimentar bem? Se não tivermos sensibilidade para perceber o que os outros necessitam, como poderemos confortá-los? Se não estivermos conscientes de nossos próprios corpos, como poderemos mantê-los fortes e saudáveis? A Mãe Terra coloca à nossa disposição muitos professores, que podem nos ajudar a descobrir as respostas de todas estas perguntas. A Mãe Terra só conseguirá nutrir-nos, oferecendo alimento e conforto, quando estivermos dispostos a ouvi-la. Assim, a partir desta nova tomada de consciência, aprendemos que estamos sendo constantemente providos, aprendemos a nos alimentar através de uma maior ligação com nossa Mãe Terra, e aprendemos qual a melhor forma de alimentar os outros.

A Mãe Terra ama e alimenta a Todos os Nossos Parentes igualmente. Essa forma de amor incondicional constitui a base da Beleza. Viver em Beleza significa uma forma de alimentar os outros. Trata-se de uma ideia corrente entre todos os Povos Nativos Americanos. Caminhar em Beleza é caminhar suavemente com um brilho nos olhos, pensamentos carinhosos na mente e um sorriso no coração. O Coral também transmite essa mensagem que simboliza a intenção original da Mãe Terra de Todas as Coisas. O Coral é um professor muito especial que nos permite alcançar maior ligação com nossos sentimentos, com a Família Planetária, e com o Berçário Aquático da

Criação. O Coral nos ajuda a escutar de coração aberto e a compreender que desenvolver a sensibilidade constitui o primeiro passo para a cura. Sentir é Curar.

**Aplicação**

Se o Coral apareceu entre suas cartas hoje, é porque você está sendo requisitado a rever as suas ideias sobre alimentação. É possível que tenha chegado a hora de alimentar melhor a si mesmo, ou a alguma outra pessoa. Se você se recusa a ser alimentado, pode ser hora de mudar de atitude antes que você fique doente. O Coral vem nos lembrar de que nossos corpos também possuem as suas necessidades. Preste atenção a seu corpo, e seja mais generoso com ele.

O Coral também fala da Família Planetária. Se você estiver se sentindo sozinho, pode ser hora de voltar a se unir às outras criaturas que dividem a Terra com você. Passe a ouvir mais Todos os Nossos Parentes, e afaste o refrão "estou sozinho" de seus pensamentos.

O Coral sugere que devemos começar a prestar mais atenção aos nossos sentimentos. Se você tem ignorado como se sente em relação a determinadas pessoas, ou como o seu corpo se sente no seu dia a dia, o Coral veio estimulá-lo a conectar-se mais profundamente com os seus próprios sentimentos. Lembre-se: Sentir é Curar!

# KOKOPELLI

Toca pra mim, Kokopelli,
   Pro meu coração cantar,
Flauta mágica do Mistério,
   Som que inspira
      Os meus sonhos.

Canção de Aztlán,
   Fogo Fértil,
      Que incendeia a mente,
A União Sagrada,
   Que, de Coração a Coração,
      Só nos fala do Divino.

# 14
## KOKOPELLI
## Fertilidade

### Ensinamento

Kokopelli era um brioso Tolteca que chegou a Aztlán vindo do coração do México. Aztlán foi o local onde se originou a poderosa Nação Asteca antes que ela construísse sua capital no meio de um lago, numa ilha conhecida hoje em dia como Cidade do México. A fronteira norte de Aztlán ficava ao sul do Colorado e cobria todo o vale do Rio Grande no Novo México. Aztlán era povoada pelas pacíficas Nações dos Pueblos. Esses Pueblos eram fazendeiros e habitavam as encostas das montanhas. Dependiam dos Seres-Trovão e do Arco-Íris Rodopiante para alimentar as Três Irmãs – Milho, Abóbora e Feijão – que garantiam sua sobrevivência.

    O nome de Kokopelli evoca muitos mitos e lendas. Todas as histórias concordam numa coisa: ele tocava a Flauta Índia. Dizia-se que sua música trazia fertilidade para a Terra e o Povo. A zona onde ele era cultuado, que vai do Sul do México às regiões do sul do Colorado, é marcada por pedras com a imagem de um flautista corcunda. Sua vida era contada com tintas coloridas ao redor de muitas Fogueiras de Conselho, e preces em seu louvor eram entoadas em inúmeros Kivas. As Bonecas Kachina que representam Kokopelli mostram seu corpo com uma enorme ereção, símbolo de sua masculinidade e fertilidade. Dizem que sua semente era sagrada e que sua linhagem gerou crianças dotadas de talentos especiais. Qualquer mulher escolhida por Kokopelli como consorte era honrada no seio de seu povo, pois geraria um filho pertencente à raça dos deuses.

    Joaquin, meu professor Nativo Mexicano, possuía sangue Asteca e conhecia muitas histórias acerca do tolteca Kokopelli.

Joaquin sentou-se a meu lado e começou a tocar uma flauta maia de argila preta, enquanto mesclava as histórias, que conhecia tão bem, à sua música. Eu conseguia sentir como os nossos Ancestrais se aproximavam, para escutar histórias sobre seu velho amigo Kokopelli. Era uma noite de outono, e nós estávamos sentados ao redor de uma fogueira, no alto das montanhas de San Miguel de Allende. A música, suave e inspiradora, ecoava pela parede do desfiladeiro. Eu tive a seguinte visão: a Mesa Verde estava repleta de habitações no alto da encosta, as fogueiras brilhantes ardiam, e todo o Povo olhava, maravilhado, observando Kokopelli transformar a música encantada de sua flauta numa poção milagrosa, que alimentava os corações dos jovens e dos velhos.

A flauta de Joaquin me guiava através do Tempo e do Espaço, e subitamente eu fui um Corvo pousado bem no alto da cidade, assistindo, junto com todo o Povo, ao Mestre das Mágicas, Kokopelli. As palavras de Joaquin foram se distanciando e eu enxerguei sua história desenrolar-se diante dos meus olhos. Kokopelli não tinha corcunda, pois sua corcunda estava sentada a seu lado e devia ser a sacola de objetos sagrados e de cura que ele havia trazido para negociar. Sua flauta parecia brilhar à luz da fogueira, e ele empregava os reflexos do fogo e o som de sua música para hipnotizar todo aquele público.

Havíamos tido um ano de seca e havia pouca esperança de que voltasse a chover. As penas do cocar de Kokopelli eram brilhantes penas vermelhas de arara, que davam a ilusão de que o corpo dele se banhava na Chama Eterna da paixão e da criatividade. O Fogo da fertilidade que coroava sua cabeça também se irradiava de seu corpo enquanto ele se inclinava oscilante diante do fogo tribal. Ao terminar de tocar sua flauta, embrulhou-a como se fosse uma criança num pano brilhante e ofereceu-a à Grande Nação das Estrelas. Suas palavras alcançaram os recantos mais distantes do povoado.

– Esta flauta leva a música das estrelas à Grande Mãe Terra, e convoca os Seres-Trovão a virem fazer amor com ela – gritou Kokopelli. – Esta união dará ao Povo uma criança que um dia o conduzirá de volta às estrelas, através da Terra interior da qual todos vieram.

Uma lufada do ar gelado da montanha passou pelo meu corpo de Corvo, subiu o desfiladeiro e foi atiçar as brasas do fogo tribal, causando um redemoinho que explodiu, enchendo o céu noturno de fagulhas que lembravam estrelas. Os murmúrios de admiração saídos da boca do Povo ecoaram pela noite escura. Subitamente, a luz que os Seres-Trovão lançaram foi suficiente para que todos vissem as massas do Povo Nuvem que já haviam se agrupado nos céus, em resposta ao chamado de Kokopelli. Uma vez mais o Povo gritou, espantado com a mágica realizada por este Semi-homem, Semideus, Kokopelli. Até mesmo os bebês, que já estavam dormindo, acordaram para apreciar o espetáculo mágico de Kokopelli. Certamente a chuva, há muito esperada, viria para alimentar as Três Irmãs, e o Povo conseguiria sobreviver. Kokopelli recomendou que todos apanhassem seus potes de barro e recolhessem a água da chuva para usar futuramente. Os Trovejadores gritavam que a chuva ia começar.

Os Bastões de Fogo criaram um grande jogo de luzes antes que o Trovão Retumbante quebrasse o silêncio da noite. Além deste som, só se ouvia a corrida dos pés metidos nas sandálias de fibra de iúca subindo e descendo escadas em busca dos potes. Só uma jovem ficou parada, em pé, perto da praça principal. Ela olhava para cima e observava, maravilhada, os relâmpagos que iluminavam o céu noturno, enquanto os outros, a seu redor, não paravam de correr de um lado para o outro. Kokopelli olhou para o seu rosto tão maravilhado, bonito e inocente, e aproximou-se dela, ainda segurando a flauta como se fosse uma criança. A jovem demonstrava tanta serenidade que chamou a atenção de Kokopelli.

– Por que não foi buscar seus potes? – perguntou ele.

– Já estão lá em cima – respondeu ela.

Kokopelli perguntou o seu nome, e ela respondeu:

– Chamam-me Flor da Neve do Clã de Inverno do Milho Branco.

– Por que é que seus potes já estão lá em cima, Flor da Neve? – perguntou ele.

– Porque a sua flauta me chamou assim que você começou a subir o desfiladeiro e me revelou que você traria a chuva – respondeu ela.

Kokopelli ficou intrigado. Nisto, ela olhou para ele e sorriu. Kokopelli lhe sorriu de volta. Tinha acabado de entender a sua mensagem.

– Então é você! – exclamou ele.

O Xamã do Clã da Águia começou a convocar o Povo para uma oração de Graças. Neste mesmo instante, os primeiros seres do Povo da Chuva começaram a tocar os seios da Mãe Terra. Kokopelli pegou Flor da Neve pela mão e conduziu-a suavemente até a Fogueira. Todos os olhares do Povo observavam o casal, que se encaminhava para o centro da aldeia. Terminada a oração, Kokopelli colocou sua flauta nos braços de Flor da Neve, como se fosse um bebê. Este gesto significava que aquela mulher partilharia de sua música e de sua semente dali por diante.

Eu sobrevoei o casal e pude ouvir as exclamações de espanto e de alegria de todos os que assistiam àquela cena. A Magia pairava no ar, e o filho desta união usaria a Magia de Cura do Corvo para ajudar o Povo a redescobrir o seu caminho de volta às estrelas. Segundo a lenda, os Pueblos vieram abrindo caminho do mundo interior, logo após a Criação. Enquanto isso, os espíritos de seus Ancestrais retornavam ao mundo interno até que soasse a hora de caminhar novamente pela Terra. Kokopelli revelou ao Povo que houve um momento antes da Criação em que cada pessoa era uma fagulha da Chama Eterna do Grande Mistério, que havia caído sobre a Terra para semear a Mãe com os seus pensamentos, ideias e ações férteis. Kokopelli também revelou que todos se tornariam Vaga-lumes na Grande Nação do Céu, no dia em que os sangues Tolteca e Pueblo se unissem num só sangue.

Contam os astecas que nove meses depois Flor da Neve deu à luz um menino, que se tornou um grande líder espiritual do Clã da Águia. A sua Magia de Cura consistia em unir o carinho de sua mãe ao poder de Fogo do seu pai. Aquele local, chamado de Mesa Verde, já está abandonado há alguns séculos. Portanto, uma pergunta ficou pairando no ar: teria este Povo deixado o Planeta Terra para ir viver na Grande Nação das Estrelas? Se isto for verdade, a fertilidade e a abundância de Kokopelli continuam brilhando, até hoje, em nosso mundo, durante todas as noites do ano.

Para melhor compreender os ensinamentos de Kokopelli, deveríamos examinar as nossas próprias ideias de União com o Divino. Quando abordamos a nossa vida com confiança, deixando de lado o ceticismo, abrimos espaço para que nossas mentes se tornem um terreno fértil de nossa evolução. Este ciclo de crescimento permite que cada um de nós ouça a música de sua própria magia. Cada criatura que vive na Terra é Mágica. Cada um de nós representa uma criação única, que surgiu do Grande Mistério. A partir do momento em que assumimos esta Magia, passamos a encontrar o nosso Poder de Cura pessoal, que se manifesta através do uso correto de nossos próprios dons, talentos e habilidades.

Podemos encontrar a fertilidade em nossa vida através de uma busca sincera, permitindo que a nossa magia pessoal se expresse de forma criativa e deixando-a fluir através de nosso Ser, ao invés de bloqueá-la. Kokopelli vive tocando a sua flauta e tecendo a magia de suas canções, fazendo-nos recordar de que a magia é, simplesmente, uma mudança pessoal em nosso nível de consciência. Se quisermos plantar sementes que caiam em terreno fértil, devemos transformar nossa visão de mundo, permitindo que os nossos talentos se expressem de forma mais construtiva.

## Aplicação

Se Kokopelli atraiu você com a sua flauta mágica, detenha-se para escutar as mensagens de sua música. A canção de Kokopelli representa a fertilidade. Você está sendo solicitado a usar melhor os seus próprios talentos para conseguir fertilizar alguma área de sua vida. Se as coisas têm andado um tanto devagar para você, a canção de Kokopelli vai começar, de agora em diante, a ressoar em seus ouvidos. Tudo aquilo que você plantar agora dará uma colheita de bons frutos.

Plantar sementes para o futuro exige esforço de sua parte. Este é o momento, portanto, de se concentrar, reunir todos os seus recursos e botar em prática os seus dons e talentos para fazer o melhor uso possível de sua magia pessoal. Se você estiver com algum projeto em mente, ou tiver uma ideia a ser colocada em prática, este é o momento certo para agir. Deixe de lado as suas velhas ideias limitadoras e avance. A Hora é Agora: o Poder é Você!

# BASTÃO-QUE-FALA

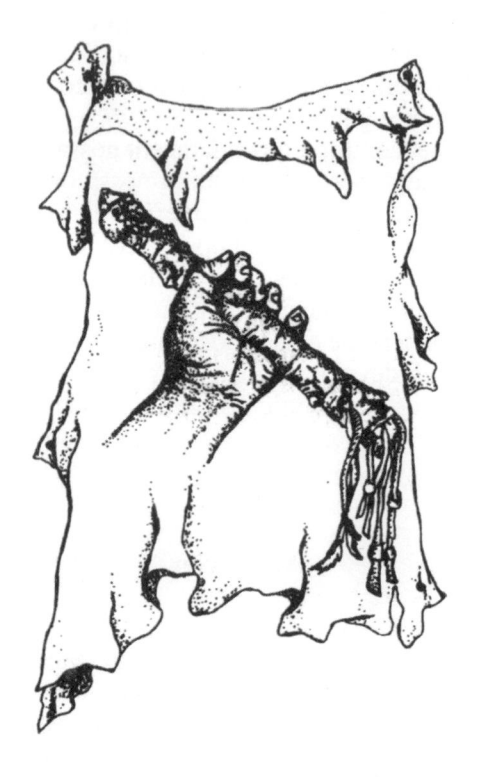

O Bastão-que-Fala me faz recordar
Cada Sagrado Ponto de Vista,
Completo dentro do círculo,
Do Elo Sagrado.

# 15
# BASTÃO-QUE-FALA
## Pontos de vista/Opções

### Ensinamento

O Bastão-que-fala é um instrumento usado por muitas Tradições Americanas Nativas toda vez que um Conselho é convocado. Ele permite que todos os Membros do Conselho apresentem seu Sagrado Ponto de Vista. O Bastão-que-fala passa de pessoa a pessoa à medida que a reunião se processa. Somente a pessoa que segura o bastão tem o direito de falar naquele momento. A Pena-da-resposta também deve ser segurada pela pessoa que fala a menos que esta dirija uma pergunta a outro Membro do Conselho. Nesse momento, a Pena-da-resposta passa para a pessoa que vai responder à pergunta.

Essa forma de procedimento parlamentar é usada pelos Nativos Americanos há muitos séculos e reconhece o valor de cada orador. Cada membro do Conselho deve ouvir com atenção as palavras que são ditas, de forma que, quando chegar sua vez, não repita informações desnecessárias nem faça perguntas impertinentes. As crianças indígenas aprendem a escutar desde os três anos de idade. Aprendem também a respeitar o ponto de vista dos outros. Isso não quer dizer que não podem discordar, mas estão obrigadas por sua honra pessoal a permitir que cada um expresse seu Sagrado Ponto de Vista.

Para fabricar um Bastão-que-fala, pode-se utilizar qualquer tipo de Pessoa-em-Pé (árvore). Os responsáveis pela realização de qualquer tipo de Conselho devem fabricar seus próprios Bastões-que-falam. O Bastão-que-fala pode ser usado nas aulas dadas às crianças, nas reuniões do Conselho, nas sessões em que se tomam decisões concernentes a disputas, nos rituais de conjuração, nos círculos formados para contar histórias, ou nas cerimônias em que mais de uma pessoa toma a palavra.

Cada peça de material utilizado no Bastão-que-fala revela a Magia pessoal do dono do Bastão, já que cada Bastão-que-fala é diferente do outro. As qualidades de cada tipo de Pessoa-em-Pé possibilitam um tipo de energia específica. Por exemplo, o Pinheiro Branco é a Árvore da Paz, a Bétula simboliza a Verdade, as plantas sempre verdes representam o crescimento contínuo de todas as coisas. Outras árvores como o Cedro denotam limpeza. O Choupo é o símbolo da clareza de visão já que seu tronco é coberto de muitas formas que lembram olhos. O Bordo pode ser usado para os Conselhos das Crianças, pois representa suavidade e doçura. O Olmo é usado por favorecer a sabedoria; a Sorveira-brava por assegurar proteção; o Carvalho em prol da força; a Cerejeira em proveito da expressão, das emoções fortes, ou do amor; as árvores frutíferas por fomentarem a abundância; e a Nogueira ou Pecã por propiciar a concentração de energia ou o início de novos projetos.

Cada pessoa que fabrica um Bastão-que-fala deve decidir que tipo de Pessoa-em-Pé servirá às suas necessidades e multiplicará as qualidades necessárias aos Conselhos Tribais. A ornamentação de cada Bastão-que-fala também é bastante reveladora. As cores das contas usadas no bastão possuem significado próprio. Em nossa Tradição Seneca o vermelho está a serviço da fé, o amarelo, do amor, o azul, da intuição, o verde, da vontade, o rosa, da criatividade, o branco, do magnetismo, o roxo, da cura e da gratidão, o laranja, do sentimento de parentesco com todas as coisas vivas, o cinza, da amizade e da sabedoria, e o marrom, da Conexão com a Terra e da autodeterminação. Todas as cores pastéis servem para exaltar a profecia. O preto favorece a harmonia e a audição, e a transparência do cristal é benéfica para a clareza e a concentração.

O tipo de penas e peles usadas num Bastão-que-fala também é muito importante. Cada Criatura viva possui sua própria capacidade de Cura e contribui para a Magia do Bastão-que-fala, assim como para a energia dos Conselhos Tribais nos quais é utilizada. A Pena-da-resposta é geralmente uma pena de Águia, que representa ideais elevados, a verdade vista pelo olho perspicaz da Águia, assim como a liberdade que decorre de falar toda a verdade de que se é capaz. A Pena-da-resposta também pode ser a pena de um Peru, considerado a Águia da Paz do Sul, que promove atitudes pacíficas e também a negociação necessária para dirimir as disputas. Nas Tribos que veem a Coruja como boa Remediadora, a Pena de Coruja também pode ser usada para impedir que a fraude penetre no Espaço Sagrado do Conselho.

As peles, os pelos ou os couros utilizados na confecção de um Bastão-que-fala trazem as habilidades, os talentos, dons e Poderes (qualidades curativas) dessas Criaturas para dentro do Conselho das mais diversas maneiras. O Búfalo traz abundância; o Alce traz boa forma física e vigor. O Cervo traz brandura; o Coelho traz a capacidade de ouvir com suas enormes orelhas. O pelo da cauda ou da crina do Cavalo traz perseverança e aumenta a conexão com a Terra e com os espíritos do Vento. O pelo de Cavalo é especialmente benéfico se os Ancestrais que cavalgaram o Vento antes de nós vão ser consultados no Conselho. No caso de alguma doença do coração, da mente, do espírito ou do corpo ter afetado o grupo reunido, a pele de Cobra pode às vezes ser enrolada em torno do Bastão-que-fala para que a cura e a transmutação dos venenos possam ocorrer.

Quando fiz meu primeiro Bastão-que-fala, subi ao cume de uma montanha muito alta e invoquei os Guias de Cura em busca de auxílio. Sentei-me sob os galhos de um gigantesco Pinus Ponderosa, em busca do silêncio e da Paz dessa Árvore-Chefe. Essa Pessoa-em-Pé era a maior e mais velha daquela área, possuindo, portanto, a sabedoria de um Ancião e a responsabilidade de um Chefe, em relação a todas as demais árvores da região. Senti a calma da Mãe Terra subir pelas raízes do pinheiro e encher meu corpo com um formigamento suave enquanto o Vento começava a cantar entre os galhos e a soprar o Povo Nuvem através da vastidão turquesa da Grande Nação do Céu. A canção era doce e me enchia de encantamento.

Nisto ouvi minha Canção de Cura preenchendo a tarde. Era o antigo canto que viajava pelos Quatro Ventos. As estrelas da meia-noite cantavam através dos braços do Povo-em-Pé e me anunciavam que ainda continuavam brilhando, por trás da claridade e da luz diurna do Avô Sol.

Saí de minha forma física e acompanhei o Vento-Chefe até a Dimensão dos Sonhos, sabendo que meu corpo ficava bem protegido por aquele pinheiro e pela nossa Mãe Terra. Viajei num raio de sol até a Parede de Fogo nas cercanias da forma brilhante do Avô Sol. Penetrei sem medo naquele Fogo e vi chamas brilhantes de todas as cores passarem zunindo por mim. Subitamente tudo ficou quieto e a Mulher Novilha do Grande Búfalo Branco me saudou com doces sorrisos e olhos cintilantes. Ela me entregou um Bastão-que-fala e recomendou que eu observasse bem cada detalhe. Depois a Mulher Novilha do Búfalo começou a explicar a Magia de meu Bastão-que-fala:

— A madeira de seu bastão deve ser obtida da Bétula Prateada para que a verdade pontifique em todos os dias de sua vida — disse ela. — Na ponta de seu bastão deve haver um cristal transparente, incrustado, para conferir concentração e clareza. Portanto, o Búfalo Branco é sua principal fonte de Cura: a pele do seu Guia de Cura Sagrado ligará as suas palavras com o entendimento que provém desse Totem. A Magia do Búfalo nos ensina que o direito à abundância é concedido a todas as criaturas vivas. O Búfalo pede que você siga seu caminho com o coração amoroso, empregando somente a Verdade em todas as suas palavras, vivendo sua verdade pessoal sem hesitações, usando seus talentos para ajudar ao Todo e honrando os papéis de todos os outros indivíduos como se fossem os seus próprios.

Meus olhos se encheram de lágrimas de alegria quando ela me entregou o Bastão-que-fala, antes de prosseguir com seus ensinamentos:

— As contas de turquesa têm a função de lembrar que você está conectada à Grande Nação do Céu e que está sendo protegida por todos aqueles que vivem nestes reinos. O Coral é o símbolo do sangue, que une todas as coisas vivas. Duas--pernas, quatro-pernas, sem-pernas, com-asas, com-barbatanas, rastejantes, e os insetos que voam, todos eles possuem sangue vermelho. Este é o sangue da Mãe Terra, que une toda a Família Planetária e não cria distinções entre seus filhos: todos são igualmente amados, e todos contribuem para o equilíbrio do Todo. Ao usar estas contas do Povo-de-Pedra em seu Bastão-que-fala, você enxergará a Verdade que cria a ponte entre

Terra e Céu. A turquesa pertence à Terra e o coral, às águas da Mãe, simbolizando o seu sangue.

Depois, a Mulher Novilha do Grande Búfalo Branco apontou para as marcas pretas, bem visíveis na casca da Bétula.

– Estas marcas são pretas e representam o dom de ouvir – disse ela, num sussurro. Até mesmo quando um leve sussurro é murmurado ao Vento, algum Ponto de Vista está sendo enviado para que alguém o ouça. O Povo de Pedra ou a Cotovia da Manhã podem ampliar o Ponto de Vista de todos aqueles que estão dispostos a ouvi-los. Tente perceber que eles vivem reunidos em Conselhos em todos os momentos de suas vidas. Por onde quer que você ande, a vida estará sempre ao seu redor, enviando claros sussurros para todos aqueles que quiserem ouvir. Use essas contas de cristal para render homenagem aos Guerreiros do Arco-Íris, homens e mulheres, que sabem reconhecer o valor de todos os pontos de vista. O Arco-Íris é criado quando a luz do Avô se vê refletida através do cristal e começa a iluminar as cores de todas as coisas. Sinta a pureza do cristal purificando os seus sentidos de visão e da audição, ao absorver esses Poderes de Cura em seu coração.

Senti como a energia do Amor que emanava da Mulher Novilha do Búfalo me envolvia totalmente assim que peguei o Bastão-que-fala e ergui-o bem acima de minha cabeça em sinal de gratidão. Agradeci profundamente ao Grande Mistério. No exato momento em que conduzia o bastão ao meu coração, senti-me passando de novo através da Muralha de Fogo e retornando ao mundo físico. Saudei a Mãe Terra e o Pinheiro, e agradeci-lhes por terem protegido tão bem o meu corpo enquanto eu estava na Dimensão dos Sonhos. Realizei minhas oferendas de tabaco e voltei a descer a montanha. Já possuía um novo propósito na vida e sentia-me preparado para fabricar meu próprio Bastão-que-fala, usando os conhecimentos da Medicina Sagrada que havia acabado de receber.

O Bastão-que-fala é um instrumento usado com o objetivo de que cada um de nós aprenda a honrar o Sagrado Ponto de Vista de todas as criaturas vivas. Nas reuniões do Conselho devemos honrar a sabedoria e os ensinamentos dos outros para que possamos ampliar nossos conhecimentos e nos relacionar de uma forma mais criativa com as outras pessoas. Sabemos que a Grande Roda da Vida possui muitos raios e que cada um de nós passa por todos os raios, mais cedo ou mais tarde. As lições que aprendemos em cada um destes raios nos colocam mais perto da Totalidade e da Harmonia. Ao desenvolver a paciência para com aqueles que não aprenderam ainda essas lições, teremos a oportunidade de nos tornar mais íntegros e harmonizados.

## Aplicação

O Bastão-que-fala nos recorda que o ponto de vista alheio é muito valioso e nos ensina a maneira de escutar e colocar em prática tudo aquilo que ouvimos. Estamos sendo solicitados a não interromper aqueles que estão partilhando sua Sabedoria conosco. Devemos aprender, ao ouvir os outros, que a vida nos oferece inúmeras escolhas e respostas para qualquer dilema que nos seja colocado.

Se o Bastão-que-fala apareceu em sua sequência, você provavelmente não está se permitindo nenhuma nova opção em sua atual situação, ou ficou estagnado em uma única meta, e por isso não consegue vislumbrar a luz no fim do túnel que você mesmo criou. Abra-se para as novas oportunidades. O Bastão-que-fala anuncia que elas estão para surgir em sua vida. Lembre-se de que todos os sinais da vida e todas as escolhas estão disponíveis para aqueles que sabem ouvir. Está surgindo uma outra oportunidade para que o seu crescimento se faça por um novo caminho. Use este presente agora e use-o com Sabedoria.

# LUGAR DE PODER

Ligação com a Terra.
    Lugar que ressoa ao coração.
        Praia arenosa, alto da montanha.
            Verde floresta coberta de árvores.

Deserto profundo, verdes prados,
    Logo te encontrarei.
        Farás meu coração cantar:
            Cachoeira, cascata, rio ou mar.

# 16

## LUGAR DE PODER
## Ligação com a Terra/ Captação de energia

### Ensinamento

Muitos livros já foram escritos acerca de personagens míticos ou de pessoas reais que se retiraram para um local isolado em busca de união consigo mesmas ou com o Grande Mistério. A Bíblia conta que Jesus buscou um deserto, foi orar em um jardim, e que, em outra ocasião ainda, dirigiu-se para o mar. A Fada Morgana subiu até a colina da Deusa. Buda meditava debaixo de uma Figueira. Joana D' Arc foi para um santuário no alto de um morro. O Herican Baba da Índia buscou uma caverna nas montanhas. Santa Bernadette retirou-se para uma caverna perto de Lourdes. Hiawatha procurou as florestas de Turtle Island. Merlin se retirava para uma caverna de cristal no País de Gales. Quetzalcoatl ia até a Árvore Tula, em Oaxaca, no México, e Abraão, patriarca do Velho Testamento, se retirava para o deserto. Cada uma dessas pessoas estava procurando seu Lugar de Poder.

Os Lugares de Poder são tão variados e individuais como são variadas as pessoas em nosso planeta. A Mãe Terra apresenta tamanha diversidade e tem locais energeticamente tão diferentes que algumas áreas podem atrair determinado tipo de pessoa e não chegar a motivar outras. Os Lugares de Poder não são exclusivos da América Nativa. Muitas pessoas em todo o mundo se dirigem a lugares especiais porque ali sentem uma forte ligação pessoal com a Mãe Terra. Cada centímetro da Mãe Terra é sagrado e qualquer espaço pode servir como centro de energização para alguém.

Dentro da Tradição Americana Nativa acreditamos que a Mãe Terra é um Ser vivo. Quando um ser humano se dirige a um Lugar de Poder, a atenção da Mãe Terra é direcionada para aquele ponto, e a energia começa a fluir mais fortemente naquela área, já que tanto os nossos corpos quanto o dela estão carregados de eletromagnetismo. Cada vez que um ser humano procura Conexão com a Terra, a Mãe Terra está presente, pronta a nutrir e a oferecer consolo. Se essa pessoa nunca honrou a Mãe Terra, ou não possui um vínculo consciente com ela, a ligação pode ser fraca. Com prática e paciência cria-se um alinhamento e a intensidade deste relacionamento começa a aumentar.

Quando os Duas-Pernas procuram uma visão, "sobem a colina". Esta é outra forma de dizer que alguém está partindo numa Busca de Visão. O ponto que encontram pode até não representar um Lugar de Poder Pessoal, mas sempre será um lugar onde se realizará uma Ligação com a Terra. Cada pensamento interior dos Duas-Pernas permanece registrado nas rochas e na terra situadas ao redor desse lugar. Esse é um dos motivos pelos quais muitos Xamãs Nativos conseguem ler tudo aquilo que ocorreu em um determinado local desde o seu início. Os Xamãs conhecem a maneira de dirigir-se ao Povo de Pedra para escutá-lo. Essa capacidade é chamada de Sabedoria da Pedra e constitui uma forma comum de aprender mais coisas sobre os Registros da Terra (veja a carta 39).

Nossa Mãe Terra possui linhas de energia que se assemelham bastante aos meridianos energéticos do corpo humano. O Povo de Pedra equivale aos nossos ossos, e o solo se compara à nossa carne. As águas de nossos planetas representam nosso sangue, e formam as marés de nossas emoções. Os Lugares de Poder se criam toda vez que a energia se concentra numa só área. Os Seres-Trovão reenergizam nossa Mãe Terra – já que ela é magnética por natureza – através da força do relâmpago. Os Bastões de Fogo, ou raios, abrem caminho até as áreas que já tiveram sua energia drenada por causa do mau uso feito pelo ser humano. Os nossos próprios corpos também são alimentados com a energia eletromagnética da superfície de nossa Mãe Terra. Essa energia eletromagnética é renovada toda vez que os Bastões de Fogo tocam o seu corpo. Os meridianos de energia que alimentam todas as áreas da superfície da Mãe Terra podem ser canalizados para um ponto específico. O processo é simples, e consiste em chamar a energia para o lugar onde ela se faz necessária. Esta invocação pode ser realizada através de cantos, do uso de tambores, de cerimônias, de danças ou, ainda, por meio de alguma outra forma de ritual de energia. Em geral, quando um Duas-Pernas realiza esse tipo de contato com a energia terrestre, está sentindo alguma necessidade específica. A Mãe Terra fornece de boa vontade a energia necessária para sustentar os corpos físicos dos seres humanos ou das outras Criaturas que necessitem de apoio. A Mãe Terra consegue enviar energia ao ponto onde ela é mais necessária, sempre que seus filhos se proponham a comungar com ela através de algum ritual. Este ritual pode servir para pedir chuva, alguma visão, para pedir bênçãos de fertilidade ou, então, uma cura. Toda vez que nós, os Duas-Pernas, entramos em união com nossa Mãe, criamos mais um Lugar de Poder cerimonial sobre a superfície da Terra.

Quando recebemos estas doações com profundo sentimento de gratidão, criamos maior União com nossa Mãe, em qualquer lugar do Planeta. Essa União Divina passa a ser Sagrada, e fica gravada na memória do Povo de Pedra que habita esse local. Todas as demais criaturas vivas passam, dali por diante, a se sentir atraídas para um lugar que foi abençoado dessa maneira. Nós, os Duas-Pernas, somos Catalisadores e temos o direito de direcionar os Quatro Chefes de Clãs do Ar, Terra, Água e Fogo. O Grande Mistério nos concedeu o legado de poder usar nossos dons para redirigir as forças da natureza. Assim, temos a capacidade de catalisar os elementos, e de influir nas condições planetárias. Possuímos a habilidade de direcionar nossos pensamentos para poder influenciar os meridianos de energia que alimentam a Terra. Em nossa Tradição Nativa oficiar uma Cerimônia significa unir-se à Terra para influenciar a ordem natural de nosso mundo de maneira mais positiva.

As Avós que foram minhas mestras búfalas da Dimensão dos Sonhos me ensinaram que o nosso papel como Duas-Pernas consiste em procurar lugares que queremos ver abençoados e transformá-los, rezando neles, em Lugares de Poder.

Ao realizar uma Cerimônia, ao abençoar cada rocha e cada flor na superfície da Terra, estamos nos religando à nossa Mãe. O processo de religação deve ser realizado com alegria e devoção. Quando celebramos uma Cerimônia, não devemos esquecer de dançar nossa Alegria, nossa União e Harmonia. Esta é a melhor forma de nos curarmos.

Quando nos propomos a encontrar um Lugar de Poder individual, torna-se necessário caminhar bastante pela terra, até sentirmos que um determinado local nos atrai. Essa atração pode nos chegar como um impulso sutil, como um raio, como um sussurro no seio do Vento ou, então, como uma sensação de felicidade no coração. É um sentimento que chega de modo diferente para cada pessoa. O importante é confiarmos em nossas primeiras sensações, ficarmos um instante em silêncio e nos sentarmos nesse mesmo lugar por alguns instantes. Uma vez realizada a conexão com a Terra, a Energia começa a se acumular em nós e podemos até mesmo sentir o seu fluxo atravessando todo o corpo.

Toda vez que realizamos esta ligação com a Terra, entramos em interação com os Chefes de Clãs do Ar, da Terra, da Água e do Fogo. É assim que conseguimos mudar o tempo, efetuar curas e entrar em comunhão com o Mundo dos Espíritos. Para isto, basta ficarmos totalmente ligados à energia da Mãe Terra. Este é o princípio básico que os Xamãs têm usado através dos séculos para comandar os elementos da natureza. A Ligação com a Terra fornece a energia necessária para que possamos desenvolver nossos dons, habilidades e talentos naturais; sem esta ligação com a Terra, muitos planos e sonhos desaparecerão, pois não encontrarão maneira de se manifestar.

Nós fomos criados à imagem e semelhança de um Criador sem limites, o Grande Mistério, e portanto também possuímos um potencial criativo ilimitado. Sendo catalisadores, herdamos a capacidade de criar infinitamente. Quando esse dom é descoberto e utilizado de forma adequada, nós nos tornamos simultaneamente doadores e receptores. Tornamo-nos antenas vivas, ou pontes que possibilitam a troca de energia entre a Mãe Terra e a Nação do Céu, à semelhança dos Seres-Trovão. Os Lugares de Poder individuais acabam transformando-se em Mestres que nos instruem acerca de nossas habilidades catalisadoras.

A palavra "poder" tem sido usada com os mais diversos significados. Por isto, foi-se diluindo a compreensão do papel de catalisador que o ser humano possui. O verdadeiro significado do Poder necessita ser melhor esclarecido. A expressão "Lugar de Poder" pode soar de maneira desagradável para aqueles que relacionam a palavra "poder" a "controle". "Controle" significa o uso inadequado de uma determinada habilidade. Quando não falamos ou caminhamos de acordo com a nossa vontade, abrimos espaço para que outros assumam a autoridade, mas nós não podemos jamais delegar o nosso próprio poder. Podemos partilhar nossos dons, talentos e habilidades além dos limites razoáveis, mas ninguém pode nos forçar a eliminá-los. Podemos fazer pouco-caso de nossos próprios talentos, ter medo de utilizá-los, ou até mesmo negar nossas capacidades, por medo de falha ou de erro. Porém, toda vez que nos dirigimos à Mãe Terra através de um Lugar de Poder em busca de religação, devemos deixar de lado todas estas ideias limitadoras. Só assim podemos nos tornar dignos de sentir sua proteção, que nos ajuda a prosseguir na descoberta do nosso Ser mais profundo.

À medida que nos curamos, a Mãe Terra compartilha de nossa alegria. Nós somos como células do corpo físico da Terra. O poder do Amor, o poder da Cura, o poder da Compaixão, o poder da Unidade e o poder do Conhecimento estão todos aí, a nossa disposição. A Mãe Terra possui todos estes dons e está pronta a compartilhá-los conosco nesse momento.

Religando-nos com o princípio da celebração da vida, tornamo-nos capazes de libertar-nos de nossa tristeza e de nosso medo. Quando nos dispomos a Caminhar em Beleza, aprendemos a valorizar cada aspecto do nosso Ser. Os Lugares de Poder de nosso planeta são aqueles que testemunham a alegria de nossa Mãe Terra quando viu seus filhos crescer em direção à Plenitude, celebrando a Vida.

## Aplicação

Se você escolheu a carta do Lugar de Poder, é porque você está buscando uma forma de se tornar um Catalisador de determinados acontecimentos que estão ocorrendo à sua volta. Para tornar-se Catalisador de alguma situação, você precisa direcionar seus talentos, visando obter um certo tipo de resultado. Essa habilidade é aprendida através da Ligação-com-a-Terra.

Seu corpo está apto a conduzir a energia necessária para alcançar um determinado resultado. Basta permitir que a Mãe Terra o recarregue com a voltagem extra.

    Descubra um Lugar de Poder pessoal e invoque os Quatro Elementos mediante preces de gratidão. Depois poderá direcionar seus talentos para sempre e receber o poder de manifestação. Ao agir assim, suas necessidades serão atendidas. Você poderá fazer este Poder de Cura se manifestar, utilizando sua própria criatividade e recebendo da Mãe Terra toda a energia necessária. Lembre-se de que é um Catalisador e que é totalmente responsável pelo seu acúmulo de poder pessoal.

# TENDA DA LUA

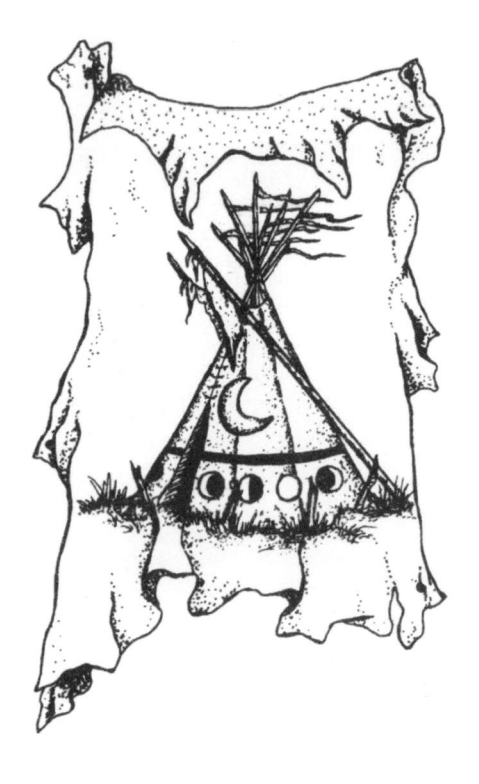

Tenda da Lua, da boa acolhida,
Tempo de contemplação,
Observando os ciclos do corpo,
E a vida que recomeça.

Recolhimento e silêncio.
Sagrada Tenda Negra do Ocidente.
Menina e Avó,
Unidas em retiro,
Junto à Mãe Terra.

# 17
## TENDA DA LUA
## Recolhimento

### Ensinamento

A Tenda da Lua é o lugar da mulher. É lá que as mulheres se reúnem durante seu período menstrual para ficar juntas e se sentir em sintonia com as mudanças ocorridas em seus corpos. Há muito tempo atrás, durante essa época especial do ciclo lunar, as mulheres eram afastadas das tarefas domésticas, e recebiam permissão de se recolher à Tenda da Lua, para desfrutar da companhia de suas irmãs.

Em muitas tradições antigas o Tempo da Lua é considerado um tempo sagrado da mulher, durante o qual ela é honrada como sendo a Mãe da Energia Criativa. Durante este ciclo, ela deve liberar-se das energias antigas que seu corpo vinha carregando, e preparar-se para a religação com a fertilidade da Mãe Terra, da qual será portadora durante a próxima Lua ou o próximo mês. Nossos ancestrais sabiam o quanto era importante permitir que cada mulher pudesse se aprofundar em seu Espaço Sagrado durante esse momento de religação, pois as mulheres eram as portadoras da abundância e da fertilidade. As mulheres eram as mães; davam continuidade à Tribo tendo filhos, traziam fertilidade às lavouras graças à sua conexão com a Mãe Terra e abrigavam os sonhos da Nação em seus ventres até que esses sonhos se tornassem realidade. Durante sua Lua, elas eram estéreis e não podiam conceber. Este era, portanto, o seu período de descanso.

Ninguém impedia que uma mulher fizesse seu retiro periódico durante o Tempo da Lua. Impedir seria um gesto perigoso da parte de qualquer Membro da Tribo. Insistir em que uma mulher continuasse a cumprir com as tarefas ou deveres familiares equivalia a interromper o seu Ciclo de religação com a Terra. Isso poderia atrair a ira da Mãe Terra. Assim, se qualquer mulher visse negado seu direito de se reconectar com a Avó Lua e/ou com a Mãe Terra, a fertilidade e a abundância poderiam não se manifestar naquela Tribo ou Nação. O verdadeiro sentido dessa conexão ficou perdido em nosso mundo moderno. Na minha opinião, muitos dos problemas que as mulheres enfrentam, relacionados aos órgãos sexuais, poderiam ser aliviados se elas voltassem a respeitar a necessidade de retiro e de religação com a sua verdadeira Mãe e Avó, que vêm a ser respectivamente a Terra e a Lua.

A nossa Avó Lua é quem tece a trama das marés (que é a água ou o sangue de nossa Mãe Terra), e os ciclos de uma mulher acompanham o ritmo desta fiação. Quando as mulheres vivem juntas num espaço comum, seus corpos começam a regularizar suas menstruações, e todas terminam tendo seu tempo lunar simultaneamente. Este ritmo natural é um dos laços da fraternidade.

As mulheres honram o seu Caminho Sagrado quando se dão conta do conhecimento intuitivo inerente à sua natureza receptiva. Ao confiar nos ciclos de seus corpos e permitir que as sensações venham à tona dentro deles, as mulheres vêm sendo Videntes e Oráculos de suas Tribos há séculos. Em nossa Tradição Seneca o corpo governante da Nação se materializa nos oito Clãs e cada Clã possui uma Mãe do Clã. Estas mulheres têm a palavra final em todas as situações. Admite-se que todo crescimento deve advir das mulheres. Como se dá com as Mães dos Clãs, é aprendendo a utilizar os dons da intuição e da sabedoria que toda mulher pode ter acesso à Verdade que a guiará no Caminho Sagrado.

As Tendas de Cura e as Tendas de Lua das mulheres são chamadas por vezes de "Tendas Negras". A cor negra corresponde à cor do Oeste na Roda da Cura. O Oeste é o lugar da mulher, lar de todos os nossos amanhãs, e refúgio da Ursa. A Ursa se recolhe à sua caverna para digerir todas as informações e todo o alimento acumulados durante o ano. Da mesma maneira, a mulher deve se retirar para a Tenda da Lua a fim de honrar os dons que recebeu da Mãe Terra durante o mês que passou. A escuridão do céu noturno é dominada pela luz prateada da Avó e é feminina em sua natureza. Eis aí outra razão para que as tendas das mulheres sejam chamadas de Tendas Negras.

Durante o seu Tempo de Lua, as mulheres da Tribo têm oportunidade de partilhar entre si as visões, os sonhos, as experiências e habilidades mútuas. Os homens não recebem permissão para entrar nestas tendas, assim como as mulheres também ficam proibidas de frequentar as Sociedades e Clãs dos Guerreiros. Deste modo, cada grupo tem a oportunidade de reforçar seus laços fraternais e de manter unida a energia masculina ou feminina grupal, ajudando a equilibrar e harmonizar a Tribo como um Todo através de uma saudável troca de experiências. As Tendas Negras constituem o núcleo da Cura Feminina e simbolizam a fraternidade e a união das mulheres do grupo.

Dentro da Tradição Nativa cada estágio de crescimento de uma mulher é explicado às meninas que estão em fase de crescimento. O ensinamento começa antes do primeiro fluxo menstrual da jovem e é marcado pelos Ritos de Passagem (veja a carta 21). Cada mulher da Tribo tem a honra de se tornar parte da grande Energia Criativa. Cada uma delas deve aprender a reconhecer o Ciclo da Lua à medida que vai sendo preparada para se tornar uma tecelã das marés, à semelhança de sua Avó Lua. Cada uma aprende a respeitar o corpo e as próprias necessidades. A cada menina é transmitido o conhecimento do que significa ser mulher, à medida que ela vai sendo preparada para assumir seu papel entre as outras mulheres da Tribo. Nesta fase de aprendizado incluem-se as tarefas normais de mulher e de esposa, além do artesanato, do desenvolvimento da criatividade, do uso da intuição, e do desenvolvimento de qualquer dom e habilidade pessoal. Temos ainda o conhecimento de Cerimônias e de rituais, a ajuda no nascimento de bebês, além da utilização dos seus dons de cura e de seus Totens pessoais.

Durante seu Tempo de Lua as mulheres não tinham permissão de preparar comida, dançar, participar de Cerimônias ou partilhar qualquer atividade vital com os homens. Muita gente hoje costuma interpretar erradamente este costume. Essa Tradição teve início porque as mulheres precisavam se reabastecer de energia durante o seu período estéril. Considere o alívio que um retiro destes poderia proporcionar a uma mulher moderna, e também à sua família, que é obrigada a conviver mensalmente com suas mudanças de temperamento. A ideia comum entre os que não entendem direito essa prática é a de que as mulheres eram consideradas sujas durante seu Tempo de Lua, mas, na verdade, isso era a mais alta honra que se concedia às mulheres. Considerava-se que era um direito da mulher retirar-se para receber a alimentação e os cuidados da Mãe Terra, assim como a própria tinha cumprido com sua responsabilidade de cuidar bem dos outros durante o resto do mês.

Dentro da Tenda Negra das Mulheres são transmitidos ensinamentos fundamentais que permitem a cada mulher se relacionar com as energias femininas da Mãe e da Avó. Isto significa que os papéis sociais da mulher são explorados em profundidade. Ser uma Provedora é um papel que cada mulher provavelmente experimentará durante sua Caminhada pela Terra. Este papel inclui a gravidez e o parto, assim como o profundo amor e o cuidado com os jovens em sua fase de crescimento. As crianças costumam ser respeitadas por seus talentos individuais e são orientadas por sua mãe a aceitar, honrar e desenvolver estes seus dons com alegria.

O papel da Avó era também muito importante. Quando um menino fazia sete anos de idade, sua Avó se retirava para a Tenda Negra e sonhava ou então fumava a futura companheira do rapaz. Em seguida conversava sobre isso com o Avô e começava a preparar as peles de cervo cerimoniais que seriam o traje do futuro casamento. Quando o rapaz chegasse à maturidade e fosse escolher uma garota em que estivesse interessado, ele deveria se dirigir à sua própria Avó e pedir permissão, antes mesmo de falar com o pai da garota. Se fosse a mesma garota com a qual a Avó havia sonhado, ela seria aceita; caso contrário, ele deveria esperar ou passar a buscar outra jovem. Essa função da Avó era uma das mais reverenciadas pela Lei Tribal. Cada visão ou Sonho de Cura que acontecia a uma Avó era altamente honrado e respeitado. Cada Avó conhecia a estatura do neto e de sua companheira e costurava as roupas do casamento nessa conformidade. Este era um verdadeiro teste das aptidões das Avós como Videntes.

Esperava-se que as mulheres se mantivessem castas até o período de namoro que precedia o casamento e que fossem fiéis como esposas. Em algumas Tribos das Pradarias, no entanto, quando uma jovem estava sendo cortejada, tinha permissão de escolher com quem partilharia seu Manto de Búfalo antes de concordar em se casar. Nestas Tribos, esse processo de seleção era considerado um direito da mulher. Ao conscientizar-se de que seu corpo constituía uma extensão sagrada da Mãe Terra, ela compreendia que todos os atos de prazer, abundância e fertilidade faziam parte da natureza feminina.

Ao ter suas primeiras relações sexuais, toda mulher era respeitada e tratada com carinho. Assim, nenhum mal ocorreria à Mãe Terra ou à Tribo em geral em virtude de maus-tratos sexuais infligidos à mulher. A sexualidade era encarada como um prazer natural e sagrado. Toda mulher estava preparada graças às lições transmitidas por outras mulheres na Tenda da Lua. A sexualidade era considerada um ato natural de fertilidade. Assim como a Terra e o Sol criavam alimentos para a sobrevivência do Povo, o homem e a mulher criam seus filhos através de seu amor compartilhado. Originalmente, a mulher quase sempre tinha a última palavra quanto à escolha do Guerreiro com o qual iria compartilhar seu corpo e sua vida. A exceção à regra era se ela fosse feita prisioneira por outra Tribo, ou se sua família fosse tão pobre que necessitasse de ligações com caçadores fortes ou parentes mais abastados que se tornariam então responsáveis pelo bem-estar de ambas as famílias.

Quando o Povo dos Barcos (os europeus) chegou à Ilha da Tartaruga (as Américas), arribou à costa ocidental e cunhou a palavra *squaw* [mulher]. Essa palavra foi adotada e usada enquanto eles avançavam para o oeste. As outras Nações da América Nativa não sabiam de onde vinha a palavra, e ela foi usada para denominar áreas de terra pelo Oeste afora. Na verdade, esta palavra é uma difamação da mulher. Vem da palavra algonquina *Nues-quaw* ou *No-squaw,* que significa "sem-pênis". As mulheres algonquinas gritavam essas palavras quando eram estupradas. Chamar uma Nativa de *squaw* é chamá-la de pênis e destrói nosso respeito pela mulher, além de reabrir velhas feridas. Se os ensinamentos da Tenda da Lua e o respeito Tribal pelas mulheres fossem violados por um Homem Vermelho, essas violações seriam puníveis com a morte.

Para que as velhas feridas cicatrizem de maneira eficaz e criativa, está na hora de as mulheres utilizarem a ideia da Tenda da Lua e se refugiarem na santidade da fraternidade.

As mulheres precisam aprender a amar, compreender, e, desta forma, curar umas às outras. Toda pessoa possui facetas masculinas e femininas. Cada uma delas pode penetrar no silêncio do próprio coração para que lhe seja revelada a beleza do recolhimento e da receptividade. A Tenda da Lua pode ser um símbolo para homens e mulheres. Recolher-se e assimilar os sentimentos que as experiências da vida criam é muito saudável.

**Aplicação**

A carta da Tenda da Lua fala de retiro. Faça uma pausa em suas atividades. Sua influência não está sendo bem exercida neste momento porque você está precisando restaurar suas energias. Este é um período estéril em certo sentido porque você precisa ficar só e dar toda a atenção a você mesmo, para variar.

O retiro não é um ato de fraqueza; é um ato de força. É no retiro que se consegue, no presente, preparar uma base sólida para o futuro. Observe que, ao descansar um pouco agora, você está preparando um novo tempo de ações produtivas em sua vida. Estes momentos de solidão vão lhe permitir fazer coisas que lhe trazem alegria sem as interferências que costumam vir de fora. Lembre-se de que verdadeiros milagres podem ocorrer em sua vida, se você se permitir um repouso, e souber se encaminhar em direção ao seu novo ponto de partida de forma suave e tranquila!

# RODA DO ARCO-ÍRIS

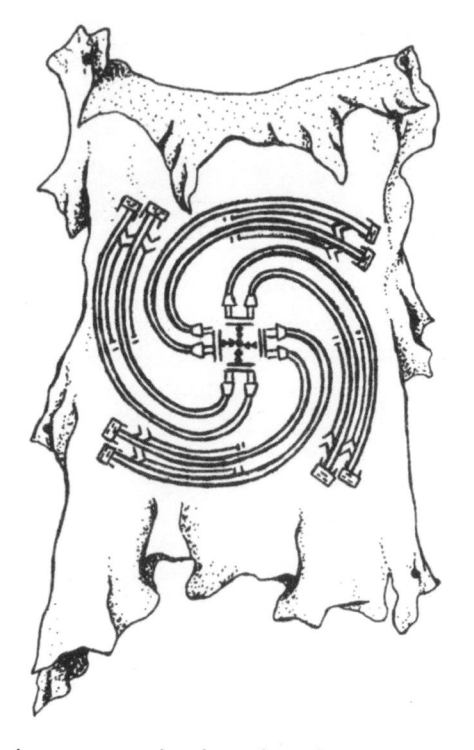

Roda do Arco-íris, doadora de Vida
   Com tuas chuvas purificadoras.
Unindo todas as cores, os Filhos da Terra
   Voltarão a andar em Paz.

Roda do Arco-íris, anuncias
   Que os teus Guerreiros já estão de pé,
Irmãs e Irmãos em Harmonia,
   A tua luz em seus olhos.

Roda do Arco-íris, toca os nossos corações,
   E nós por certo voaremos. Não sós ou separados,
Nossas cores rodopiando no céu.

# 18
# RODA DO ARCO-ÍRIS
## Unidade/Consciência da totalidade

**Ensinamento**

Entre os Navajos e os Hopis, a Deusa da Roda do Arco-Íris, ou do Círculo do Arco-Íris, é a portadora das chuvas amigas que alimentam as Três Irmãs – Milho, Abóbora e Feijão durante o verão, para que o Povo também possa ser alimentado. Vemos muitas vezes uma imagem da Roda do Arco-Íris servir como tema para a Pintura na Areia, uma antiga Arte de Cura Sagrada empregada pelos Clãs de Cura destas nações. A Deusa da Roda do Arco-Íris chega de todas as Quatro Direções e gira como uma suástica, de modo a cobrir todas as direções. O lado de fora do Círculo Sagrado é protegido por outra Deusa da Roda do Arco-Íris, que se inclina no Espaço, criando com seu próprio corpo um cálice que recolhe a chuva e protege todo o círculo. Sem as bênçãos da Chuva, as Três Irmãs morreriam e o Povo não poderia continuar a ser alimentado.

A Roda do Arco-Íris representa a promessa de paz entre todas as Nações e entre todo o Povo. A Raça do Arco-Íris vem reforçar a igualdade entre as Nações e se opõe à ideia de uma raça superior que controlaria ou conquistaria as outras raças. A Raça do Arco-Íris vem para trazer a Paz, através da consciência de que todas as raças constituem na verdade uma Raça só. O Arco-Íris encarna a ideia da Unidade de todas as cores e a ideia de que todos os credos devem trabalhar juntos, visando o Bem Comum. Quando todos os Caminhos que conduzem à Totalidade forem respeitados por todos os povos, a profecia do Arco-Íris estará sendo cumprida.

Na época em que vivi no México e trabalhei com as Avós, junto à Sociedade do Búfalo da Dimensão dos Sonhos, ou com a Fraternidade Feminina, descobri que muitas profecias derivadas de Videntes e Sonhadores haviam se conservado através dos Tempos. A profecia da Roda do Arco-Íris, por exemplo, era bastante clara. Quando o Tempo do Búfalo estiver para chegar, a terceira geração das crianças de Olhos Brancos deixará crescer os cabelos, e começará a falar do Amor que trará a Cura para todos os Filhos da Terra. Estas crianças buscarão novas maneiras de compreender a si próprias e aos outros. Usarão penas, colares de contas, e pintarão os rostos. Buscarão os Anciões da nossa Raça Vermelha para beber da Fonte de sua Sabedoria. Estas crianças de olhos brancos servirão como um sinal de que os nossos Ancestrais estão retornando em corpos brancos por fora, mas Vermelhos por dentro. Elas aprenderão a caminhar novamente em equilíbrio na superfície da Mãe Terra, e saberão levar novas ideias aos Chefes Brancos. Estas crianças também terão de passar por provas, como acontecia quando ainda eram Ancestrais Vermelhos. Serão usadas substâncias pouco comuns, como, por exemplo, a Água de Fogo, para observar se elas continuarão a caminhar firmemente dentro do Caminho Sagrado.

A geração dos Filhos da Flor atravessou essa parte da profecia e alguns deles conseguiram permanecer dentro do Caminho Sagrado. Outros se perderam por algum tempo e agora estão retornando ao Caminho de forma mais harmoniosa. Alguns se desiludiram e esqueceram os altos ideais que os alimentaram quando seus corações eram jovens, enquanto outros ainda estão despertando, apressando-se para retornar ao Caminho da Sabedoria.

Vovó Cisi olhava para mim com seus olhos espelhados, suas palavras me calavam fundo; ela falava da Profecia do Arco-Íris e eu sentia meu coração às vezes apertado, às vezes se enchendo de amor e de esperança. Ela me falava da volta do Búfalo à Ilha da Tartaruga, e de como os nossos rebanhos voltariam a ser numerosos. Após o retorno do Búfalo, a geração que se seguisse à dos Filhos da Flor viveria o Amanhecer do Quinto Mundo da Paz. Vovó Cisi chamou o início deste Quinto Mundo da Paz de pônei vacilante que logo ao nascer tentaria se firmar em suas patas. Ela declarou que este movimento vacilante seria sentido pela Mãe Terra, e que ocorreriam mudanças no solo e nas águas. Este movimento provocaria um novo tipo de emoções e de sentimentos entre os filhos da Terra, o que apressaria as mudanças. Muitos sonhos coloridos seriam trazidos para o Tempo de Dormir e para o Tempo-de-Sonho destes novos Guerreiros do Arco-Íris, e eles aprenderiam de novo a Caminhar em Equilíbrio. As mudanças ocorridas em nossa Mãe Terra trariam medo às suas crianças, porém mais tarde conduziriam à Consciência da Unidade, no seio de um--só-Mundo, um-só-Povo.

Vovó Berta se divertia toda vez que chegávamos a esta parte da profecia, porque os meus olhos se arregalavam como se fossem faróis, e eu não conseguia ficar parada um só instante. Então Vovó Berta pedia que Vovó Cisi parasse de contar a história por aquele dia e me deixava na maior expectativa até o dia seguinte. Ela fazia isso só para mexer comigo. Finalmente Vovó Cisi recomeçava a história, dando-me tapinhas no joelho, para fazer com que eu prestasse atenção ao ritmo da profecia. Ela sentia que minha mente girava em torno de minhas próprias projeções. Eu queria mesmo era ficar fazendo um monte de perguntas sobre como, quando, onde e por quê! Eu queria saber todos os detalhes, todos, todos os detalhes. Tinha vinte e dois anos na época e era muito impaciente, mas consegui me controlar e ficar em silêncio para que ela pudesse continuar.

A Roda do Arco-Íris surgirá sob a forma de um Cachorro do Sol para todos aqueles que estiverem prontos para vê-la. O Cachorro do Sol forma um Círculo de Arco-Íris completo ao redor do sol e possui brancas luzes brilhantes apontando para as Quatro Direções. O Cachorro do Sol constitui um fenômeno natural raro e foi batizado assim pelos Nativos Americanos. O nome agora é usado por cientistas do mundo inteiro. Muitos Cachorros do Sol serão vistos quando se aproximar o Tempo do Búfalo Branco. Esta será a Linguagem que o Céu usará para nos dizer que já chegou o momento de partilhar os Ensinamentos Secretos e Sagrados entre todas as raças. Muitos Filhos da Terra despertarão para assumir a responsabilidade dos ensinamentos e o processo de Cura Planetária começará a tomar novo impulso.

Vovó Berta sorria com um olhar distante, sabendo que já estaria na Estrada Azul do Espírito quando chegasse o Tempo do Búfalo Branco. Vovó Cisi também já estaria no Acampamento do Outro Lado, porém ambas me prometeram que, assim que soasse a hora certa para divulgar estes ensinamentos, estariam a meu lado, me ajudando.

As Avós também me falaram das mudanças que os Filhos da Terra sofreriam durante este movimento vacilante – ou Processo de Cura – no momento em que as Rodas-do-Arco-Íris girassem em seus sonhos. Elas declararam: "Muitos filhos da Terra passarão a se recordar dos objetivos desta sua Caminhada pela Terra e aprenderão a desenvolver seus dons para poder auxiliar a toda a humanidade. A Verdade dissolverá os nós da separatividade e a Bondade prevalecerá. Alguns detalhes acerca das mudanças que ocorrerão na Terra serão revelados aos filhos da Terra em sonhos. Algumas pessoas receberão sinais indicando que deverão se mudar para locais bem mais seguros. Outras serão informadas de que a sua ajuda se fará necessária em determinados locais em que ocorrerão as mudanças. Todos deverão confiar em sua visão pessoal e deverão ser capazes de ouvir seus corações para poder auxiliar o Todo. As pessoas se tornarão capazes de utilizar seus dons alegremente, e saberão qual é o seu papel específico dentro deste grande Elo Universal. Os outros ensinamentos da profecia da Roda do Arco-Íris só serão transmitidos mais tarde, quando mais pessoas já tiverem despertado para o seu potencial interno."

Em nossa Tradição Seneca, foi a Vovó Twylah quem me ensinou os diversos usos do Círculo do Arco-Íris da Paz. Quando estamos enfrentando alguma dificuldade, podemos lançar mão do Arco-Íris da Paz, visualizando-o em torno daquela situação, das pessoas envolvidas e do motivo da desarmonia. Depois, piscamos os olhos alegremente, fazendo com que toda aquela imagem seja envolvida pela nossa paz interna. Podemos ainda usar esta técnica junto a outros rituais, colocando os nossos objetivos dentro da Roda do Arco-Íris da Paz.

Os nossos objetivos são inspirados na Tradição da Confederação de Paz Iroquesa, que utiliza os Doze Ciclos da Verdade para que a Paz se manifeste. Os Doze Ciclos da Verdade são os seguintes: aprender a verdade, honrar a verdade, organizar a verdade, observar a verdade, apresentar a verdade, amar a verdade, servir à verdade, viver a verdade, trabalhar a verdade, caminhar com a verdade, e ser grato pela verdade. Quando convidamos a Verdade total a penetrar no nosso Espaço Sagrado, estilhaçamos os grilhões da separatividade e da ilusão, que constituem a base da desarmonia. A Roda do Arco-Íris da Paz destrói as mentiras que fizeram os Filhos da Terra desconfiarem uns dos outros e substitui a ilusão da separatividade pela afirmação da Totalidade. Quando a Deusa da Roda do Arco-Íris dos Navajos e dos Hopis vier abençoar a Mãe Terra com as chuvas da purificação e da regeneração, seus filhos também serão curados e purificados. Assim que o Arco-Íris da Paz dos Senecas conseguir envolver o Espaço Sagrado de cada pessoa, todos passarão a Caminhar em Verdade, respeitando o Espaço Sagrado dos outros indivíduos, e a Harmonia voltará a reinar em nosso Planeta. Esses Sistemas de Sabedoria são baseados nos ensinamentos dos Guerreiros do Arco-Íris – as Irmãs e os Irmãos que trabalham pela União do Quinto Mundo e lutam pela vitória da Paz no Planeta..

**Aplicação**

Se a Roda do Arco-Íris apareceu em sua sequência, você está sendo solicitado a remover qualquer tipo de discórdia de sua vida, abrindo espaço para o seu próprio crescimento. Não alimente a negatividade. Observe todas as lições que lhe estiverem sendo apresentadas neste momento, aprenda com elas e depois concentre sua atenção no sentido de criar nova Beleza e mais abundância em sua vida. Tome cuidado para não afundar na areia movediça dos seres covardes e mesquinhos. Quando os nossos oponentes são dignos e verdadeiros, nos dão lições que promovem o nosso crescimento e que nos abrem para um sentido maior de unidade com o Todo. Os indivíduos prepotentes e mesquinhos não devem merecer sua atenção, seu tempo ou sua energia. Você não deve se envolver em assuntos alheios quando a discórdia for devida à falta de unidade e de compreensão entre as pessoas.

Envolva qualquer discórdia com a imagem da Roda-do--Arco-Íris da Paz e sinta-se Uno com o Grande Mistério, mantendo o olhar fixo em um Objetivo Maior, e os pés no Caminho Sagrado da Beleza. Lembre-se sempre de que você possui a força interior necessária para superar todos os obstáculos à União que possam, eventualmente, estar surgindo em seu Caminho.

# CARA PINTADA

A Cara Pintada expressa
    O que sinto por dentro.
Nem o nariz, nem os olhos,
    Nada que seja visível.
Só emoções e Magia
    Expressadas num desenho:
Cores do Grande Mistério
    Que me pintaram assim.

# 19
## CARA PINTADA
## Autoexpressão

---

**Ensinamento**

Muitos filmes antigos mostravam Nativos Americanos combatendo caubóis. Nestas cenas de batalha, os Guerreiros da Nação Vermelha exibiam os rostos pintados pelos maquiadores de Hollywood. Um verdadeiro Guerreiro, antes da batalha, nunca pintaria o rosto de forma tão ridícula quanto estes filmes antigos costumavam mostrar. As pinturas faciais do cinema eram até bem realizadas, porém eram artificiais e não chegavam nunca a retratar fielmente duas das formas essenciais da autoexpressão indígena: a Pintura de Guerra e a Pintura Cerimonial, que eram dois tipos diferentes de Magia Pessoal. A Tradição Nativa Americana dava grande ênfase ao desenvolvimento da individualidade e à expressão dos talentos pessoais. Portanto, era muito importante que cada pessoa pudesse ter o direito de expressar-se livremente. Uma das formas mais habituais de expressão artística era, justamente, a da Cara Pintada.

A Cara Pintada usada nas ocasiões de guerra tinha por intenção assustar o inimigo e ressaltar a expressão de bravura de cada Guerreiro. Já a Cara Pintada das Festas e dos Cerimoniais possuía outra função; ela servia para revelar a beleza do espírito individual aos olhos de todos os membros da Tribo. A Tribo sempre representava a extensão da própria família. Por isto, cada membro sentia-se perfeitamente à vontade para expressar, ali, a sua forma individual de Caminhar em Beleza. A função da Cara Pintada durante os Cerimoniais nunca era a de servir de máscara para os Guerreiros, ou de esconder a sua identidade; pelo contrário, servia para expressá-la da forma mais pessoal possível. As máscaras só eram utilizadas, nas danças ou nos rituais, quando havia necessidade de representar outro Ser, diferente do Ser de determinado indivíduo.

Na Pintura de Guerra costumava-se usar a Cara Pintada no rosto dos Bravos e também no dos seus Pôneis, para mostrar o quanto eles eram unidos. Por isso, os pôneis Pinto e Appaloosa, usados pelas Tribos das Planícies, eram muitas vezes chamados de "Pinturas". A Pintura de Guerra, representando a Magia que protegia o Guerreiro, era a mesma Magia que protegia o seu cavalo. Muitas vezes, a forma de expressar a Magia da Batalha Pessoal chegava por intermédio de um Sonho de Cura. Quanto mais assustadora era a Pintura de Guerra, mais conseguia provocar medo no inimigo. Na hora de surpreender o inimigo, pulando sobre ele, o Guerreiro soltava um grito de guerra, revelando a sua assustadora Cara Pintada. Através deste ato de coragem, ele tentava provocar uma paralisia temporária no inimigo e conseguir uma vantagem na batalha.

Quando o cavalo começou a ser introduzido na Ilha da Tartaruga, o Homem Vermelho e o seu pônei tornaram-se companheiros inseparáveis. Esta dupla corajosa dedicava-se incansavelmente à caça ao Búfalo para que o Povo tivesse o que comer. O cavalo assumiu as funções que antes eram reservadas ao cachorro e que consistiam em carregar os bens da Tribo nas mudanças de um acampamento para outro. O cavalo tornara-se a extensão do espírito de um Guerreiro e transformara-se em seu melhor amigo. Quando estes dois amigos se juntavam no caminho da guerra, cada Bravo pintava o seu próprio corpo assim como o do seu pônei, com cores extraídas diretamente da Terra.

As argilas utilizadas na pintura recebiam os nomes dos locais em que haviam sido encontradas, para que outros Guerreiros pudessem encontrá-las toda vez que passassem por estes lugares. As argilas eram cozidas ao lado das fogueiras de comida. Depois, eram reduzidas a pó e ficavam armazenadas até que fossem usadas novamente. Estas tintas podiam ser usadas em diferentes ocasiões – nas cerimônias, nas festividades ou na partida para a guerra –, mas a forma de prepará-las era sempre igual. Misturavam-se os pós coloridos ao sebo ou à gordura de urso até que se obtivesse a consistência ideal para passá-los no corpo do Guerreiro. As cores retiradas diretamente da Terra não são tão brilhantes quanto as tintas encontradas hoje em dia porque são totalmente naturais. Às vezes adicionavam-se certos tipos de grama e determinadas ervas para intensificar o brilho da argila, mas geralmente as cores reproduziam as tonalidades naturais da própria Terra.

As Cores Tradicionais – vermelho, branco, preto e amarelo – que representam as cores das Quatro Direções eram as cores básicas usadas na pintura corporal. O uso de azul e verde não era tão comum porque era mais difícil encontrar argilas nestas cores em algumas regiões. O Azul representa o Pai Céu, e o Verde, a Mãe Terra.

Às vezes um Membro da Tribo recebia uma Visão de Cura especial, que marcava uma profunda mudança em seu Caminho de Vida. Este Homem ou esta Mulher poderia, dali por diante, passar a ser conhecido ou conhecida por um novo nome. Quando isto ocorria, o novo nome e a nova identidade mudavam a Magia daquela pessoa, o que mudava também a sua Cara Pintada. Estas mudanças eram festejadas por todos os membros da Tribo. A revelação de um novo talento, a vitória em um teste de bravura, a passagem da infância para a vida adulta, ou um golpe certeiro constituíam bênçãos da vida física muito honradas pelo Povo. Cada pessoa utilizava sua intuição e criatividade para criar sua própria Cara Pintada e isto, por si só, já constituía um exercício de crescimento pessoal que contribuía para o crescimento da Tribo como um Todo.

Os desenhos que me são mais familiares são aqueles que me foram transmitidos pelos meus Professores de Cura. Eles cobrem um grande número de Tradições, mas não são os únicos tipos de desenhos que podem ser utilizados. Havia símbolos universais, como o uso de linhas amarelas acima dos olhos. Estas linhas eram usadas por Videntes de talento comprovado na Arte de interpretar sonhos, receber Visões de Cura, ou de empreender viagens bem-sucedidas, que ajudavam a sua Tribo.

Uma cara pintada totalmente de preto denota luto pela perda de um ser amado. Órbitas pintadas de preto revelam ao observador que esta Cara Pintada reverencia o Oeste, é um juiz justo, discerne a Verdade, é forte como o Urso, e poderia ser um bom conselheiro, um que não se deixaria levar pelas opiniões dos outros. Uma linha vermelha descendo pelo nariz pode significar duas coisas. O primeiro significado é que a pessoa confia plenamente no Caminho que está seguindo. O nariz nos conduz a qualquer direção para a qual nos viremos. Portanto, o nariz pintado de vermelho também revela um líder, aquele líder que soube conquistar a fé e a confiança do seu Povo.

Em outros casos, o vermelho é utilizado numa linha que desce pelo meio da testa e também pelo queixo; isto significa que a pessoa se dedica a proteger as mulheres e as crianças. O amarelo em algum desenho significa que seu portador está ligado à energia do Leste e à Águia, e que tem auxiliado o seu Povo, partilhando novas ideias e inspirações. A pintura amarela também significa que a pessoa sabe honrar a vida de todas as coisas sobre as quais o Avô Sol lança os seus raios. O branco, em qualquer desenho, quer dizer que a Sabedoria entrou na vida desta pessoa através de um grande acontecimento, modificando as suas percepções. Azul e branco podem significar que o Cara Pintada recebeu um sinal dos céus relacionado com alguma sabedoria procurada. Desenhos verdes e marrons podem indicar que após uma profunda ligação com a Mãe Terra produziu-se um novo talento ou habilidade.

Um raio significa que a pessoa está ligada aos Seres-Trovão e que este tipo de energia ficou integrado à sua Magia Pessoal. Se o Bastão de Fogo estiver pintado de branco, isto significa que a pessoa foi atingida pelo raio e começou a ser considerada como um Xamã em sua Tribo. Se o raio for azul, isto quer dizer que os espíritos do Trovão e do Raio se comunicaram com esta pessoa por meio de visões ou de sonhos. Um raio vermelho pode denotar um Xamã da Chuva, que possui o poder de invocar os Seres da Chuva para vir saciar a sede da Mãe Terra.

Linhas brancas horizontais debaixo dos olhos podem indicar a sabedoria de ver sempre a verdade e a gratidão pela capacidade de discernimento. Sete círculos brancos, sendo um no centro da testa, e três em cada face, descendo até o maxilar, denotam um Xamã da Lua entre os índios Chocktaw. Um Xamã da Lua consegue ler profecias e sinais no céu noturno para difundir estes presságios entre todo o seu Povo.

Todo símbolo de Cura deverá ser pintado na cor da direção que permitiu a descoberta deste dom. Assim, por exemplo, o Leste é amarelo, o Sul é vermelho, o Oeste é preto, e o Norte é branco. Em cima é azul, embaixo é verde ou marrom, e o Dentro é, em geral, simbolizado pelo verde. Na Tradição

Sioux, Alce Negro via o vermelho no Leste e o amarelo no Sul, e Cervo Manco também, mas quase todas as outras Tradições veem estas cores invertidas. Já os Navajos possuem uma roda de cores totalmente diferente, que se adapta melhor ao seu Mito da Criação do Mundo.

Quando um Curador trabalha com a energia da Cobra, vemos uma linha ondulada pintada em seu rosto, na cor da direção em que estava andando quando a Cobra se aproximou. Qualquer símbolo pintado em vermelho pode representar algum dom especial ou uma tradição de família que tenha sido herdada por determinada linhagem. Uma linha vermelha ondulada poderia denotar, por exemplo, o filho de um Xamã da Cobra, e significar que esta Cobra protege sua vida através da Energia de seus Ancestrais.

Toda pessoa possui um legado de dons e talentos que podem ajudar o crescimento e expansão de sua Tribo. Quando a Cara Pintada é revelada à grande Família Tribal durante os festejos ou cerimônias, os Anciões observam estes dons individuais para poder utilizá-los em caso de necessidade. O ato de pintar a cara não significava jamais enfeite ou exibição, porque quando alguém alegava possuir determinado talento se tornava, num certo sentido, uma propriedade comunitária e podia ser usado para beneficiar todo o grupo. A expressão "com a cara no chão" indicava quem apregoava talentos que não possuía. Quando algum dom específico era convocado por um Conselho Tribal e não podia ser exibido pela pessoa que o havia alardeado, os outros dons proclamados eram colocados em dúvida. A Cara Pintada do mentiroso era lavada e ninguém mais acreditaria naquela pessoa dali por diante.

É importante lembrar que os dons expostos pela Cara Pintada eram exibidos por cada pessoa frente à Tribo inteira como uma prova de dedicação. É auspicioso podermos auxiliar as pessoas que nos cercam fazendo-as compartilhar de nossas habilidades. Quando ajudamos outras pessoas a crescer, transcendendo o nosso egoísmo, podemos adquirir um novo sentido de dignidade pessoal.

## Aplicação

A Cara Pintada fala de autoexpressão. Ela lhe diz que se deve usar a Criatividade para expressar os seus sentimentos, os seus talentos ou ainda os seus desejos. O fato de poder expressar livremente tudo aquilo que você é, em determinado momento, possui grande poder de Cura e pode vir a ser muito útil. À medida que se transforma e evolui, você pode sentir a necessidade de mudar sua forma externa, ou seja, a aparência que o caracteriza para os outros.

Pode ser muito importante para você, nesse momento, mudar algo em sua aparência, em suas atitudes ou atividades, passando a revelar uma imagem mais condizente com o seu novo Ser interno. A mensagem básica desta carta é pedir a você que se abra, permitindo que os outros percebam a sua tônica pessoal. Desta maneira, estará ajudando outras pessoas, que podem estar precisando dos talentos que você tem para oferecer. Não esconda mais os seus sentimentos, seus pensamentos, ou os dons que você possui. Ofereça-os ao resto do mundo.

Já é hora de viver a *sua* Verdade, e permitir que o Poder de Cura do seu Ser interno consiga vir à tona. Você não precisará passar pelo vexame de ver sua cara ou sua máscara caírem se souber apresentar para o mundo os seus verdadeiros talentos, de maneira simples, deixando o orgulho e a vaidade de lado.

# CONTAR OS GOLPES

Saber que honrei
 Minhas palavras com meus atos,
Doce vitória
 Partilhada por todos.
A Humanidade celebra,
 Contando Golpes
De Harmonia e Equilíbrio,
 Por um Mundo Novo,
Cheio de Paz.

# 20
## CONTAR OS GOLPES
## Vitória

**Ensinamento**

O ato de Contar o Golpe significa uma vitória sobre um inimigo ou um desafio aceito. Os Clãs dos Guerreiros da América Nativa usavam muitos métodos de dissimulação, astúcia, surpresa, planejamento e força física para conquistar prêmios nos embates com os adversários. Os prêmios Tradicionais conquistados em ataques inesperados eram Cavalos, penas de Águia, Sacolas de Talismãs, Escudos de Cura, machados de guerra, arcos e outras armas. Os escalpos não eram prêmios dignos de figurar na Contagem dos Golpes antes da chegada do Povo dos Barcos à Ilha da Tartaruga.

Caçadores de peles e mercadores vendiam escalpos a europeus ávidos de curiosidades dizendo que os "selvagens" do novo mundo arrancavam escalpos uns dos outros, quando na verdade a prática de escalpar foi introduzida por aqueles que ganhavam dinheiro em negócios com os ricos da Europa. Quando o horror do escalpo se espalhou e mulheres e crianças nativas foram mortas e escalpadas ou escalpadas vivas, os Clãs dos Guerreiros começaram a retaliação. Aos olhos dos Nativos Americanos todos os homens de qualquer raça ou tribo pertenciam ao Clã dos Guerreiros, e a eles cabia a honra de proteger mulheres e crianças. A maior vergonha que um Guerreiro podia passar era ver as mulheres e crianças que estavam sob sua proteção ofendidas de alguma forma.

A fúria e o ódio começaram a crescer de parte a parte, de Tribo contra Tribo e de Índios contra brancos. O ato de Contar os Golpes havia sido maculado, e o código de honra normalmente válido entre Guerreiros e Soldados fora deixado de lado. Na origem, o ato de Contar os Golpes fora um ato de vitória. Um Guerreiro roubava algo do Bravo a quem havia derrotado para mostrar como sua ciência era forte contra seus rivais. Essa prática variava de uma Tribo para outra. Os membros do Clã dos Guerreiros entre os Índios das Planícies geralmente possuíam um Bastão ou Cajado de Golpe, muito parecido com o de um pastor, que ficava dentro da tenda e ostentava as provas de suas vitórias pessoais. Ao Bastão de Golpe estavam presos vários troféus. Entre esses objetos podiam figurar a crina de um Cavalo (se ele tivesse roubado a montaria de outro Guerreiro), penas de Águia, um pedaço de tecido, contas de colares ou uma Sacola de Talismãs que estivera amarrada ao pescoço do cavalo de algum inimigo. Mais tarde, com a prática do escalpamento, um escalpo podia também ser visto pendente de um Bastão de Golpe.

Ao registrar uma vitória, havia certas coisas que um Bravo tinha então permissão de fazer e que indicava aos outros a sua Contagem de Golpes. Ele podia, por exemplo, usar em sua pintura facial desenhos que acrescentassem honra à sua posição e dissessem àqueles que sabiam ler o significado destes sinais que ele tinha um ou mais atos de bravura ligados ao seu nome. Estes símbolos podiam também ser acrescidos à pintura de guerra de seu Cavalo quando reaparecesse montado no campo de batalha. Quanto maior o número de Golpes Contados, mais forte era a Energia daquele Guerreiro.

Quatro a seis tipos principais de Golpes eram contados nas Tribos Sioux, Crow, Blackfoot, Apache, Cherokee, Cheyenne, Kiowa, Flathead, Ute, Arapahoe, Pawnee, Shoshone e outras. O primeiro em importância consistia em atingir um inimigo com arco e flecha, machado de guerra ou, mais tarde, bala de rifle. Outro Golpe importante era "desmontar um inimigo". Desmontar o inimigo era derrubar o Guerreiro do Cavalo e liquidá-lo numa luta corpo a corpo. Roubar o cavalo de um inimigo era outro Golpe importante. Roubar cavalos era roubar os meios de retaliação e portanto roubar o poder ou a força do Guerreiro. O quarto Golpe Contado era roubar a arma do adversário. O quinto era roubar algum elemento mágico do inimigo, como o seu Escudo, suas penas de Águia, sua Sacola de Talismãs, um medalhão de contas, um peitoral de osso de Búfalo ou um anel de escalpo. Um anel de escalpo é uma mecha de cabelo entrançada com algum tipo de objeto que representa os Guias da pessoa, ou a energia que lhe serve de proteção. Um anel de escalpo pode ter uma tira de pele, uma pena, um dente, contas e/ou outros pequenos objetos aos quais está amarrado. Cortar o anel de escalpo entrançado da cabeleira de um Guerreiro era despojá-lo de seu Talismã de Guerra. A última forma reconhecida de Contagem de Golpes era destruir a Tenda de um Guerreiro – ou Tipi – e apossar-se de sua mulher ou de suas coisas. Esta forma de Contar Golpes era considerada pouco honrosa e só era usada em último recurso, mais para humilhar do que para conquistar os objetos sagrados de outro Guerreiro.

Entre os Índios da Planície, se ocorria uma morte, o bando invasor passava tinta preta no rosto quando voltava para o acampamento. As mulheres caíam em pranto assim que avistavam os Caras Pretas. A família enlutada era dispensada das obrigações cotidianas e do trabalho durante quatro dias. Os quatro dias de luto honravam os Ventos das Quatro Direções, que levavam o ente querido para o Acampamento do Céu depois de ter ele "deixado cair o manto" (morrido). Se a investida não era vitoriosa, toda a tribo cumpria os ritos fúnebres e guardava luto. Se os Guerreiros tinham sido bem-sucedidos, a desventurada família era amparada e assistida, mas a comemoração do Golpe continuava para os outros membros da Tribo.

Na festa do Golpe, o chefe da facção guerreira ou do bando invasor dava àqueles que haviam testemunhado as vitórias individuais de seus amigos a honra de narrar os acontecimentos. Um Guerreiro era honrado por seus amigos e não tinha permissão de contar ele mesmo a história. Esta prática emprestava outra dimensão à comemoração uma vez que entrava em funcionamento o orgulho de um amigo pelas proezas de outro Irmão. Isto assegurava a participação daqueles que não haviam realizado pessoalmente nenhum ato digno de nota e fazia-os tomar parte também na comemoração. E por outro lado excluía qualquer engrandecimento por parte dos diretamente envolvidos. Falar de maneira exagerada era considerado enfatuação e mentir era desmoralizar-se. Uma testemunha fiel devia, sob palavra de honra, falar francamente da coragem, ou da falta de coragem de um Irmão. Se alguém tinha envergonhado o Clã dos Guerreiros, o fato era referido no Conselho daquele

Clã e nunca na frente da Tribo inteira. Um indício de covardia era uma mancha na reputação de todos os Irmãos do Clã dos Guerreiros, e desde que eles atuavam como um grupo ou unidade de elite, "desonrados" não podiam continuar no grupo.

"Acrescentar ao Cocar uma Pena correspondente a um Golpe" é uma expressão que advém da ideia de realização ou feito pessoal que irá ajudar ou beneficiar o todo. No conceito de Contar Golpe o ciúme e a inveja não têm vez. Não há vitória quando alguém é diminuído pela fanfarronada de outro. Não há honra na presunção.

Quando se busca a vitória, as ações falam mais alto do que as palavras. Uma Pena correspondente a um Golpe nunca é concedida como prêmio a alguém que pretendia fazer alguma coisa mas não fez. Pôr a andar as Palavras é a essência da verdadeira vitória. Como diziam nossos Ancestrais, a vitória da Pena ganha com um Golpe baseia-se nos elevados ideais da Águia. Estes ideais são seguidos pela ação. Assim como a Águia marca e mata sua presa, nós também devemos marcar e atacar as fraquezas que nos impedem de colocar em prática as nossas palavras. Contar o Golpe é uma vitória pessoal que influi sobre o todo. Da mesma forma, a guerra que movemos contra os velhos padrões é que nos impede de conhecer a paz no mundo. Esses inimigos podem ser a ignorância, o conflito interior, a inveja, o ciúme, o orgulho obstinado, a preguiça, o medo, a amargura, o ódio, a ambição, o fanatismo, a maledicência, o ressentimento e as promessas não cumpridas.

Nossos modernos Escudos de Cura são forjados pela verdade, nossas armas vivem essa verdade e nosso prêmio é nosso futuro, que traz a Cura para os filhos da Mãe Terra. Todos os Duas-Pernas são chamados a conquistar estas vitórias através de um maior nível de conscientização e de um contato mais profundo com o nosso Ser interno.

## Aplicação

Se você tirou a carta de Contar os Golpes, o grito de guerra foi lançado ao ar, e a vitória está assegurada. Você está sendo instado a perceber que está bem perto de alcançar uma vitória pessoal. Talvez você tenha conseguido enfrentar um antigo desafio, ou vencido um adversário. Portanto, chegou a hora de partilhar sua vitória com outros. Não importa se a vitória é de natureza espiritual ou material, como, por exemplo, ganhar na loteria. Você deve honrar este momento e dar graças por esta bênção.

Contar os Golpes representa o sucesso do movimento de avanço e o reconhecimento da ação correta. Você tem sido honesto com você mesmo e está recebendo uma recompensa por não ter se desviado do Caminho Sagrado. Parabéns! A vitória é doce, mas é mais doce ainda quando os troféus são repartidos com aqueles que você ama. Partilhe a alegria deste Golpe com todos aqueles que querem ver você vencedor. Lembre-se: os Guerreiros que Contavam os Golpes sempre cuidavam dos viúvos, idosos e fracos. As vitórias materiais compartilhadas proporcionam mais honra ainda, e todos aqueles que se dispuserem a servir e ajudar receberão, como prêmio, mais uma Pena em seu Cocar!

# RITOS DE PASSAGEM

As mudanças de muitos invernos
    Marcam os ciclos da Roda,
As rugas de meu rosto antigo
    Mostram tudo o que posso sentir.
A natureza da minha passagem é um mistério,
    Pois no íntimo sou dono do meu destino.
Quando no começo dos tempos eu era um menino
    Me espantavam as descobertos que fazia.
Agora que sou um ancião
    Descubro mais uma vez
Que o peso de todo inverno
    Traz descobertos como um Amigo.

# 21
## RITOS DE PASSAGEM
## Mudança

### Ensinamento

Os Ritos de Passagem na Tradição Nativa Americana referem-se às mudanças que ocorrem do nascimento para a infância e da infância para a idade adulta, ou à passagem da Vida física para o Mundo dos Espíritos. As exceções a esta regra são os Ritos de Passagem especiais que se realizam em certas Sociedades de Sabedoria quando um membro é iniciado nos mistérios que conduzem a um nível mais elevado de consciência. Os novos níveis de compreensão e conhecimento espiritual somente se tornam acessíveis para aqueles que já adquiriram este direito através de uma forma correta de vida. Para merecer o direito de passar pela Porta Dourada que conduz a outros níveis de imaginação e de consciência, é necessário ter tido uma conduta impecável no decorrer dos anos, haver demonstrado qualidades espirituais e haver conquistado a boa vontade dos Anciões em passar adiante este tipo de conhecimento.

Os Ritos de Passagem a que todo Nativo Americano se submete, como parte de seu processo de crescimento, são bem diferentes. Em outros tempos o Rito de Passagem usado para os meninos Nativos costumava ser o recebimento e o cuidado de seu primeiro cavalo. Isto representava o primeiro passo para a masculinidade e simbolizava o início de um longo aprendizado para o futuro guerreiro. O segundo passo consistia em acompanhar os caçadores mais experientes para aprender a rastrear, até tornar-se, ele próprio, um provedor de sua Tribo. Nesse caso, a função do jovem era carregar mocassins. Quando nevava ou chovia, esses calçados precisavam ser constantemente trocados. O jovem devia ter sempre mocassins secos à mão para o caso de qualquer membro do grupo precisar fazer uma rápida mudança de calçado.

À medida que o jovem assimilava a conduta adequada de um Guerreiro, ia recebendo maiores responsabilidades até ser escolhido para tornar-se responsável por um grupo de caça ou uma equipe de ataque. Se acontecesse de um cavalo ou um homem se perder sob sua chefia, o nome de sua família ficava desonrado e ele ficava desmoralizado. Conseguir liderar com sucesso um grupo de caça ou um ataque marcava a transição entre o final da adolescência e o início da vida adulta.

Para as meninas, por sua vez, existiam inúmeros Ritos de Passagem que marcavam sua entrada na vida adulta. O primeiro Rito acontecia entre as mulheres da Tenda da Lua, assinalando o primeiro fluxo menstrual ou Tempo da Lua. Em minha Tradição Choctaw, a mãe, ou a parenta mais velha da menina, ia à beira do rio e apanhava um pedaço de musgo, retornando com ele para a Tenda da Lua. O musgo, colocado de tal forma que caíam sobre ele algumas gotas do sangue da Lua, era, a seguir, reimplantado no leito do rio. Essa cerimônia servia para estabelecer um elo com a Mãe Terra e para rejubilar-se com a fertilidade da jovem que chegava à vida adulta. A jovem mulher passava a ser reconhecida por suas irmãs como uma Mãe da Força Criativa e uma Mãe Alimentadora dos sonhos da Tribo. Ela passava a ser considerada uma igual dentro do Conselho de Mulheres. A família da jovem organizava uma festa para celebrar a passagem para a vida adulta. Este ritual público tinha a participação de toda a Tribo e envolvia os pais da menina-moça. Todos colocavam as suas melhores vestes cerimoniais e compareciam à festa com as suas Caras Pintadas. Pela primeira vez, a jovem donzela pintava o rosto com uma lua vermelha, a marca do seu primeiro Tempo de Lua e, portanto, de sua vida de mulher adulta.

A festa era antecedida por um Cerimonial do Rito de Passagem. Os Avós Maternos amarravam os pais da jovem com uma corda de couro de cervo, na altura da cintura. A corda, que tinha cerca de seis metros, era, a seguir, amarrada na cintura da jovem. A jovem começava a dançar ao redor dos pais, parando em cada uma das Quatros Direções e agradecendo a cada Direção pela orientação e pelo amor dado pelos pais durante a sua infância. Os pais faziam o papel dos raios numa roda e dirigiam-se a cada uma das Direções junto com a filha, enquanto ela dançava em volta deles. O círculo era realizado quatro vezes. A cada volta, a filha dirigia uma prece de gratidão a cada direção, lembrando as dádivas e as gentilezas que seus pais haviam lhe demonstrado.

Quando a jovem terminava a sua dança, os pais reconheciam publicamente o seu direito de tomar as próprias decisões. Os pais falavam então das habilidades e das virtudes da filha e declaravam seu eterno amor por ela. Neste instante afirmavam que estariam sempre disponíveis para qualquer orientação que se fizesse necessária, mas que não interfeririam mais na sua vida, já que ela agora havia se tornado responsável pelas suas próprias decisões. Neste momento a filha cortava o cordão de couro de acordo com a forma cerimonial, simbolizando, assim, o corte final do cordão umbilical. Os visitantes presentes soltavam gritos de alegria. Depois começavam as festividades. Quando a família da moça possuía as condições necessárias para receber visitantes, a festa podia se estender por até dois dias.

Na Tradição Sioux existe outro Rito de Passagem que marca a chegada da jovem à idade do casamento. Esse ritual é chamado de Hunka pelos nativos Dakota e anuncia o início da "estação aberta" da jovem, que passa a poder receber a corte de algum rapaz interessado. Na cerimônia Hunka a jovem é conduzida da sua tenda até uma tenda cerimonial por membros do Clã dos Guerreiros que tenham a idade do seu pai. Ali, é colocada em presença de um honorável Ancião, que conversará com ela sobre suas novas responsabilidades ao tornar-se uma mulher honrada em sua Tribo. Ela recebe então um vestido novo, símbolo do seu novo papel na Tribo; espera-se que dali por diante ela passe a seguir a Lei Tribal, expressa e tácita, referente à conduta das mulheres.

Em todas as Tradições, a mulher, como Mãe da Força Criativa, é chamada para alimentar as crianças, os fracos, os enfermos, os Anciões, o Guerreiro que está a seu lado e alimentar também os sonhos do Povo. As mulheres nativas são muito respeitadas porque seguem o Caminho da Beleza. O Caminho Sagrado é o da lealdade, da compaixão pelos outros, da hospitalidade, do compartilhamento, do sentimento de família, do uso e desenvolvimento das habilidades pessoais, da prudência, da força interior, da fidelidade conjugal e do desprendimento equilibrado com uma boa dose de autoapreciação.

Outro Rito de Passagem é o último Rito realizado para os membros da Tribo quando eles enveredam pela Estrada Azul do Espírito. Alguns chamam a isso "Deixar cair o Manto", outros "ir para o Acampamento do Outro Lado" e outros "ir para a Tenda do Céu". Entre as Tribos da Planície era comum colocar seus entes queridos no estrado da morte, que alguns denominam de Tenda do Céu. Os Pueblos enterram os seus mortos para que eles possam voltar ao Mundo Subterrâneo e alimentar a Mãe Terra com seus corpos. O pré-histórico Povo do Ocre Vermelho cobria os corpos de seus mortos com ocre vermelho e colocava-os no ventre da Mãe Terra em posição fetal para que pudessem renascer em outra época. Algumas Tribos costeiras do Noroeste enterravam seus mortos em concheiros que lembravam monumentos funerários, com o fim de ajudar os mortos a ouvir, por meio das conchas, a hora de redespertar e renascer no plano físico. Outras Tribos dispunham de construções tumulares de pedra ou terra que continham todos os objetos sagrados do falecido, os quais conduziam o espírito, com seus dons naturais, ao Acampamento do Outro Lado, a fim de ajudar todos aqueles que ainda estão no mundo material. Em todas as Tradições Nativas Americanas a morte é vista como um novo ciclo de aprendizado.

Esse Rito de Passagem final assegurava uma transição rápida e segura para o Mundo dos Espíritos. Os filmes populares chamavam a essa transição "o feliz campo de caça". Esta é uma expressão usada pelos Olhos Brancos para denotar a alegria que os Americanos Nativos sentem ao retornar aos ancestrais após terem completado com sucesso sua Caminhada sobre a Terra. Cada tipo de Rito de Passagem assinala uma grande mudança no modo como os Americanos Nativos encaram sua trajetória de vida. Cada Rito de Passagem proporciona o privilégio de experimentar a beleza de uma nova fase da vida. Desde o recém-nascido em seu cesto ao mais idoso dos Anciões, cada ciclo de vida aumenta a sabedoria e a experiência da Tribo como um todo. Começando pelo Rito do Nascimento, que acolhe o novo infante na Família Tribal, e terminando com o Rito da Morte, que acompanha a entrada gradual desse espírito numa nova vida, cada Rito de Passagem é celebrado como parte do Elo Sagrado, ou da Roda da Cura dos Ciclos da Vida.

## Aplicação

O Rito de Passagem assinala alguma mudança importante em sua vida. Se você tirou esta carta, comece a observar a mudança e o crescimento que estão ocorrendo no presente e que ajudarão a dar forma ao seu futuro. As mudanças podem ser pequenas ou graduais, mas você está mudando. As mudanças podem ser drásticas e abaladoras, deixando um sentimento de confusão, mas cada uma beneficia seu crescimento de alguma maneira.

A carta do Rito de Passagem pode também falar da necessidade de mudança no caso de você ter perdido a magia e espontaneidade da vida. Só você pode tomar a decisão de transformar a melancolia em exaltação. Tomada esta decisão, esteja preparado para voar com a Águia e experimentar as novas liberdades que estas mudanças podem trazer.

Em todos os casos, mudança é a chave. E lembre-se: se o momento que você está vivendo não é belo, trate de recriá-lo. Assim, você estará oficiando o seu próprio Rito de Passagem.

# HEYOKAH

Ó Heyokah!
 Faça-me rir para que eu volte a ser humano.
Permita-me ver o meu cominho torto
 E ser amigo do Trickster.

Ó Heyokah!
 Como é que você pode ser assim – do contra,
 E me fazer aprender tanta coisa?

Ó Heyokah!
 Olha: desta vez você me pegou!
Mas de outra vez eu te pego!

# 22
## HEYOKAH
## Humor/Opostos

### Ensinamento

O Heyokah é um palhaço que, diferentemente dos outros, possui grande sabedoria e leva seus ensinamentos ao Povo através do riso e dos contrários. Este Trickster Sagrado faz com que você pense por você mesmo e chegue às suas próprias conclusões, levando-o a questionar se aquilo que os outros dizem ou fazem é verdadeiramente correto. No momento em que as pessoas são levadas a pensar por conta própria, começam a colocar à prova as suas próprias crenças; aquelas crenças vacilantes, que pertencem ao passado e se apoiam em muletas, passam a ser testadas. Se as muletas não derem o apoio necessário e as pessoas caírem, terão aprendido mais uma lição de vida. Porém, se elas pararem para pensar, testarem algum ensinamento através da própria experiência e sentirem que este ensinamento é verdadeiro, a crença vacilante transforma-se num Sistema de Conhecimento que poderá acompanhá-las pelo resto da vida.

Este Trickster Divino é chamado de Heyokah pelas Tribos das Planícies e de Koshari pelos Hopis e Pueblos. Diversas tribos utilizam estes professores brincalhões que costumam usar fantasias nos dias das Cerimônias especiais, mas vestem roupas comuns na vida do dia a dia. No entanto, eles não interrompem as suas brincadeiras só porque não é um dia de festa. Os Heyokahs operam através dos opostos. Quando um Heyokah partilha sua sabedoria com um buscador, muitas vezes sua resposta é o oposto daquela que a pessoa teria se dado por conta própria. O riso resultante destas respostas costuma servir de lição a toda a comunidade.

A fama do Heyokah consiste justamente em transmitir suas lições fazendo com que os outros não se levem assim tão a sério. O riso passa a constituir a lição definitiva, pois consegue romper os bloqueios que estão minando o equilíbrio das pessoas. O Heyokah consegue ser bem-sucedido quando tudo é encarado com humor, e os laços com os velhos hábitos, que já não servem mais para nada, são rompidos. O Guia de Cura que acompanha o Heyokah é o Coiote. O Heyokah é um grande conhecedor da Magia do Coiote, e sabe utilizar o lado brincalhão da natureza deste animal para conduzir os outros a um estado mais iluminado de consciência. Ocasionalmente, o feitiço pode virar-se contra o feiticeiro, e a Energia do Coiote pode vir a atingir o Heyokah em algum ponto fraco. Quando isto acontece, um verdadeiro Heyokah aceita o revés com humor, e acha a maior graça na virada da situação, terminando por aprender a sua própria lição, juntamente com a lição que foi dada aos outros.

O Povo Nativo reconhecia a importância de saber levar a vida de modo um pouco menos sério. Em outros tempos não se considerava que o fato de ser alvo das brincadeiras do Heyokah deixava a pessoa "de cara no chão". Na verdade, era até considerado uma honra ser escolhido como alvo de uma brincadeira que transmitisse uma valiosa lição espiritual. Cada membro da Tribo era parte essencial do Todo; por isto muitas vezes a brincadeira passava ensinamentos para outros indivíduos daquele mesmo grupo. Todos aqueles que haviam participado da brincadeira, ou que falavam dela, poderiam, mais tarde, relacionar aquela lição às suas próprias situações pessoais e crescer através deste processo. Todos são obrigados a refletir sobre como reagiriam se a brincadeira tivesse sido com eles, e não com os outros. O Heyokah sabe, como ninguém, dominar a arte do equilíbrio entre o sagrado e a irreverência.

A verdadeira arte de saber como e quando utilizar a tática do Heyokah consiste na habilidade de achar graça da maneira de ser do outro, sabendo, ao mesmo tempo, ser compassivo, e usando os elementos educativos das brincadeiras de uma forma que não seja nem cruel nem impositiva. Um Heyokah experiente jamais faria um estudante se sentir pior do que antes, já que conhece o grau de sensibilidade de cada um. Sempre que fosse necessário, o Heyokah faria uma brincadeira e se transformaria, ele mesmo, no objeto de riso de determinada situação, para que o estudante pudesse se ver refletido nela através da experiência do outro. Esta arte de autodemolição aparente é perfeitamente planejada e não faz, de modo algum, com que o Heyokah se sinta diminuído ou humilhado frente aos outros. O Ancião Sábio que reside dentro de cada Heyokah fica muito feliz, pois sabe muito bem que as consequências de seus atos levarão o outro a um maior crescimento. A lição fica completa e o exemplo de autodemolição terá servido perfeitamente a seu propósito.

O Caminho Sagrado de Cura do Heyokah consiste em diminuir o medo através do riso. As pessoas muitas vezes se sentem apavoradas ante o Mistério do Vazio. Elas precisam ser alvo de pequenos truques para poder afastar o medo; só assim começarão a perceber que o maior obstáculo à sua Conexão com o Divino é o "bicho-papão" que elas mesmas criaram. O Heyokah é um verdadeiro mestre ao lidar com aquelas situações em que a teimosia impede o crescimento. Quando o Heyokah percebe que alguém é muito teimoso e só quer fazer tudo à sua maneira, o Heyokah lhe dirá para fazer exatamente o oposto daquilo que deve ser feito. Muitos dias depois, poderemos encontrar o Heyokah em sua tenda rindo sozinho de mais uma fantástica História de Magia que corre pelo acampamento. Aquela pessoa teimosa havia feito exatamente tudo aquilo que o Heyokah havia dito que não fizesse, e passou por uma experiência mística que mudou a sua vida. Só o Heyokah sabia que o truque funcionara graças à recusa daquele teimoso em receber orientação, e que, só assim, foi alcançado outro nível de consciência espiritual.

O Coiote Mágico é o aliado do Trickster Divino; por isto, suspeita-se de todas as façanhas do Coiote. Quando um caçador rastreia um Coiote, a trilha volta-se sobre si mesma diversas vezes, conseguindo enganar o mais experiente dos caçadores, e ele sai dali totalmente frustrado. Da mesma maneira, qualquer um que tente adivinhar o próximo movimento de um Heyokah pode se frustrar inteiramente. O Coiote ensina os Duas-Pernas a se divertirem com as suas próprias tolices. Sempre que invoca o Coiote, pedindo-lhe ajuda para afastar os atalhos tortuosos de seu Caminho, o Heyokah é ajudado de inúmeras maneiras.

Eu mesma passei pela minha primeira lição do Coiote no México, numa época em que Joaquin, meu professor de Sabedoria, quis me mostrar o quanto meu excesso de seriedade estava se tornando ridículo. Nós passamos um dia inteiro juntos, catando estrume de Vaca e também de Coelho, Coiote, Cachorro e Coruja, e colocando cada porção de estrume, cuidadosamente, num velho balde de metal. No dia seguinte, misturamos tudo, amassamos o estrume até que virasse pó e fomos colocando água, aos poucos, formando uma pasta bem homogênea. Depois ele me mandou fazer um círculo na terra, usando uma corda e um bastão, cuidando para que o círculo ficasse perfeitamente redondo. Então Joaquin me disse para encher o pequeno sulco cavado na terra com a pasta que eu havia feito, e que consistia na mistura de todas aquelas fezes recolhidas. Fiz um círculo perfeito, com o maior cuidado, prestando atenção para que nenhuma parte do círculo ficasse irregular. Joaquin elogiou muito o meu trabalho e o cuidado que eu estava tendo com todo aquele processo, que já levara dois dias. Depois ele me mandou entrar no pequeno círculo, sentar-me bem no centro, e permanecer ali até compreender todo o valor daquela lição.

Fiquei sentada ali por umas três horas pelo menos, imaginando que esta deveria ser uma forma de contatar os Animais de Poder. Finalmente, o Coiote penetrou no meu campo de consciência, me olhou bem, e começou a rolar pelo chão, numa boa gargalhada. O Coiote ria tanto que não conseguia nem mesmo falar! Eu fiquei fascinada, enquanto continuava sentada em meu círculo de bosta, tão séria como sempre.

Foi entre os acessos de riso que o Coiote conseguiu cuspir as palavras que me ensinaram aquela lição.

– Durante os últimos três dias você ficou examinando a merda dos outros – gritou ele. – Agora, você está cercada dela, e está tão séria que não consegue nem mesmo ver o papel ridículo que está fazendo!

Foi só aí que comecei a rir de mim mesma, imaginando o quanto Joaquin devia estar se divertindo com a peça que havia me pregado. Fiquei me perguntando como ele havia conseguido se manter tão sério por dois dias inteiros. Finalmente lembrei-me de que eu havia passado todos os dias anteriores preocupando-me demais com os problemas alheios. Todas estas preocupações haviam me deixado sentada, literalmente, num círculo formado pelo lixo mental dos outros.

Aquela lição me atingiu com toda a força, de modo que comecei a rir até perder o fôlego, sentindo as lágrimas correrem pela minha face. Porém eu ainda levaria muitos anos até dominar totalmente esta lição, e continuaria, por vezes, a me envolver com os dramas alheios. Joaquin foi, realmente, um excelente professor, e até hoje ele me aparece, em espírito, quebrando minha seriedade com outras peças de Heyokah.

As lições primordiais do Heyokah nos conduzem a revelações internas através de artimanhas e armadilhas, em lugar de nos fornecer respostas claras e explícitas. O Heyokah se torna necessário toda vez que nós nos recusamos a enxergar alternativas para determinada situação. O Heyokah permite que a nossa visão se expanda, utilizando a Cura Divina do Riso. Não existe problema sem solução. Há momentos em que precisamos usar o senso de humor e abrir um sorriso para resgatar o nosso próprio Espaço Sagrado.

A Sabedoria do Heyokah pode ser invocada através do Coiote. Lembre-se, porém, de que o Trickster Divino constitui a perfeita integração de todas as energias, sábias e tolas, irreverentes e sagradas. Sempre que buscamos estas lições, devemos estar bem preparados para a aventura que vem a seguir. Precisamos estar dispostos a rir e a permitir que os outros riam conosco. No instante em que o sentimento de celebração da Vida supera a necessidade de lamentação, teremos alcançado o estado de união definitiva dos opostos. É chegada a hora de recomeçar a rir, e de resgatar o nosso direito divino de vivermos felizes, cumprindo o nosso sagrado papel de seres humanos.

### Aplicação

Se o Trickster aparecer em seu horizonte, prepare-se para momentos de muitas risadas. Talvez você esteja fazendo exatamente o oposto do que deveria e vai ser alvo de muitas gozações por causa disto. Pare de desperdiçar sua energia criativa com os problemas alheios ou com o envolvimento em grandes dramas. Deixe de levar tudo assim tão a sério e abra-se num sorriso; caso contrário, o Coiote virá perturbar os seus sonhos. Lembre-se de que em certos dias você é a caça, e em outros, o caçador. Isto é válido para todos; portanto, não permita que a zombaria alheia o deixe deprimido. Uma lição que nos chega através de risos, zombarias, ou de choque de opostos, pode ser muito mais divertida de aprender.

 A mensagem principal da carta do Heyokah é a de que você precisa animar-se mais, e de que deve começar a equilibrar o sagrado com a irreverência. Pode ser que você esteja simplesmente sendo teimoso. Neste caso, crie você mesmo uma lição oposta, que o forçará a ver o outro lado das coisas.

 Solte-se mais, abra-se para a Vida, abra um sorriso, e siga o seu Caminho Sagrado até sentir que o Universo se abre para você, mostrando-lhe tudo aquilo que é realmente importante!

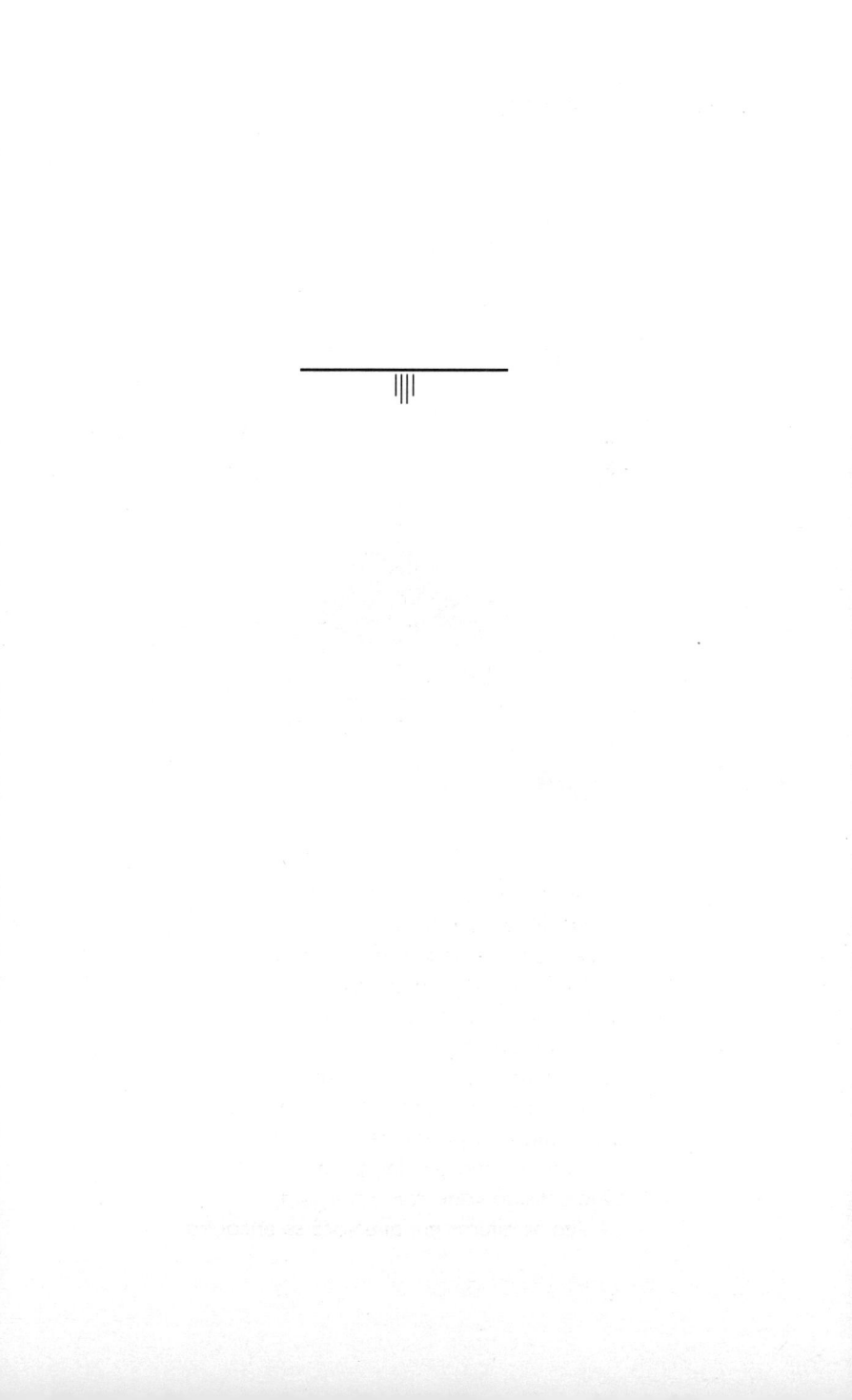

# SINAIS DE FUMAÇA

Linguagem sagrada do céu,
    Por favor, fale comigo.
Você, que vive onde a Águia voa,
    Espírito que se manifesta
Sob a forma do Povo Nuvem,
    Vindo do Fogo.
Fumaça sagrada, você me chama,
    Assinala meus desejos.
Deixe-me voar para o céu,
    Com um coração tão puro,
Que consiga voar, como a Águia,
    Até as alturas em que você se encontra.

# 23
## SINAIS DE FUMAÇA
### Intenção

---

**Ensinamento**

A Raça Vermelha vem utilizando diversas formas de linguagem não verbal há muitos séculos. Ensinaram-nos a ler os sinais nas faces do Povo Nuvem; a ler as mudanças de tempo, o movimento dos rebanhos, os hábitos das Criaturas-animais que são nossos Irmãos e Irmãs; os gritos e uivos da natureza; as mensagens de nossos sonhos de Cura, assim como a linguagem do nosso coração.

Os Sinais de Fumaça também correspondem a uma linguagem não verbal muito usada pelos Nativos Americanos. Essa Linguagem do Céu é obtida através do seguinte processo: acende-se uma fogueira, utilizando folhas verdes e madeira seca, e emprega-se um cobertor molhado para ir abafando e depois liberando as nuvens de fumaça. Em épocas de batalha cada Tribo usava diferentes sinais para demarcar um plano de ação ou então para mudar os seus planos secretos. Essa mudança constante confundia o inimigo, deixando-o desorientado e nervoso. Os Sinais de Fumaça representam a ponte entre o Céu e a Terra. A fumaça do cachimbo simboliza a essência de nossas preces, em forma visual, viajando em direção ao Grande Mistério. Dessa maneira, Todas as Nossas Relações ficam avisadas de que as preces do Povo estão viajando para a grande Nação das Estrelas, para poderem ser ouvidas.

Os Sinais de Fumaça usados para que os grupos separados por longas distâncias se comuniquem entre si não são diferentes dos Sinais de Fumaça enviados para o Grande Mistério através do Cachimbo. Ambos os Sinais de Fumaça representam linguagens não verbais que sinalizam a intenção do seu mensageiro.

Poucas pessoas sabem que a primeira revolução nos Estados Unidos começou com o uso de duas linguagens não verbais. Eram os cordões de nós levados por corredores para os diversos locais e os Sinais de Fumaça. Em 1680, o bravo mas pacífico povo indígena Pueblo já havia sido escravizado pelos invasores espanhóis. O Vale do Rio Grande, no Novo México, era conhecido antigamente pelo nome de Aztlan. Ali era a terra natal dos Astecas, muito antes de Cortez e Coro nado começarem a sua busca de ouro. Cada povo possuía um diferente conjunto de leis e também uma linguagem própria; no entanto, todos viviam, há muitos séculos, em paz uns com os outros e em harmonia com a Mãe Terra.

Depois de muitos anos de cruel dominação, um Xamã Pueblo chamado Popi reuniu os diversos grupos dos Pueblo e ajudou a orquestrar a revolta que terminou por esmagar o domínio espanhol. Uma brilhante estratégia possibilitou a volta ao poder daqueles que viviam de acordo com a terra, tendo afastado aqueles que só se aproveitavam dela. Alguns corredores foram enviados ao primeiro Pueblo, levando cordas com nós trançados de uma maneira tal que pudessem servir de mensagem; no entanto, eles foram capturados e mortos pelos dominadores espanhóis. Três dias depois, elevaram-se os Sinais de Fumaça que anunciavam a Revolução. A tentativa dos corredores havia sido um subterfúgio, e funcionou da maneira esperada. Os espanhóis haviam torturado dois jovens corredores que levavam as cordas com nós, e foram informados de que a revolta ocorreria no quarto dia depois do fuzilamento. No entanto, a verdadeira revolta começou no terceiro dia e foi iniciada pelos Sinais de Fumaça.

A possibilidade de vitória para o pacífico povo Pueblo tocou o coração dos guerreiros Apaches, que haviam atormentado os Pueblos por muitos anos. Os Apaches juntaram-se à luta em algumas regiões, e os espanhóis foram expulsos das montanhas e dos vales de Aztlan. A intenção da Raça Vermelha era resgatar o direito de possuir seus próprios Sistemas de Conhecimento e de poder manifestar os seus próprios caminhos espirituais. Os padres católicos, em seu afã de converter os Nativos Pueblos à religião cristã, haviam mandado queimar as suas máscaras, as bonecas Kachina, os Chocalhos, os

Tambores, Penas de Águia, além de outros objetos sagrados. Porém, os Sinais de Fumaça, que simbolizavam a intenção do Povo enviada à Nação do Céu como um grito retumbante de liberdade, saíram vitoriosos da batalha. A união de um só coração e uma só mente entre as diferentes Tribos, que não falavam a linguagem umas das outras, foi alcançada através de duas linguagens não verbais: os Sinais de Fumaça e as Cordas com Nós.

Os Sinais de Fumaça representam a Linguagem na Nação do Céu, que envia a intenção dos mensageiros àqueles espíritos que sabem compreender os sussurros do coração. As respostas às perguntas do Sinal de Fumaça podem ser lidas nos rostos do Povo Nuvem. Toda vez que os Sinais de Fumaça são enviados ao Grande Mistério através da Fogueira ou do Cachimbo, existe por trás um buscador à procura de uma resposta interna para alguma pergunta. As formas da fumaça constituem um dos caminhos pelos quais o Espírito pode ser materialmente visualizado pelos seres humanos; a manifestação destes Guias de Cura pode trazer muita serenidade ao coração de um buscador. Quando se está numa Busca de Visão, pode-se acender uma fogueira para enviar a intenção do coração até a Nação do Céu. A resposta certa pode chegar até nós através das formas criadas pelo Povo Nuvem.

Há alguns anos, numa determinada noite, eu me encaminhei até uma fonte de água quente natural que brotava do alto de uma montanha. Fiquei ali sozinha boiando na água, olhando para a vastidão da noite estrelada e para a Avó Lua, que brilhava bem cheia lá no alto. Eu havia feito uma fogueira a uns sete metros de distância, num local em que a ravina era bem plana e onde não havia árvores por perto. Eu tinha ido sozinha até este lugar muito especial em busca de algumas respostas para o meu coração, que estava naquele momento cheio de dúvidas. Lágrimas de tristeza brotavam de meus olhos e formavam um círculo de prata no meio das águas efervescentes daquela fonte natural. Eu, na época, procurava saber como poderia voltar para a cidade grande e recomeçar a conviver com o vazio daquelas pessoas que se esforçavam somente em ser "alguém" na vida, em lugar de tentarem manifestar tudo aquilo que eram em sua verdadeira essência.

Foi então que vi um velho Xamã vindo em direção à minha fogueira, carregando um cobertor já gasto, de lã vermelha. Ele se dirigiu primeiro até o lugar em que eu me encontrava, mergulhou o cobertor dentro da fonte, torceu-o e se encaminhou de volta para a fogueira. Foi só depois que ele se voltou para o Fogo e começou a cantar que reconheci o Avô Taquitz, um dos Ancestrais que me guiam no meu Caminho. Vovô Taquitz se pôs a invocar os espíritos das Quatro Direções. A energia começou a se acumular enquanto ele seguia entoando o canto que convocava a grande Nação das Estrelas a ouvir minhas preces e a falar ao meu coração.

Comecei a rezar, e toda vez que eu realizava uma prece interior, Vovô Taquitz movia o cobertor sobre o Fogo, erguendo-o para que o Sinal de Fumaça que representava a minha prece se elevasse até o céu dentro da noite azulada. Primeiro apareceram uma ou duas Pessoas-Nuvem errantes; depois, outras vieram juntar-se a elas para ver quem era o Duas-Pernas e qual era o espírito Ancestral que as havia chamado. A Pessoa-Nuvem-Chefe, que estava à direita da Avó Lua, começou a mudar de forma à medida que a Fumaça tocava sua face, e ia formando as faces do Búfalo, do Lobo, da Águia e do Urso. Meus Guias haviam chegado para me saudar e trazer as respostas que eu buscava! Fiquei tão feliz e tão extasiada que mal consegui acompanhar a saída de Avô Taquitz, que se afastava com os olhos brilhando e um sorriso de sabedoria nos lábios.

Fiquei flutuando nas águas quentes do ventre de minha Mãe Terra enquanto ouvia as mensagens de meus Guias de Cura, através de meu coração. Primeiro o Búfalo me contou que os Duas-Pernas machucavam uns aos outros porque viviam iludidos pelo medo da escassez. Estes humanos haviam perdido a sua confiança no Grande Mistério e no Campo de Fartura. Eles sentiam necessidade de ficar ligados a algo ou a alguém que considerassem importantes, porque viviam inseguros, e tinham medo de que seus talentos fossem menores do que os de outras pessoas. Depois o Lobo tomou a palavra para dizer o seguinte: os verdadeiros Abridores de Caminho que habitam o mundo jamais necessitam se vangloriar daquilo que são ou do papel que lhes cabe. Aqueles que abrem novos espaços para que outros possam segui-los vivem muito ocupados. Eles não têm tempo para dar ouvidos às pessoas que, por pura inveja, passam a vida tentando ser aquilo que não são. A Águia também falou comigo e disse que a verdadeira liberdade só poderia ser alcançada por aqueles que atingissem a iluminação através da Verdade que vivia dentro de seus corações. Depois apareceu o Urso e me falou da força interior que eu precisava encontrar para dirigir bem a Minha Palavra no meio da cidade grande, longe do ventre da minha Mãe Terra. O Urso me ensinou que os amanhãs só são encontrados quando cada pessoa busca força na verdade de hoje.

Quando percebi que minhas dúvidas haviam chegado à Nação do Céu através dos Sinais de Fumaça e dos cânticos do Vovô Taquitz, senti aflorar dentro de mim uma nova fonte de inspiração. A partir daquele momento me senti preparada para mostrar minha verdade ao mundo e para tocar os corações dos meus companheiros Duas-Pernas. Eu não me sentiria mais ferida pelas mentiras e nem precisaria assumir as dores das pessoas que insistem em "falar de seu caminhar" em vez de perceber que o Grande Mistério só nos criou para viver e manifestar a sua própria Beleza.

## Aplicação

Os Sinais de Fumaça que lhe estão sendo enviados reclamam uma clara intenção. Se o seu propósito ou a sua direção na vida ficaram um tanto turvados, é chegado o momento de "fazer andar a sua palavra". Os sinais que você envia para o mundo externo talvez estejam chamando uma atenção indesejada. Observe a forma pela qual você está se comunicando com o mundo e oriente-se no sentido de atrair somente o tipo de pessoas e de experiências com as quais você deseja realmente conviver dentro do seu Espaço Sagrado.

Há mais uma mensagem, um lembrete, que lhe chega do Mundo dos Espíritos: se você começar a perder de vista os seus objetivos, ou não tiver uma clara intenção acerca daquilo de que necessita, os seus Guias não conseguirão ajudá-lo nem atender aos seus pedidos. Um objetivo claro e definido lhe dará recompensas em todos os níveis e poderá acelerar o seu processo de crescimento. Tendo uma clara intenção em mente, você poderá remover as barreiras que o separam de uma ação decisiva e já terá, portanto, vencido metade da Batalha.

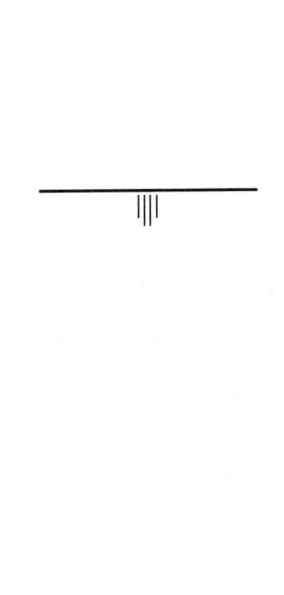

# FOGUEIRA DO CONSELHO

Anciões reunidos
　　Fogo da luz da Sabedoria
Palavras...
　　Decisões...
　　　　Conclusões... ao longo da noite.

# 24
# FOGUEIRA DO CONSELHO
## Decisões

**Ensinamento**

Existe um antigo costume entre os Americanos Nativos que consiste em convocar uma Fogueira do Conselho quando se torna necessário tomar decisões que afetem toda a Tribo ou Nação. Para obter o direito de sentar-se em qualquer Conselho como representante do povo, uma pessoa devia ter dado exemplos de uma vida honesta; só assim era considerada digna de merecer tamanha honraria. Para tomar parte no Conselho de Chefes, era preciso já ter vivido muitos anos, sempre demonstrando lealdade, bravura, compaixão e altruísmo, além de saber ser um bom ouvinte, um conselheiro discreto, um juiz justo e um honrado membro da Tribo. Qualquer membro do Conselho de Mulheres, dos Conselhos de Guerra, Conselhos de Tratados, Conselhos de Clãs ou Conselhos de Cura deveria possuir estas mesmas qualidades. Em toda decisão, relativa aos caminhos de vida que pudesse afetar o destino do Povo, era necessário convocar um Conselho. Desta maneira, tinha-se oportunidade de escutar cada Sagrado Ponto de Vista e examinar todas as novas possibilidades.

Nos finais do século XIX, todas as pessoas que viajassem pelas águas da Ilha da Tartaruga podiam ver enormes fogueiras construídas nas clareiras das florestas. Era ali que os Anciões se acomodavam, enrolados em seus cobertores, para tomar decisões ao longo da noite. Estas Fogueiras do Conselho lembram ao Povo Nativo de que o nosso destino é determinado por aqueles em quem confiamos, que já caminharam pela Terra mais do que nós, e acumularam muito conhecimento em suas vidas. Os Nativos sempre se referem aos Anciões com muita reverência, pois eles já tiveram oportunidade de comprovar sua sabedoria, dirigindo cada Nação com desprendimento, coragem e sabedoria.

Antes do início do Conselho, partilha-se o Cachimbo, e pede-se a Todos os Nossos Parentes para que venham acrescentar sua Magia e energizar todos aqueles que estão ali reunidos. Pede-se também ao Grande Mistério e à Mãe Terra que acrescentem sua Sabedoria à Fogueira do Conselho. Roga-se aos poderes das Quatro Direções para acrescentar iluminação, confiança e inocência, conhecimento interior e introspecção, assim corno sabedoria e gratidão aos dons trazidos pelos Anciões. Depois, invoca-se a presença dos parentes que são Criaturas, representadas pelos Seres com Asas, pelos Quatro-Patas, os Sem-Patas, os Rastejantes e Aqueles com Barbatanas. A seguir, o Povo de Pedra, o Povo-em-Pé, o Povo Nuvem, o Avô Sol e a Avó Lua são convidados a fazer parte da Fogueira do Conselho. A Grande Nação das Estrelas e todos os Irmãos e Irmãs de outras galáxias são convidados a auxiliar na tomada de decisões, juntamente com os Quatro Chefes de Clãs do Ar, Terra, Água e Fogo. Finalmente, todo este conjunto é colocado no Cachimbo; depois, a fumaça do Cachimbo conduz o espírito de Todos os Nossos Parentes até o Conselho para que ele possa ser bem assessorado.

Qualquer problema pessoal é deixado do lado de fora do círculo. Qualquer talento que possa ser usado para descobrir soluções é trazido para dentro. Qualquer discórdia que possa haver entre os Membros do Conselho é solucionada enterrando-se o Fornilho antes de fumar o Cachimbo. Todos os procedimentos Parlamentares são observados usando-se o Bastão-que-Fala e a Pena de Resposta (veja a carta 15). Quando o assunto em pauta necessita de diversas opiniões ou soluções, todos os pontos de vista dos membros são levados em conta. Só depois que todos os membros do círculo tiverem exposto o seu ponto de vista, chega-se a uma decisão comum através do voto. Benjamin Franklin e Thomas Jefferson, que visitaram a Confederação de Paz Iroquesa e sentaram-se em Conselho com as Mães de Clãs das Seis Nações, se inspiraram em nossa forma de democracia e incorporaram suas descobertas à Constituição dos Estados Unidos, valendo-se de nossa antiga sabedoria para formular a Carta de Direitos.

Ao final de cada reunião de Conselho é realizada uma prece de gratidão, seguida de uma refeição ou de um banquete, dependendo do propósito do encontro. Há ocasiões em que estas tomadas de posição são muito importantes, pois o curso a ser seguido dali em diante por toda uma Nação depende das decisões tomadas em uma Fogueira de Conselho. As conclusões que foram tiradas e as leis estabelecidas passarão a valer para todos os membros da Tribo. Qualquer membro da Tribo que se recusar a aceitar alguma destas decisões deverá responder ao seu próprio Conselho tribal. Um membro que se desacreditar por se recusar a obedecer a alguma das novas regras estabelecidas pode até mesmo ser expulso da Tribo. Mas se a ofensa não for muito grave, será encontrada uma forma de castigo mais amena.

Em geral, os Conselhos de Nações são constituídos por Chefes, Mães de Clãs, Anciões, Historiadores, Xamãs, Conselheiros e Videntes. Há exceções, como os Conselhos de gente mais jovem, ou conselhos de Sociedades, que combinam a sabedoria dos Anciões com as novas ideias trazidas pelos jovens. No caso de ser formado um Conselho misto de jovens e Anciões, os pontos de vista da nova geração são considerados tão importantes quanto as opiniões dos mais velhos. Os Anciões dão a orientação geral e os jovens dão sua contribuição através de novas ideias e criatividade. O nosso Povo Sagrado é formado pelos Videntes, que sabem discernir aquilo que o futuro trará para as novas gerações. Após conhecer a Visão destes aspectos do futuro, os Anciões podem incorporar as ideias trazidas pelos jovens de nossas Nações com muito maior sabedoria e discernimento.

No decorrer do processo de tomada de decisões que orienta o caminho dos Nativos Americanos, muitos aspectos são levados em consideração. Todos os Sagrados Pontos de Vista daqueles que serão afetados pelas decisões são considerados com o maior respeito. Se durante esta fase algum membro da Tribo receber uma Visão ou um Sonho de Cura, a sua Sabedoria será respeitada na decisão final. Leva-se sempre em consideração a maneira pela qual uma determinada situação foi tratada no passado. Tenta-se prever cuidadosamente o peso que uma decisão qualquer poderá vir a ter na vida do Povo. O objetivo principal é sempre o de manter a Paz. Quando a decisão envolve duas partes em conflito, consulta-se a Lei Tribal para chegar a um resultado justo.

Quando alguém convoca um Conselho, precisa ter a coragem de aceitar plenamente as decisões que forem tomadas. Assim, por exemplo, quando um homem não está agindo corretamente em relação a um vizinho e recebe um julgamento pelo seu mau comportamento, deve seguir a decisão do Conselho e tentar corrigir a situação. Admitir um erro e corrigi-lo ajuda a forjar o caráter e fortalece a Tribo ou a Nação. Quando a pessoa tenta sinceramente se corrigir, não passa vergonha nem é humilhada. A vontade de corrigir um erro é considerada um ato de coragem e permite que todos vejam como o infrator voltou a trilhar o Caminho Sagrado.

Quando se observa o modo como os nossos Ancestrais tomavam decisões democráticas em suas reuniões de Conselho, percebe-se um grande sentido de Unidade. Sempre que o bem de todos é colocado acima do bem de poucos, o Povo todo lucra, e tem-se assegurado um futuro pleno de abundância para todos. Através destes ensinamentos se percebe que, só quando o Povo inteiro está bem, cada indivíduo pode estar realmente bem. Dentro desta visão estão englobadas todas as raças e todos os credos, já que o Avô Sol brilha para todos. Respeitamos o valor de cada indivíduo e reconhecemos a necessidade de nutrir todos os Seres. Assim, os talentos que cada um possui para dividir com o mundo poderão alimentar todo o Povo. Quando essas diretrizes forem seguidas por todos, os Filhos da Terra conseguirão, finalmente, romper os grilhões da desigualdade e da ditadura.

## Aplicação

Se você tem andado meio hesitante quanto às atitudes a tomar, a carta da Fogueira do Conselho lhe mostra que chegou o momento de tomar uma decisão. Não pode haver um movimento de avanço se você não descobrir qual a trilha que leva para fora do pântano e para dentro da floresta. É preciso coragem para empreender mudanças na vida, e todas as mudanças começam por uma decisão. Decida-se, e não olhe mais para trás. A vida espera por você, de braços abertos, em toda a sua beleza.

Se por causa da decisão de outras pessoas você se encontra numa situação difícil, passe a tomar suas próprias decisões. Você não é obrigado a tomar decisões baseadas em opiniões alheias. Pese bem todas as possibilidades e preveja o quanto a sua decisão pode afetar os outros. Depois, tome coragem, e aja! Descubra a sua própria verdade e mantenha-se fiel a ela!

# POW-WOW

Reunião de Tendas
Novos e velhos amigos
Trocas de histórias
Contadas e recontadas
Um cobertor por uma cesta
Um cavalo como prêmio
Corridas e danças até o sol raiar
Trocando as coisas boas
Que cada um traz
Deixando cantar as cordas
Da alma de nosso povo.

# 25
## POW-WOW
## Partilha/Renovação

**Ensinamento**

A cada ano, quando a riqueza do verão já se espalhava pela Mãe Terra e o Velho Senhor Inverno era apenas uma lembrança, a maior parte dos grupos e das Tribos de cada Nação se reunia para uma celebração que ficou conhecida como *Pow-Wow*. Este momento de reunião servia como uma "injeção de ânimo" para o Povo. Assim como uma mãe vê o filho crescendo em seu ventre e sente o coração cheio de alegria, essas reuniões reavivavam os talentos que nutriam o Povo com novas esperanças.

    Nos Pow-Wows velhos amigos voltavam a se encontrar, e muitas noites eram preenchidas pelos relatos de tudo que havia ocorrido desde o último encontro. Os homens se reuniam em círculos, partilhando novos métodos de rastreamento, caça e pesca, enquanto as mulheres partilhavam novas técnicas de artesanato e de tingimento de peles, trocando receitas de cozinha e de medicamentos. Os Círculos de Cura discutiam novos usos para as plantas, estudavam as necessidades do Povo e conversavam sobre suas Visões e Sonhos de Magia. Os Clãs Guerreiros comentavam os mais recentes atos de bravura e falavam da Contagem dos Golpes. As Tendas Negras partilhavam os ensinamentos das mulheres e falavam dos sonhos do Povo que elas poderiam ajudar a alimentar. As crianças se dedicavam a novas brincadeiras e contavam umas às outras as histórias que haviam aprendido com os Avós. Todos se sentiam plenamente satisfeitos, reanimados pelo sentido de Unidade do Pow-Wow.

    Muitas Tribos, até hoje, não permitem casamentos dentro do mesmo Clã. Portanto, era nos antigos Pow-Wows que as jovens muitas vezes encontravam aqueles que seriam seus parceiros pelo resto da vida. Muitas vezes não havia parceiros da idade correspondente dentro de um mesmo grupo; por isto era nestes encontros de verão que muitos casais juravam seu amor eterno.

Era também durante o Pow-Wow que se realizava a Cerimônia de Criar-Laços-de-Parentesco, chamada por algumas pessoas de Cerimônia dos Irmãos-de-Sangue. Este costume consiste na mistura de sangue entre duas pessoas e simboliza a formação de um laço duradouro entre elas. Um tornava-se responsável pelo outro durante o resto da vida. Os Guias de Cura de ambos os participantes são invocados através de um ritual e os Poderes das Sete Direções recebem honrarias, sendo convidados a testemunhar a nova união. Depois, cada participante dá um corte na mão do outro. Os dois pequenos cortes na porção externa da parte inferior da palma da mão, embaixo do dedo mínimo, representam duas linhas de família. Depois as mãos se unem e se mantêm juntas enquanto os dois novos parentes dançam, cantam uma canção e dão quatro voltas em torno de uma fogueira. Em algumas tradições, esses dois, agora ligados, pulam juntos a fogueira.

As mulheres já se tornam naturalmente irmãs umas das outras através de seus ciclos do Tempo da Lua; por isto a cerimônia é chamada de Cerimônia dos Irmãos de Sangue ou Cerimônia de Criar-Laços-de-Parentesco. Um homem e uma mulher podem tornar-se Irmão e Irmã, assim como dois homens podem tornar-se irmãos, porém não é necessário que duas mulheres se unam através de algum ritual, pois elas já se encontram unidas como Mães em potencial da Força Criativa. A união das Irmandades Femininas era reforçada anualmente durante o Pow-Wow. Ali eram partilhadas novas ideias e novas habilidades, que seriam utilizadas posteriormente nos Conselhos de Mulheres.

Outra atividade comum no Pow-Wow eram os jogos que punham em relevo os atos de bravura dos jovens Guerreiros. Promoviam-se corridas de cavalo, competições de canoagem, e corridas a pé pela floresta. Era durante as competições de caça que se conseguia a comida para os banquetes festivos especiais. Cada jovem Guerreiro esforçava-se por representar bravamente a sua Tribo, o seu grupo, ou, ainda, o *seu* Clã. Assim, os jogos tornavam-se muito competitivos. Um aspecto muito bonito do Pow-Wow era que cada um deveria saber perder com dignidade, ficando tão satisfeito com as habilidades do adversário, como se ele próprio tivesse vencido. Esta atitude era considerada tão honrosa quanto ganhar a competição. Ser um desmancha-prazeres era desacreditar-se junto a todos os Membros da Tribo.

Em qualquer reunião Nativa o comércio e as trocas tinham lugar de destaque. Realizar uma troca justa, que pudesse satisfazer ambas as partes, era considerado uma verdadeira arte. Era comum ver peles, contas de colares, facas, arcos, flechas, ervas, cobertores, cavalos, vasilhas e mantos de Búfalo trocarem de mãos durante o Pow-Wow. Estas trocas baseavam-se em determinadas regras de etiqueta, e era muito importante saber segui-las. Assim, não era considerado de bom-tom olhar diretamente para a tenda ou para as posses do outro. Se alguém desconfiasse que a pessoa se interessava muito por alguma coisa, o negócio já começaria de modo a favorecer mais um do que o outro. Podia-se pedir em troca do objeto muito mais do que ele valia, o outro acabaria ficando desmoralizado frente aos membros de sua família. Cada um deveria sentir que estava realizando um negócio perfeitamente justo.

As noites do Pow-Wow eram preenchidas pelas danças que encenavam os atos de bravura realizados por cada Clã dos Guerreiros e pelos Clãs de Caça durante o ano anterior. Algumas noites eram dedicadas às Histórias de Tradição contadas pelos Cabelos Entrançados ou Contadores de Histórias, que vinham a ser os professores e historiadores da Nação. Ainda em outras noites, se a caça tivesse sido boa, organizava-se uma festa. Às vezes uma família oferecia um banquete para comemorar algum evento especial, como um filho que realizava a Dança do Sol, o primeiro Tempo de Lua de uma filha, a Contagem de Golpes sobre um inimigo, um casamento, ou, ainda, uma Cerimônia-de-Laços-de-Parentesco. Qualquer motivo de celebração da vida era compartilhado com a Nação inteira durante a época do Pow-Wow.

Durante esse encontro de verão também era planejada a Dança do Sol. Os Guerreiros que haviam se candidatado a ela durante o ano anterior reuniam-se com seus padrinhos para se prepararem através de purificações e jejuns. Cada ano era discutido o propósito principal da Dança do Sol, primeiro no Conselho dos Anciões e depois no Conselho dos Chefes. Todos os anos, as necessidades principais de Todo o Povo eram objeto das preces em torno da Dança do Sol. Durante o Pow-Wow aconteciam diversas cerimônias, mas o ponto alto sempre era a Dança do Sol. Através da Dança do Sol demonstrava-se ao Grande Mistério que o Povo permanecia fiel e estava disposto a devolver à Mãe Terra algo precioso, em troca do sustento que haviam recebido no ano anterior (veja a carta número 6).

Hoje em dia os Pow-Wows e os Encontros dos Homens da Montanha pululam de um ponto a outro de nossa Nação numa tentativa de voltar a reunir o Povo. São encontros de energia, talentos e pessoas da mesma mentalidade como nos tempos antigos. As atividades básicas destes Pow-Wows são o comércio, a transmissão de histórias e a compra e venda de comida e outros bens. A Mãe Terra canta sua alegria toda vez que estes encontros produzem mais união do que separação. Cada peregrino que participa de um Pow-Wow volta para casa com ideias novas e diferentes sobre como reconectar-se com a Mãe Terra. Esta nova aliança com os outros é o estímulo que une os Filhos da Terra.

Assim como os Pow-Wows nos tempos antigos reuniam o que havia de melhor em todas as Tribos para demonstrar a união e a força de uma Nação, a ideia do Pow-Wow pode nos ensinar a reunir o melhor de nossos talentos e energias nos dias de hoje. Quando nos juntamos para partilhar novas descobertas e informações, podemos reforçar nossa capacidade de viver em harmonia com o nosso planeta. Diversos Clãs e Sociedades de Cura estão recomeçando a partilhar informações, à medida que nos encaminhamos para o alvorecer do Quinto Mundo de Paz. Neste novo mundo que estamos construindo não há mais lugar para segredos ou invejas. Os Guerreiros do Arco-Íris representam todas as Tradições, as Cores, e os Caminhos que se unem num só Caminho. A Renovação só depende de nós, e devemos ser capazes de usar esta mistura de energias e de talentos para criar uma Tribo Planetária mais forte.

A figura do soldado, que pertencia ao Quarto Mundo, não terá mais espaço entre os Guerreiros do Quinto Mundo da paz. Um soldado fica sempre do lado de fora do Seu Espaço Sagrado, e acaba lutando contra outras pessoas, ou contra ideias diferentes das suas. Os Guerreiros do Arco-Íris também permanecem no limite externo do Seu Espaço Sagrado, porém voltam-se para dentro, confrontando, dentro de si próprios, os elementos que os impedem de honrar todos os Caminhos igualmente, vendo-os como se fossem um só. A reunião dos Guerreiros do Arco-Íris simboliza a Renovação que assinala o renascimento da Tribo da Terra. Os Tambores-que-falam já estão rufando, conclamando o Povo para o grande Pow-Wow, que reunirá todos os Filhos da Terra de coração generoso, que estejam dispostos a compartilhar sua vida com a de seus irmãos.

## Aplicação

Se os Tambores-que-falam assinalaram um Pow-Wow, você está sendo chamado a se juntar a outros que pensam como você para uma troca de ideias. Você poderá abrir espaço para renovar algum aspecto de sua vida, propondo-se a buscar apoio e descobrindo qual o melhor tipo de ajuda que poderá receber dos outros.

A carta do Pow-Wow indica que este é o momento certo para procurar pessoas que o possam ajudar. Talvez você esteja precisando de assistência, ou então de um ombro amigo no qual possa se apoiar. O foco de sua visão ficará mais definido e você poderá receber o impulso de que necessita através de algumas poucas palavras de incentivo.

A sua renovação já está dentro do seu próprio Ser, e se assemelha a um bebê pronto para vir ao mundo. Você está para dar à luz algo novo neste momento e poderá cercar-se dos seus amigos mais chegados a fim de receber todo tipo de apoio necessário.

# O COCAR

Cocar de guerra do Clã dos Guerreiros.
    Honras merecidas.
Penas de Águia –
    Pensamentos altivos,
        Coragem.

Ensina-nos
O impulso para adiante,
    Avançando para o que é certo.
Fale conosco,
    Fogueira do Conselho:
        Verdade, Brilho e Sabedoria.

# 26
## O COCAR
## Avanço

### Ensinamento

O Cocar era o símbolo de um Chefe: um Guerreiro que era seguido por todos, por causa de sua sabedoria, e a quem o Povo recorria em busca de conselhos. Era alguém que já havia integrado a sua Magia Pessoal. Ele havia conquistado o direito de usar o Cocar de Guerra porque sabia realizar avanços: ele próprio avançava através de seus atos de bravura, fazia avançar seu Clã através da Contagem de Golpes e fazia avançar sua Tribo ou Nação provendo às necessidades de todos os seus membros. Os Chefes de Cocar da América Nativa recebiam as Penas de Golpe para os seus cocares quando atendiam às necessidades do seu Povo.

Para obter as penas do Cocar não se costuma matar as Águias. Os jovens Bravos sabem preparar suas armadilhas usando coelhos vivos. Amarrava-se o Coelho num ninho, que era depositado sobre uma fenda na rocha. Debaixo desta fenda um ou dois jovens Bravos ficavam esperando em silêncio. Quando a Águia pousava, atrás do seu jantar, os Bravos precisavam ser muito ágeis para arrancar-lhe uma pena da cauda ou da asa. Se eles não agissem rapidamente, a Águia poderia ferir suas mãos com o bico ou com as suas garras afiadas. Capturar uma Pena de Águia constituía um dos testes de coragem no caminho para se tornar um Guerreiro e era considerado uma forma de ascensão social dentro da Tribo.

As asas, caudas ou crânios das águias eram tidos como presentes da Nação das Águias. Quando as Águias estavam prontas para "largar seus mantos" (morrer), apareciam a um Guerreiro ou a um Xamã, em sonho ou numa visão para que os

Duas-Pernas pudessem saber em que local deixariam os seus corpos. Desta maneira, um Xamã ou um Chefe poderia obter mais penas de reserva, para repassá-las a todos aqueles que conquistassem o direito de usá-las.

A asa da Águia é dividida em diversas categorias de penas. A ponta afiada da asa é considerada a Pena do Destino. Um Xamã poderia prever o futuro de um Guerreiro pela leitura das marcas na Pena do Destino. A Pena do Destino podia prever se a vida deste Guerreiro seria repleta de alegria ou de tristezas, se a sua Caminhada sobre a Terra seria longa, ou se ele já estava prestes a se reunir a seus Ancestrais, largando o seu Manto. Se a Pena do Destino estivesse quebrada, o Guerreiro morreria subitamente, ainda jovem. Quando a Pena do Destino tinha alguma marca, como acontecia com a Pena da Águia Pintada, os rostos ou as formas que apareciam contavam a história do futuro daquela pessoa ou dos Totens que eram seus guias.

As penas menores, situadas nas bordas laterais das asas, eram denominadas Penas de Sonhos e Esperanças. Estas penas assinalavam o caminho do destino que o seu dono desejava trilhar. Muitas vezes um modelo ou um conjunto de eventos poderia ser previsto através da forma pela qual as penas se distribuíam pela pele da Águia. Um Vidente bem treinado conseguia fazer previsões para o dono daquela asa, predizendo com segurança os futuros acontecimentos e os desafios que a vida lhe traria. Os objetivos pessoais do dono da asa também ficavam assinalados nas marcas das penas. Quando estes objetivos estavam relacionados com o avanço da Tribo ou da Nação como um Todo, os projetos do dono da asa recebiam as bênçãos dos Avôs e Avós em espírito. A asa de Águia da pessoa egoísta podia assinalar muitos desafios e muitas provações. Esta situação, quando encarada com humildade, servia para moldar o caráter do portador da asa, mudando-o para melhor.

As quatro penas do dorso da ponta da asa são as Penas de Cura e são sempre cedidas aos Xamãs da Tribo. Essas penas de cura eram usadas para limpar o Espaço Sagrado ao redor do corpo de uma pessoa doente. A pena da Águia é usada para recolher a energia negativa através de passes rápidos e enérgicos sobre o corpo da pessoa doente; desta maneira, o espírito da Águia seria sentido pelo paciente. A Águia representa iluminação espiritual, e caso a doença fosse de fundo psicológico, o paciente poderia se sentir muito melhor pelo simples toque das penas. Um Xamã bem treinado consegue ver a energia que precisa ser removida, e pode utilizar a Pena Pontuda de Cura para afastar a energia negativa do corpo de uma pessoa enferma.

As penas de ponta arredondada no lado de baixo da asa, perto do corpo da Águia, são consideradas Penas de Guerreiro, assim como as da cauda. Essas Penas de Guerreiro eram acrescentadas ao Cocar. As Penas de Guerreiro são usadas até hoje, de forma consagrada, e são repassadas de geração a geração, entre as famílias dos Chefes de cada Tribo. Os Xamãs sempre preparam as futuras gerações que ficarão em seu lugar; assim, muitas Penas de Guerreiro e Penas de Cura são repassadas àqueles que honram os ensinamentos e que assumem a responsabilidade pelos papéis que deverão ter no grupo. Essas penas simbolizam, em parte, a confiança depositada na futura geração que representará o avanço da Tribo ou da Nação. A transmissão deste tipo de Magia constitui um lembrete de que a Tradição e os Ensinamentos devem ser preservados para que o nosso modo de vida fique mais resguardado e protegido.

As plumas são encontradas no peito da Águia. Costuma-se amarrar uma pluma no cacho de escalpo daqueles que retornam da Busca da Visão, ou que completam um Rito de Passagem. Essas plumas especiais também são utilizadas nos berços dos bebês como elementos de ornamentação e de proteção. Elas representam a Magia da Águia que pode ser carregada numa Sacola de Talismãs. Como as Plumas são muito menores do que uma pena comum elas cabem muito melhor na Sacola que é levada para a Dança do Sol ou para a Busca da Visão. As plumas são colocadas na Sacola de Talismãs para invocar a orientação da Magia da Águia durante estes rituais.

Uma Pena de Guerreiro podia apresentar uma marca de Golpe, significando que ele havia se apossado da Pena de outro Bravo durante uma batalha. A marca era feita para assinalar a mudança de dono e para que o espírito da pena começasse a prestar obediência ao guerreiro que contou o Golpe em outro

Bravo. O novo dono corta cinco a seis fileiras de pêlos, a partir do cálamo, sendo que algumas penas possuem diversos cortes, denotando quantas vezes a pena mudou de mãos.

Quando o cálamo de alguma pena estiver quebrado, isso significa que o espírito dessa pena foi liberado e está no Acampamento sem Fogueiras, também chamado de Acampamento do Outro Lado. O mundo dos espíritos na Estrada Azul é o lugar onde vivem todos os espíritos. Os espíritos fazem parte do Clã do Chefe do Ar e costumam cavalgar o Vento. Quando algum espírito deseja mandar uma mensagem aos que estão na Boa Estrada Vermelha da vida física, ele vem pelo Vento, assumindo a forma de uma Pessoa-Nuvem, para que os Duas--Pernas possam ler os Sinais de Fumaça que lhes são enviados. Os Guerreiros aprenderam a ler estes sinais, para que a sua Magia se tornasse mais forte e eles pudessem alcançar a vitória. O Clã dos Guerreiros sempre se orientava através dos sinais que os seus guias enviavam, conhecendo o momento certo de esperar ou de avançar.

Todo Chefe que tivesse adquirido a quantidade de penas suficiente para fazer um Cocar havia demonstrado possuir determinadas qualidades que o transformavam num modelo para o Povo, tanto para os homens quanto para as mulheres. Os Chefes de Cocar constituíam a força do Povo. Eles sabiam escutar o coração de seus protegidos e nunca se dirigiam a eles de modo agressivo. Cada pena de Águia representava o aprendizado de uma lição de paciência, bravura, etiqueta Tribal, caça, Magia, liderança, Cerimônia, Contagem de Golpes e o papel de Pai-Protetor. Esses Chefes venciam desafios que exigiam iluminação espiritual, além da coragem e da rapidez de ação, indispensáveis a uma liderança adequada. O Chefe de Cocar era um grande líder nos tempos de batalha, mas ele também exemplificava as lições espirituais representadas por cada uma das penas de seu Cocar. A mensagem era clara e transparente: todo Chefe de Cocar possuía dons e habilidades muito poderosos! Todo Chefe utilizava os dons que o Grande Mistério lhe havia concedido para assegurar o avanço do seu Povo, e era agindo assim que se tornava merecedor de sua posição.

## Aplicação

Se o Cocar apareceu hoje em sua sequência de cartas, este é o seu momento de avançar. Não desperdice energia tentando voltar atrás ou permanecendo indeciso. Você já se encontra preparado para dar o próximo passo dentro do Caminho Sagrado. Você conquistou o direito de ser iniciado nas próximas etapas de Mistério da Vida, como um verdadeiro Chefe de Cocaro. Lance mão de sua Sacola de Talismãs e de todas as forças que ela representa e avance com toda a disposição!

Este avanço pode ser realizado em todos os níveis. O seu processo de cura, em nível físico, emocional, mental e espiritual, poderá ser alcançado através de suas próprias experiências de vida. Agora chegou o momento em que você poderá moldar o seu destino através de cada pena que já recebeu e através das vitórias que conseguiu alcançar. Chegou também o momento de ver o futuro que você mesmo escolheu abrir-se à sua frente. A sua Magia é poderosa e lhe permitirá o avanço de que necessita neste momento.

# O BERÇO

Berço da Criação,
    Proteja essa criança do perigo.
Filho de todos os amanhãs
    Durma tranquilo em meus braços.
Um belo dia,
    Ao despertar,
        Você descobrirá
            No que veio Servir
                À Humanidade.

# 27
## O BERÇO
## Capacidade de reação

**Ensinamento**

O Berço é uma cesta de madeira especialmente adaptada para carregar bebês e utilizada em quase todas as Tradições Tribais da América Nativa. A base e os lados dos berços são feitos de madeira para que o corpinho da criança fique firmemente apoiado. O lado de dentro é acolchoado com folhas de Salva e depois coberto com pele de Coelho. As fraldas do bebê eram feitas de pele de Coelho e recheadas de folhas de Salva ou Verbasco, que serviam para absorver a umidade. A cobertura externa do Berço é feita com a pele macia do Cervo, que é entrelaçada na frente, de uma forma que deixa a criança bem segura dentro do berço, mas que permite retirá-la facilmente para trocar a fralda ou alimentá-la. A touca ou o capuz protege os olhos do bebê da luz forte e da chuva, durante as viagens ou mudanças de acampamento. O berço tem a responsabilidade de proteger o corpo da criança de qualquer dano eventual em todas as situações. Se o Berço cair da esteira que é puxada pelo Pônei nas mudanças de acampamento, a criança não se machucará, porque a moldura grossa de madeira e a touca sobre a sua cabeça criam uma espécie de armadura.

Para os Nativos, o conceito Tradicional do sentido da responsabilidade equivale a ter "capacidade de reagir"; por isto, achamos que o Berço possui todas as características necessárias que representam esta qualidade. Os Nativos Americanos, particularmente os das Planícies, eram um povo nômade, que se ajustava e reagia às situações da vida de forma natural. Era perfeitamente natural acompanhar os rebanhos, assim como as mudanças de estação. Porém, as crianças que ainda não tinham idade para caminhar sozinhas tinham que ser carregadas. Assim, o Berço tornou-se indispensável para ajudar nas tarefas das jovens mães, que precisavam, também, atender a outras tarefas da vida do acampamento. O bebê poderia ser colocado num Berço, que era pendurado do lado de fora da tenda. Enquanto a criança dormia, sua mãe preparava os bolos de carne e frutas secas que eram utilizados nas viagens, ou então acendia a fogueira para cozinhar, tingia abrigos e costurava mocassins. Quando ocorriam as mudanças de acampamento, o Berço podia ser amarrado do lado de cima das esteiras puxadas pelo Pônei, entre os Mantos de Búfalo e outros objetos da Tribo. Mas, na maior parte das vezes, a mãe amarrava o Berço às suas costas, enquanto andava pelo acampamento.

O Berço detém, tradicionalmente, o dever e a responsabilidade de proteger as crianças, porém, o símbolo do Berço consegue ser muito mais abrangente. Os Nativos Americanos aprendem que o seu propósito na vida é evoluir, crescer em entendimento e viver em harmonia. Nós sabemos que todas as coisas estão contidas na Roda da Vida e que continuarão a se manifestar, se assumirmos a responsabilidade pelas três faces do destino: o Passado, o Presente e o Futuro. Nossa habilidade em reagir ao Passado corresponde a honrar as Tradições dos nossos Ancestrais, sua Sabedoria, e os Objetos Sagrados de Cura, que têm protegido e guiado nosso caminho. É sempre com muita alegria que transmitimos estes Sistemas de Conhecimento aos nossos filhos.

Nossa habilidade em reagir ao Presente consiste em encontrar a beleza em cada momento do dia, usando nossos dons, talentos e capacidades para incrementar o bem comum. Trilhando nosso Caminho suavemente sobre a Mãe Terra, honrando o Espaço Sagrado presente em todas as formas de vida, conservando o brilho nos olhos e a alegria em nossos corações, aprendemos a demonstrar gratidão por cada bênção que a vida nos concede.

A habilidade de reagir ao *Futuro* consiste em compreender o *Presente*. Nós acreditamos que a sobrevivência e o bem-estar das próximas sete gerações dependem de cada pensamento que emitimos e de cada ação que manifestamos no Aqui e Agora. Por isto, somos constantemente lembrados de nossa responsabilidade como Guardiães do Berço para as futuras gerações.

Toda pessoa que se vê caminhando hoje pela Boa Estrada Vermelha da vida física é um Guardião do Berço do Amanhã. Nós somos o exemplo vivo para todas aquelas crianças que viverão em nosso mundo depois de termos partido. Elas aprendem conosco a preservar a Mãe Terra e os Sistemas de Conhecimento que lhes permitirão tornar-se Guardiãs eficazes de todos os nossos recursos. Se as florestas tropicais acabarem, se não houver mais água pura, se o ar estiver fétido e não for mais respirável, se a Mãe Terra não conseguir mais produzir alimentos, teremos falhado em nossa responsabilidade de carregar o Berço dentro de nossos corações. Se não conseguirmos passar para as futuras gerações o conhecimento que as habilite a reconhecer as plantas que curam, a plantar o Milho e a viver em harmonia com Todos os Nossos Parentes, teremos falhado e teremos destruído a rica herança que aqueles Anciões, que caminharam na Boa Estrada Vermelha antes de nós, nos deixaram.

Na época em que eu convivi com as duas Avós Kiowa, no México, foi-me transmitida grande parte da profecia do Berço da Criação. Eu gostaria de partilhar estas profecias, porque elas nos ajudarão a olhar para o Futuro com esperança, ao invés de encará-lo com desânimo e tristeza. Nossa Mãe Terra nunca destruiu todos os Filhos da Terra em qualquer dos quatro mundos anteriores, e também não é desta vez que fará isto. Aprendi que, ao final de cada mundo, a circunferência da terra expandiu-se, criando novas massas de terra e eliminando outras. A cada vez aqueles dentre seus filhos mais leais, que conseguiam ler os sinais que lhes eram enviados, encontravam lugares seguros para viver. Alguns eram encaminhados a túneis subterrâneos, que se localizavam logo abaixo da superfície. A raça que foi para baixo da superfície é chamada de os Subterrâneos pelo Clã do Lobo dos Nativos Seneca.

A Profecia do Berço fala do nascimento de milhares de Guerreiros do Arco-Íris, de ambos os sexos, que verão se manifestar o sonho do Quinto Mundo da Paz. Estamos vivendo este processo agora, nesta era que as Avós denominavam de Tempo do Búfalo Branco. Esta é a época na qual os ensinamentos estão sendo transmitidos a todos aqueles que têm ouvidos para ouvir e olhos para ver. A profecia declara que esses

Guerreiros do Arco-Íris se recordarão de sua herança e a utilizarão para o bem de todos os Filhos da Terra. O Chefe Duas Árvores, da Tribo dos Cherokee, ensinou-nos que estas pessoas podem ser brancas por fora mas são, na realidade, vermelhas por dentro. Eu sinto que os novos Guerreiros do Arco-Íris são os Guardiães de nossa Mãe Terra e representam os nossos Ancestrais Vermelhos que estão retornando para ajudar a Todos os Nossos Parentes.

A Profecia do Berço da Criação também diz que o Fogo virá do Céu e atingirá a Mãe Terra no Berço Aquático da Criação, ou seja, nos oceanos. Este objeto em forma de cometa virá para fertilizar o óvulo da Terra e para recriar a pureza de todos os seus quatro Clãs. Os Chefes do Ar, da Terra, da Água e do Fogo voltarão a reintegrar-se. A condensação proporcionada por essa interação do Fogo e da Água nos devolverá o nosso ozônio. Estas profecias deverão ser cumpridas em algum momento dentro de uma faixa de tempo que vai dos nossos dias ao ano de 2015.

Muitas pessoas que se desligaram da Mãe Terra e não sabem mais como plantar o seu próprio alimento precisarão aprender a fazê-lo. As pessoas que não conhecem o valor curativo das plantas passarão a depender de outras que já reconhecem este valor. A capacidade de reagir às mudanças que estão para acontecer está baseada no entendimento do Berço, e está calcada na capacidade pessoal de Partilhar e de Servir. Este é o momento de iniciar o processo de aprendizado que nos permitirá voltar a aprender as pródigas lições que a Mãe Terra propicia, para que as futuras gerações possam receber os Sistemas de Conhecimento necessários a uma vida harmoniosa.

Muitos animais e muitas plantas dos tempos antigos voltarão a aparecer em nosso novo mundo, porque precisarão voltar a interagir como os seres humanos. Algumas destas plantas serão utilizadas para a cura e outras para fornecer alimentos. Voltaremos a entender a Linguagem das Criaturas e permitiremos que o seu instinto e a sua sabedoria nos ensinem a preencher as nossas necessidades. O Berço se tornará o símbolo de nossa primeira forma de encarar a vida, e nós todos formaremos uma grande Comunidade Mundial. Formas de comunicação harmônicas prevalecerão pelos próximos mil anos de paz; depois disto, a Mãe Terra se transformará num segundo sol, ou numa estrela do nosso sistema solar. Nós continuaremos vivendo em sua superfície, mas não ficaremos queimados, porque teremos adquirido corpos imortais de Fogo. As raças procedentes das estrelas virão até aqui para ajudar os Filhos da Terra a reencontrar o equilíbrio ecológico, e alguns Filhos da Terra irão com elas para aprender estes sistemas de Conhecimentos, que são muito antigos mas serão novos para nós. Aqueles que não forem capazes de aceitar o novo Berço da Criação serão removidos para o corpo-duplo da Mãe Terra, um local que abrigará a memória deste seu corpo tão explorado e tão marcado pelos abusos. O Tempo do Búfalo Branco verá acontecer muitas maravilhas, já que os governos não controlarão mais as ações dos Filhos da Terra e a união entre os povos voltará a ser fortalecida.

Quando colocarmos o Berço em nossas costas, ele transportará o filho de nossos futuros sonhos, que está começando a se manifestar agora, através de nosso amor. O Berço serve como lembrete. Nós só podemos proteger o *Futuro* reagindo ao Agora, ou seja, ao Presente.

## Aplicação

O Berço veio lhe dizer que o bebê que você está carregando é o seu próprio Futuro. Se você quiser moldá-lo, deve começar a reagir Aqui e Agora. Não importa como seu atual momento se apresente – este é o momento certo para usar a sua capacidade de reação. O lado Guerreiro de sua natureza lhe trará a coragem de que você necessita. Não permaneça sentado, esperando que os outros façam alguma coisa por você. Use a sua criatividade! Expresse a sua verdade! Reaja!

A carta do Berço lhe recorda que a responsabilidade de encontrar suas próprias respostas e de agir de acordo com elas é toda sua. Não importa se você precisa enfrentar um desafio passado, presente, ou futuro. O que importa é que você pode sempre responder de uma maneira que promova o seu próprio crescimento. Observe de que modo você poderá usar a sua Vibração Pessoal para reagir às situações e de que maneira esta ação fará você evoluir. Você possui esta capacidade. Neste momento, você deve reconhecer que ela existe em seus níveis superiores de Consciência e começar a utilizá-la.

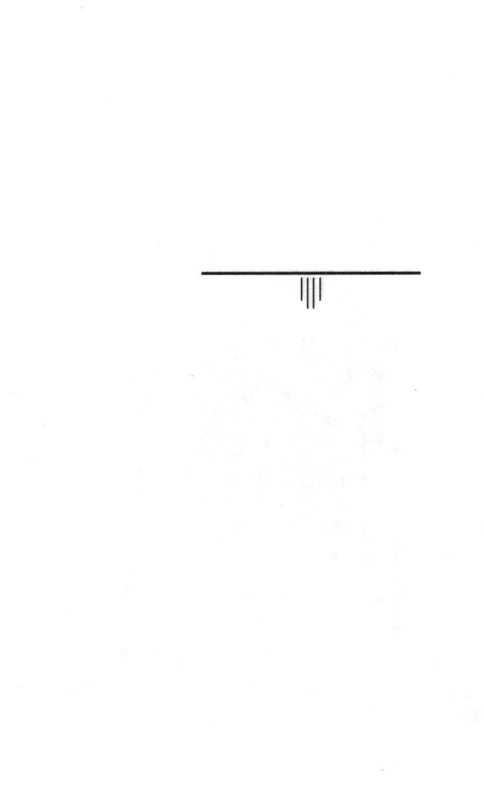

# SACOLA DE TALISMÃS

Símbolos de ligação
Com os Guias da Terra.
Magia que cura,
E faz renascer.

Talentos que honramos,
Dons que louvamos,
Força e Compaixão
Que guiam nossos Caminhos.

# 28
## SACOLA DE TALISMÃS
## Aliados/Apoio

**Ensinamento**

A Sacola de Talismãs é uma coleção de diversos objetos que chegaram até alguém das mais variadas maneiras e que representam os Totens de seus animais de Poder ou Guias da Natureza. Dentro de uma Sacola de Talismãs você poderá encontrar alguns objetos tais como sementes, um pedaço de tabaco, uma bolota de seiva ressecada do tronco do pinheiro, um cacho de escalpo, um dente de Alce, crina de cavalo, um cristal de quartzo, uma cauda de lontra, uma Pessoa de Pedra, um colar especial de contas ou qualquer outro objeto que represente alguma Magia especial para o dono da sacola.

Nos tempos antigos, muitos destes objetos possuíam algum significado especial para os membros das Tribos e Nações da América Nativa. Por exemplo, entre os indígenas Crow acreditava-se que um dente de Alce traria abundância material ao seu dono. Um pedaço de pano azul significava boa sorte, o pelo e as garras do Urso ajudariam a manter o Cavalo do Guerreiro em boa forma, e uma asa de Andorinha traria o poder de fugir dos inimigos.

As Sacolas de Talismãs podiam ser utilizadas nas mais diversas situações. Existiam Sacolas para a Cura Pessoal, Sacolas Tribais, Sacolas de Guerreiros, Sacolas da Dança do Sol, Sacolas de Parto, Sacolas de Caça, Sacolas de Sonho e Sacolas de Visão. Algumas eram fabricadas por um Xamã ou uma mulher-Xamã, atendendo a necessidades especiais, enquanto outras podiam ser fabricadas até mesmo pelos seus próprios donos. Havia casos em que Sacolas de Talismãs eram repassadas a alguém da família antes da morte de um de seus membros, ou eram entregues a algum membro respeitável da Tribo. Através desta transmissão assegurava-se o uso correto e a boa conservação das Sacolas de Talismãs.

Cada Sacola de Talismãs vinha acompanhada de seu próprio conjunto de regras. Assim, por exemplo, um Nativo poderia possuir uma Sacola de Guerreiro que lhe transmitisse grande força nas batalhas, e os Guias ligados a esta Sacola poderiam tê-lo proibido de comer carne de cerva e pintar o rosto com tinta azul. A delicadeza típica deste animal poderia tolher suas ações na Contagem de Golpes. Já a face pintada de azul poderia atraí-lo para a Estrada Azul do Espírito, provocando uma morte prematura. Cada Sacola possui um objetivo específico, e quase todas possuem regras destinadas a reforçar a Magia dos Guias da Sacola. Ações irrefletidas podem desestabilizar a harmonia estabelecida entre os Guias de Cura e a pessoa que busca assistência. É necessário que haja respeito pelo sentido natural de ordem da sacola. Estas mesmas regras se aplicam a uma sacola bem menor, que a pessoa usa, e que é denominada Bolsa de Talismãs.

Alguns Guerreiros adquiriam modelos de Sacolas de algum membro da Tribo por quem tivessem especial admiração. Porém estes Bravos deveriam receber uma visão pessoal de sua própria Magia, ou ficariam sem receber proteção. Os Guias da Natureza sempre eram invocados, mas por esse ou aquele motivo alguns Guerreiros não recebiam os seus Sonhos de Cura. Eu acho que isto acontecia porque eles haviam perdido contato com o aspecto mais feminino e receptivo de sua própria Energia, já que eram obrigados a se submeterem a provas muito duras para continuar no Clã dos Guerreiros. De qualquer maneira, ser um Guerreiro desprotegido significava morte em idade prematura.

Não se devia jamais mentir sobre as mensagens recebidas do seu Totem de Poder, ou inventar visões para o próprio Caminho, pois isto significava um convite certo para o desastre. Por outro lado, um Bravo que não possuísse a sua Magia Pessoal constituía um problema para toda a Tribo. O problema acabava sendo resolvido pelos sábios Xamãs, pelos Chefes ou pelos Grandes Guerreiros. Eles aceitavam receber cavalos ou outros objetos de valor em troca do modelo de sua própria Sacola de Talismãs. O fabricante da Sacola jamais colocava todos os objetos – que representavam sua proteção total na cópia que fazia para os outros. A razão disto era que entregar toda a sua Magia a outra pessoa colocava o seu próprio espírito em risco. Não se devia revelar a nenhuma outra pessoa todos os itens que compunham uma Sacola de Talismãs Pessoal. Se alguém estivesse tentando prejudicar algum líder poderoso da Tribo, poderia atingir esta pessoa através do conhecimento de sua Vibração Pessoal e do uso de feitiçaria. O roubo de uma Sacola de Talismãs era punido com a pena de morte. De modo geral, era proibido tocar em *qualquer* objeto pessoal de outros membros da Tribo – homens, mulheres ou crianças –, a não ser que se fosse convidado a fazê-lo.

As Sacolas Tribais eram chamadas Avós, e eram as mais antigas e respeitadas, sendo consideradas sagradas. A seguir vinham as Sacolas da Dança do Sol e as Sacolas dos Guerreiros. Esta hierarquia do Sagrado refletia a Magia e a Força com que cada Sacola havia protegido a Tribo por longos períodos de tempo. Cada inverno bem-sucedido aumentava a força destas Sacolas protetoras.

Os padrinhos dos Bravos, pessoas já reconhecidas pelos seus atos de coragem, eram os responsáveis pela fabricação das Sacolas individuais da Dança do Sol. O padrinho colocava alguns Totens nas Sacolas da Dança do Sol, que, em geral, já haviam pertencido a muitas linhagens de Guerreiros Ancestrais. Porém nenhuma Sacola era considerada mais sagrada do que as Sacolas Tribais. Estas Sacolas Avós ocupavam o posto mais alto na hierarquia porque representavam a Magia mais antiga, experimentada e testada. Elas representavam também a combinação de espíritos de todos os Membros da Tribo – das gerações passadas, presentes e futuras. As Sacolas Tribais eram chamadas Avós porque carregam em si a Energia alimentadora de que todos os seus filhos necessitavam. Assim como acontece com todas as Avós do Planeta, estas Sacolas Avós procuram atender a seus netos da melhor forma possível.

As Sacolas Tribais já passaram por uma longa hierarquia de Guardiães. Houve um momento em que as Sacolas precisaram receber sua própria tenda, e eram colocadas no acampamento como uma proteção para a Tribo. Essas Sacolas Avós costumavam ser protegidas por Chefes muito honrados pelo grupo e que possuíam uma Energia de Cura muito poderosa.

As Sacolas Tribais eram consideradas seres vivos; jamais eram deixadas sozinhas nem ficavam desprotegidas. Hoje em dia as Sacolas Avós estão guardadas em locais secretos e muitas delas são protegidas pelas Avós Anciãs e também por alguns Xamãs. Elas figuram entre os objetos mais sagrados do nosso povo e conservam o espírito de todas as Nações Nativas Americanas.

As Sacolas de Talismãs Pessoais podem ser usadas ou carregadas pela própria pessoa. Costuma-se invocar as Sacolas toda vez que é necessário obter força e coragem durante as atividades diárias. Há Bolsas de Talismãs que são amarradas ao redor do pescoço, e que constituem versões reduzidas da Sacola de Talismãs. As Bolsas de Talismãs servem como lembrete para quem as usa. Elas recordam ao portador os dons, habilidades e talentos dos Animais de Poder; estas qualidades o ajudarão a caminhar com altivez e em equilíbrio. As Bolsas também são usadas como proteção.

As Sacolas usadas pelas mulheres não são muito comentadas na história escrita por causa dos segredos que devem ser guardados no seio da Fraternidade das Mulheres. O Clã dos Guerreiros sabia que as mulheres possuíam uma natureza mais receptiva devido às suas características femininas. Assim, eles sempre honravam as mulheres por causa do seu conhecimento interior e da intuição que possuíam. As Sacolas de Talismãs femininas podiam ser usadas para aumentar a fertilidade, para ajudar o Guerreiro que acompanhava a mulher, para pesquisar novas técnicas de cura à base de ervas, ajudar o nascimento de uma criança, trazer abundância para a tenda ou, ainda, para ajudar a manter a felicidade da família. As mulheres sempre possuíam a sua Sabedoria particular, e honravam suas próprias Sociedades. Elas não tinham necessidade de suportar os rigores dos testes de força física para conseguir adquirir mais Visão. As mulheres são as Mães da Força Criativa do Universo e recebem naturalmente as mensagens dos seus Guias de Cura, o que as ajuda a manter e conservar a força de suas Sacolas da Fraternidade Feminina.

Cada objeto que vem se tornar parte de sua Magia Pessoal pode ser colocado num pedaço de pele e embrulhado como você faria com um presente, dobrando todos os quatro cantos da pele para o centro e amarrando a Sacola quatro vezes com cordões de pele curtida de cervo. As Sacolas de

Talismãs possuem tamanhos variados, que podem ir de um saquinho tão pequeno que caiba na palma da mão até uma Sacola do tamanho de um bebê recém-nascido. Algumas Sacolas de Talismãs ficam enroladas enquanto outras são dobradas nos pedaços de couro. Também se pode colocar alguns dos objetos menores numa Bolsa de Talismãs e usá-la pendurada à cintura ou colocada em volta do pescoço.

Se quiser confeccionar uma Sacola de Talismãs para um amigo especial, você precisa saber primeiro qual é a espécie de Energia que deseja partilhar com ele. Depois, invoque os Quatro Chefes de Clã para mandar um sonho ou uma visão que lhe indique tudo o que deve ser colocado dentro. Esta Sacola de Talismãs pode ser para uma jovem esposa que está com medo de sua primeira gravidez, um rapaz que está entrando para o Serviço Militar, um casal recém-casado, alguém que esteja comprando terras e que necessita de um Espírito-Guardião que proteja estas terras ou, ainda, um amigo enfermo. Qualquer espécie de Sacola constitui um presente dos Níveis Superiores, e só deve ser ofertada a pessoas que saibam honrar a sagrada responsabilidade de possuir uma Sacola de Talismãs.

Se você é um Ancião, talvez queira transmitir a sua Sabedoria a uma pessoa mais jovem, em quem deposite confiança, sabendo que ela irá aceitar a responsabilidade com honra e coragem. A Sacola também pode ser repassada a outra pessoa, se você não está pretendendo largar o seu Manto (morrer). Quando uma pessoa larga o Manto antes de passar sua Sacola de Talismãs para outra, deve-se queimar a Sacola junto com todos os outros pertences da Medicina Sagrada da pessoa falecida. Isto é feito para que o espírito não conserve os seus laços de Energia Sutil atados a esta Roda da Vida e possa encaminhar-se livremente em direção à Estrada Azul do Espírito.

Aceitar a Sabedoria que lhe foi transmitida por um Ancião ou por alguma pessoa de muito Poder não é uma tarefa simples. Saber respeitar a vida e os atos de outra pessoa e saber comportar-se de uma forma que deixaria o dono desta Magia orgulhoso – é uma grande responsabilidade a ser assumida. Se você desonrar a vida deste Ancião ou então a sua Sabedoria, os seus Guias de Cura poderão deixá-lo em maus lençóis. Os Guias consideram que qualquer ato realizado em nossa vida física é sagrado em seu próprio tempo. Os Guias nos ensinam como e quando experienciar em beleza cada um dos nossos atos ao longo do Caminho Sagrado.

## Aplicação

Se a Sacola de Talismãs veio parar hoje em suas mãos, você está sendo solicitado a honrar a Sabedoria dos seus Ancestrais, assim como a dos seus Guias. Se estas mensagens ainda não ficaram claras para você, observe as forças que lhe estão sendo enviadas neste momento e considere-as como parte de sua Magia Pessoal. Esta assistência é uma ajuda que está sendo dada para o seu presente caminho e deve ser recebida como uma bênção enviada pelos seus Guias de Cura. É através deles que lhe advirá a coragem para apoiar o seu Ser Interno.

O foco central desta carta consiste em lhe dizer que você não está sozinho. É até possível que neste momento a caminhada esteja sendo difícil, mas você também está recebendo muita ajuda. Porém, se o caminho estiver se abrindo suavemente à sua frente, significa que você está bem sintonizado com os seus Guias, que, desta maneira, estão podendo ajudá-lo. Sinta-se grato por esta situação!

Em todos os casos você está sendo solicitado a perceber quem está lhe ajudando neste momento, e a ver se você consegue retribuir o favor, ajudando a outras pessoas. Os seus Guias de Cura nunca deixam de lhe dar apoio, mesmo nos momentos em que você tropeça no decorrer de sua caminhada. Da mesma maneira, você também deve manter-se leal às pessoas a quem vem ajudando até agora. Trair a confiança de alguém é um deslize muito sério. Se quiser continuar merecendo a ajuda de seus Guias, você deve aprender a ser, antes de tudo, um bom Guia para aqueles que estão à sua volta.

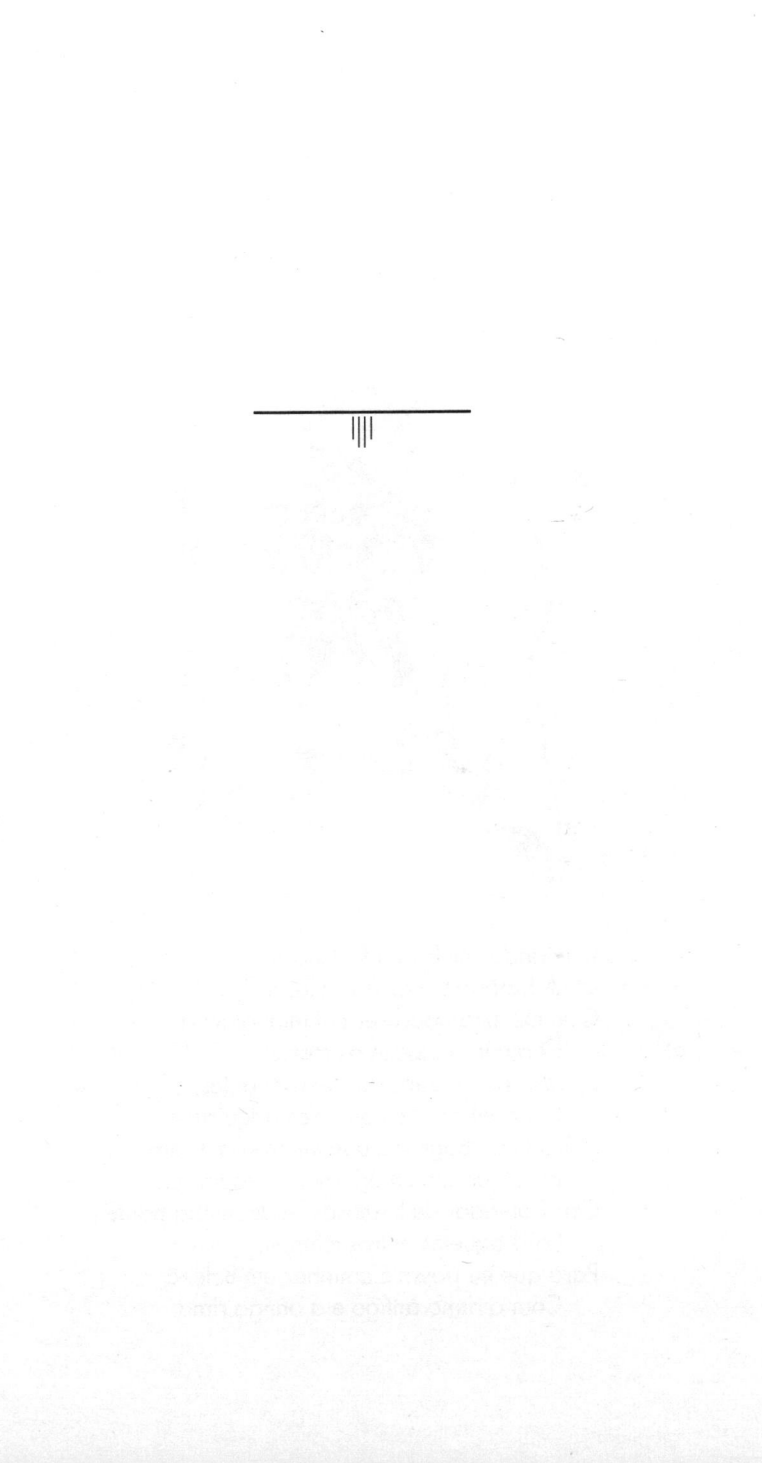

# CONTADOR DE HISTÓRIAS

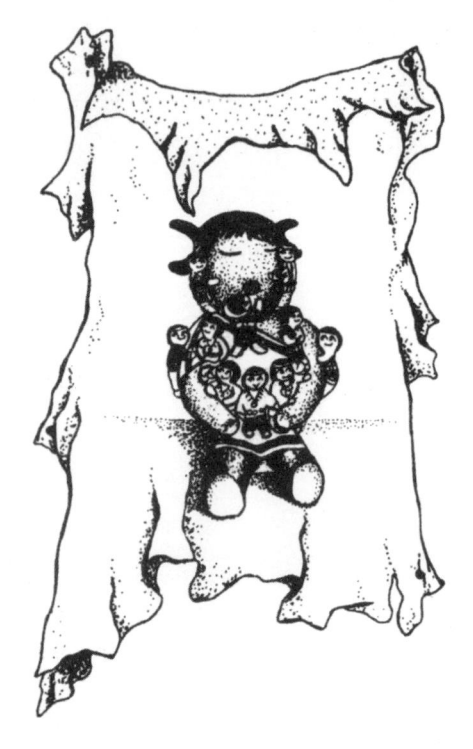

Cantando celebrai, oh, Anciãos,
    A história da nossa raça.
Que me seja dado ver em minha alma
    O amor em todos os rostos.
E todos os espíritos que vieram antes,
    O poder mágico que eles adquiriram,
A Tradição Sagrada que me transmitiram
    Para que a memória não desapareça.
Oh, Contador de Histórias, sede minha ponte
    Para aqueles outros tempos.
Para que eu possa Caminhar em Beleza
    Com o ritmo antigo e a antiga rima.

# 29
## CONTADOR DE HISTÓRIAS
## Expansão

### Ensinamento

Os Contadores de Histórias da América Nativa são os Guardiães de nossa história e de nossas Sagradas Tradições. Cabe a eles conservar vivos os nossos antigos conhecimentos para assegurar a futura expansão que nossos filhos trarão à Terra. Os Contadores de Histórias viajavam entre os grupos e as Tribos das diversas Nações, levando as notícias dos acontecimentos que afetavam a todos os Nativos. O Contador de Histórias costumava contar os fatos que aconteciam em outros acampamentos, ao redor da fogueira comunitária, depois do jantar. O Contador de Histórias falava de atos heroicos, da Contagem de Golpes sobre algum inimigo, de um Sonho de Cura que profetizasse futuros acontecimentos, de Histórias de Sabedoria que conservavam viva a Tradição ou, ainda, trazia as últimas notícias acerca de nascimentos e de mortes nas Tribos.

Os Índios das Planícies costumavam chamar seus Contadores de Histórias de Cabelos Trançados. Esses Contadores de Histórias usavam uma pequena mecha com tranças e nós, que lhes caía pelo meio da testa e que os caracterizava como professores e historiadores da Tribo. Um Cabelo Trançado do sexo masculino não precisava participar das batalhas, mas deveria observar tudo e recordar-se mais tarde, passo a passo, do desenrolar da luta. Já um cabelo trançado do sexo feminino era a historiadora que mantinha viva a tradição feminina e que deveria ensinar as mulheres mais jovens a sentir orgulho de seus respectivos papéis dentro da Tribo.

Os Contadores de Histórias de todas as Tribos e Nações constroem uma ponte entre os ensinamentos tradicionais e o momento presente. As crianças de todas as gerações aprendem as lições tradicionais que os Contadores de Histórias ensinam e aplicam estas Histórias de Sabedoria às suas próprias vidas. Também os pais e avós costumavam contar as Histórias de Sabedoria para as suas crianças, todas as noites, na hora de colocá-las debaixo dos mantos de Búfalo para dormir. Mas isto não produzia o mesmo efeito que a chegada do Contador de Histórias da Nação, que visitava as Tribos regularmente para contar suas histórias às crianças.

As Histórias de Sabedoria costumam ser contadas e recontadas ano após ano para que os Ensinamentos do Povo permaneçam vivos. Cada história possui diversos significados e relaciona-se de formas diferentes à vida de cada pessoa. A cada vez que uma história é repetida, cresce o nível de entendimento, de acordo com o amadurecimento das pessoas que estão escutando. Os mesmos acontecimentos dentro de uma história também podem ser repetidos inúmeras vezes, de maneira diferente, para que cada ouvinte possa perceber de que modo aquela história se adapta melhor ao seu próprio momento de vida.

O modo de pensar do Povo Vermelho difere bastante do modo de pensar dos outros povos. Nós não costumamos revelar qual é a verdadeira mensagem contida em nossas Histórias de Sabedoria. Preferimos deixar que as pessoas utilizem os seus dons individuais de intuição e observação para perceber o significado real dessas histórias. Assim, os ensinamentos da Raça Vermelha são transmitidos de forma que cada um possa aprender conforme o seu próprio ritmo e seu próprio modo de ser, dando liberdade para que cada pessoa aplique ou não estes ensinamentos à sua vida.

Os Contadores de Histórias aprendiam a respeitar a liberdade de pensamento de todos aqueles que iam em busca de sua Sabedoria. Desta maneira as crianças aprendiam a valorizar a própria inteligência e sentiam que eram membros respeitados de sua Tribo. O Contador de Histórias considerava cada criança como uma pessoa igual a ele, e colocava-se no mesmo nível dela. Se as crianças agissem de forma tola ou começassem a perturbar o grupo, eram simplesmente ignoradas, e fingia-se que elas nem mesmo estavam ali presentes. A falta de reconhecimento e de atenção logo punha fim ao mau comportamento. o Contador de Histórias conseguia passar dias seguidos fingindo que não via nem ouvia determinada criança. Esta forma de disciplina era muito mais eficiente do que o castigo corporal, porque a criança se sentia envergonhada diante das outras crianças também.

A memória ocupa um lugar especial em nossa Tradição Nativa Americana. Como as nossas histórias são transmitidas oralmente, a lembrança é cultivada como uma arte. Cada uma das ervas, plantas ou flores empregadas no processo de cura deve ser lembrada para as futuras gerações. Cada dança, cerimônia, ritual, iniciação e ensinamento precisa ser guardado na memória. Todas as Leis e profecias tribais devem ser repassadas intactas para as futuras gerações. Os Golpes e as perdas precisam ser recordados para que se possam armar futuras estratégias. É claro que uma única pessoa não poderia recordar-se sozinha de todas estas coisas, ou tornar-se uma especialista em todos estes assuntos. É por isso que os diversos Clãs possuíam historiadores que guardavam a história oral de uma determinada área de conhecimento em sua memória. Estes fragmentos dos Ensinamentos Tribais eram repassados para a próxima geração e cada pessoa recordava-se de um fragmento que fazia parte dos aspectos gerais da cultura nativa.

O Contador de Histórias da Tribo tinha um posto no Conselho de Anciões. Sendo um historiador, o Contador de Histórias era convocado a contar os fatos passados com total precisão para que estes acontecimentos ajudassem a solucionar os presentes problemas. Os Cabelos Trançados ensinavam a forma de viver de maneira equilibrada através das ações dos personagens das Histórias de Sabedoria. Uma História de Sabedoria, contada de maneira adequada, podia acabar com as discussões, mudar o curso de uma vida, insuflar novo ânimo em épocas difíceis ou ainda encorajar os jovens a assumir novas responsabilidades na vida.

O Contador de Histórias possuía o dom de contar Histórias de Sabedoria nas quais as pessoas agiam levadas pelo medo ou pela ignorância, sem, no entanto, referir-se a alguma pessoa em particular. Assim, os ouvintes se tornavam capazes de chegar às suas próprias conclusões. Todos os Sábios Nativos preferem ensinar por meio de histórias a apontar diretamente os defeitos de alguém. Em nossos Ensinamentos sempre nos recordam de que, quando apontamos o dedo acusando alguém, três outros dedos estarão apontados contra nós. Por outro lado, o Contador de Histórias consegue, com sua técnica, indicar delicadamente os pontos em que estamos errados, permitindo-nos corrigir nosso comportamento, sem ter que passarmos vergonha na frente dos companheiros. Esta é uma forma didática de permitir que cada pessoa decida como aplicar as histórias ouvidas em sua própria vida.

Mão Erguida era um Cabelo Trançado que vinha todos os verões partilhar o seu conhecimento com os filhos dos Ogalala reunidos para o Pow-Wow antes da Dança do Sol. Já fazia duas gerações que os Sioux usavam o cavalo como meio de transporte. Assim, Mão Erguida chegou para o Pow-Wow cavalgando seu petiço malhado chamado Flecha Vermelha. Ao ver Mão Erguida se aproximar com seu garboso companheiro, as crianças correram até os limites do acampamento. Mão Erguida tinha duas Penas de Águia amarradas em seu cacho de escalpo, e a mecha de Cabelo Trançado lhe caía pelo meio da testa.
– Cabelo Trançado chegou! – gritavam as crianças enquanto corriam para saudá-lo. Com os olhos cheios de admiração, as crianças observavam Mão Erguida entrar no acampamento. Ele continuava sentado em Flecha Vermelha, ereto e orgulhoso, olhando sempre em frente, com seus olhos muito negros fixados no centro do acampamento. Mão Erguida era o mais velho Cabelo Trançado da Nação Sioux. Ninguém sabia quantos invernos ele já carregava nas costas. Até o Chefe, que chegou para saudá-lo, lembrava-se de que Mão Erguida já era um Ancião na época em que ele ainda era uma criança.
Mão Erguida desmontou bem no centro do acampamento e foi saudado com muito respeito e calorosos *Hau-Kolas* (Olá, amigo). Convocou-se o Conselho de Chefes, e Mão Erguida foi fumar o Cachimbo com os líderes dos Ogalala. Depois que se fumou o Cachimbo, foi trazida a comida e começou-se a partilhar as últimas novidades entre os membros da Tenda de Cura.
Quando a noite caiu, e a última luz enviada pelos raios de amor do Avô Sol tocaram a grama de Búfalo que cobria os prados, começou a celebração. O nosso Povo sempre apreciou as celebrações. A volta de Mão Erguida a este grupo de Ogalala era um motivo de muita alegria. As expectativas eram enor-

mes e todos os olhos se voltaram para o Contador de Histórias quando ele começou a partilhar as notícias de nascimentos e mortes, dos Golpes que foram Contados, e das decisões dos diversos Conselhos de outras regiões, tomadas durante o último inverno. Após terminar o relatório, Mão Erguida contou uma de suas Histórias de Sabedoria.

– Há muitos invernos – começou ele –, no tempo em que ainda havia muitos Búfalos e os únicos inimigos dos Sioux eram os Crow, eu ainda mamava no peito de minha mãe. Eu era muito pequeno, mas observava o acampamento e ouvia os Tambores de meus Ancestrais falando com o Povo. Eu entendia tudo o que os Tambores diziam, e ouvia as histórias que eles contavam. Como eu era muito pequeno, as histórias me tranquilizavam sempre que minha mãe estava ocupada tingindo abrigos ou preparando pasta de carne com frutas secas.

– Assim, dez invernos se passaram e eu me tornei um rapazinho cheio de responsabilidades. Naquela época, meu nome era Ouve os Tambores, porque a Mulher Xamã que havia assistido meu nascimento notou a fascinação que eu tinha pela batida dos tambores. Perna Torta, meu pai, havia sido pisoteado por um Búfalo ao salvar a vida de um jovem descuidado que fazia sua primeira caçada. Assim, eu havia me tornado parcialmente responsável pela caça de pequenos animais para minha família. Um dia, ao voltar para a casa com um Esquilo e um Coelho, levei-os para minha mãe e fui saudado pelo Contador de Histórias Cara Amarela. Cara Amarela era um Cabelo Trançado que havia servido ao nosso Povo desde o tempo em que meu avô ainda era pequeno.

– Cara Amarela me perguntou o que eu havia aprendido em minha caçada e se eu havia escutado as Criaturas conversando comigo. Fiquei admirado porque eu nunca havia contado a ninguém que seguia as batidas do meu próprio coração, como se fossem a música dos Tambores, até o local que os animais me indicavam, dizendo-me quem estava pronto para servir de refeição à minha família.

– Até a hora em que o Avô Sol se punha a Oeste, fiquei ali sentado contando a Cara Amarela as histórias fantásticas que eu havia ouvido de minhas amigas, as Criaturas. Contei-lhe como eu levantava a mão e ordenava a meu coração que tamborilasse Hau-Kola para as Irmãs e os Irmãos da Pradaria. O "alô, amigo" que meu coração tamborilava atraía as Criaturas até o local onde eu estava, e eles ficavam felizes em partilhar comigo suas Histórias de Sabedoria. Assim aconteceu que eu fui escolhido para receber o treinamento do Contador de Histórias Cara Amarela, e acabei tornando-me também um Cabelo Trançado. Meu nome foi mudado para Mão Erguida porque eu costumava saudar todas as Criaturas com a mão aberta, levantada em sinal de amizade.

## Aplicação

A Carta do Contador de Histórias indica expansão em todos os níveis. Esta carta sugere uma fase de muito crescimento, favorável à assimilação de novas ideias. Descubra qual é o aspecto do seu próprio Ser que necessita de maiores cuidados e passe a alimentar mais o seu Fogo de Criação pessoal. Incremente a sua criatividade e aproveite este momento de expansão, consciente de que ele é bem merecido!

Observe que esta fase de expansão prosseguirá se você estiver disposto a partilhar as causas de seu sucesso com outras pessoas. Muitas vidas têm sido influenciadas pelas histórias alheias. Aproveite a boa sorte que se abre para você neste momento mas não se esqueça: você também deve encorajar as outras pessoas, que estão à sua volta, a expandir-se.

Em todos os casos a expansão acontece toda vez que as pessoas enxergam a possibilidade de crescer, seguindo seu próprio ritmo e usando seu próprio discernimento. A Sabedoria do Contador de Histórias reside na arte de conseguir relembrar os fatos mais importantes. Assim, você está sendo chamado a relembrar-se de sua Magia pessoal e está podendo manifestar, neste momento, todo o seu potencial criativo.

# FOGO SAGRADO

Fogo Sagrado dentro de nós,
    Lugar da Chama Eterna,
Queima e afasta as barreiras,
    Em nome do Grande Mistério.

Transmite-nos o calor,
    A bondade,
E o amor do Avô Sol,
    Derretendo todas as diferenças,
Para que nos tornemos,
    Finalmente,
Um Só!

# 30
## FOGO SAGRADO
## Paixão/Espontaneidade

**Ensinamento**

O Fogo é um dos Quatro Chefes de Clãs que regem o mundo da Mãe Terra. Ar, Terra, Água e Fogo são os elementos que regulam as condições atmosféricas, a composição da matéria, a energia, o espaço e o tempo. As seis formas de Fogo como nós as conhecemos são o Fogo no Avô Sol, o Fogo no interior da Mãe Terra, o Fogo que vem do raio, o Fogo em lava que forma o Povo de Pedra, o Fogo que queima a madeira e o Fogo que reside dentro de cada um de nós e que vem a ser a Eterna Chama do Grande Mistério, aquela que nos concede a nossa força vital e a nossa espontaneidade.

    O calor do Fogo é um dos componentes essenciais da constituição dos Duas-Pernas – os Seres Humanos. Ensinaram-nos que o Avô Sol condensa o calor do Primeiro Mundo, que foi manifestado após a Criação e que representava o amor do Grande Mistério por todos os Filhos da Terra. Durante o período do Primeiro Mundo o único tipo de Fogo que os Filhos da Terra conheciam provinha do Avô Sol e dos violentos vulcões que entravam em erupção enquanto a Mãe Terra continuava em seu processo de esfriamento. Os Duas--Pernas só aprenderam a produzir e usar o Fogo durante o Segundo Mundo, que trouxe as Grandes Montanhas de Gelo e o frio intenso que mudou o clima da Mãe Terra. Por isto, tornou-se necessário que os Duas-Pernas de todas as cinco raças se aglutinassem em famílias e Clãs em busca de calor e proteção. Nessa época do Primeiro Mundo, antes que os ventos frios da mudança trouxessem os Seres de Gelo, os Filhos da Terra dependiam de sua união, do amor que sentiam uns pelos outros e do calor do Avô Sol que lhes fornecia o amor e a nutrição.

O Avô Sol vive na Nação do Céu e também dentro de cada um de nós. Ele está localizado em nosso Núcleo Vibracional, no centro do nosso corpo, logo acima do umbigo. Quando irradiamos nosso amor a todos aqueles que estão à nossa volta, permitimos que este Avô Sol, que vive dentro de nós, revele o seu brilho. O uso apropriado da energia do Amor é uma das maneiras pelas quais a Medicina do Fogo se manifesta. Na época da Trilha de Lágrimas, quando a fome e o frio passaram a ser os companheiros constantes de nosso povo, muitas vezes as crianças pequenas foram salvas das garras da morte pelo uso da Medicina do Fogo. Os adultos mais saudáveis invocavam o Avô Sol que estava dentro deles para que ele aumentasse o calor e a energia vital de seus corpos. Depois serviam literalmente como cobertores para as crianças durante as noites de neve. Ao aninhar o corpo das crianças para transmitir-lhes calor, muitos adultos largavam seus Mantos pela manhã, sabendo apenas que haviam salvado a futura geração através do uso da Medicina do Fogo.

O Fogo Sagrado significa a nossa paixão pela vida, o nosso desejo de amar e ser amado, a nossa necessidade de companheirismo e de calor humano, nossa força física, a compaixão que temos pelos outros, nossa criatividade e espontaneidade, assim como o Fogo que alimenta os nossos Sonhos de Cura. A nossa paixão física provém do Fogo interior de nossa Mãe Terra. Esta forma do Fogo Sagrado preenche nossos corpos de disposição, permitindo-nos expressar nossa sexualidade, assim como ilumina nossa criatividade e nossas ações espontâneas. Canalizando o amor de nossa Mãe Terra para cima, através de nossos pés, e conduzindo-o até o Núcleo Vibracional para encontrar o fogo interior do Avô Sol, criamos um tipo sublime de União Interna: a Divina União do Masculino com o Feminino.

Quando perdemos a conexão com a nossa Mãe Terra, a união dos dois Fogos não se processa e o Fogo Sagrado de que necessitamos deixa de nutrir o nosso organismo; nestes casos, podemos até adoecer por isto; já vi isto acontecer a pessoas que vivem nas cidades, e que se protegem de qualquer estímulo externo para sobreviver à poluição sonora, ou que se defendem de relacionamentos indesejáveis com pessoas que querem manter a distância. Quando o estímulo externo é bloqueado, bloqueia-se também a conexão com a Mãe Terra. Os limites do Espaço Sagrado dos indivíduos passam a ficar muito reduzidos. As raízes naturais, que recebem a energia do Fogo interno da Mãe Terra, já não conseguem mais alimentar o corpo com sua seiva. Cria-se um tipo de separatividade que se origina na mente para espalhar-se depois pelo corpo, criando um sentido de desmembramento do Ser. É desta forma que as enfermidades começam a penetrar em nosso organismo. A Cura só poderá manifestar-se quando voltar a haver uma reconexão com a Mãe Terra, com o calor do seu Fogo, com as suas Criaturas e com Todos os Nossos Parentes. Mais tarde, depois que a confiança tiver sido retomada, será o momento de completar o processo de cura através da Reunião com os outros Duas-Pernas em bases inteiramente novas.

Quando reprimimos o nosso senso natural de companheirismo e isolamos o nosso corpo do calor ou do Fogo Sagrado, ele começa a se tornar frio em determinadas áreas. Aos poucos, o corpo esquecerá de enviar energia vital para aquelas áreas que necessitam de calor, amor e atenção. Em nosso mundo moderno, no qual as pessoas têm medo de abraçar um amigo, de tocar no braço um do outro enquanto conversam, ou no qual as pessoas não são nutridas pela Mãe Terra, muitos já perderam aquele Fogo Sagrado interno que lhes traria de volta o sentido de Unidade.

Um outro aspecto relacionado ao calor do Fogo Sagrado é o da sexualidade. O Povo Nativo sempre considerou o ato de fazer amor como um ato sagrado. A atração sexual entre duas pessoas constitui a semente de uma sagrada união. Foi durante o Quarto Mundo da Separação que os Filhos da Terra esqueceram de honrar o sentido sagrado da sexualidade que era, originalmente, considerada uma extensão sagrada da união da Mãe Terra com o Pai Céu – a união básica, que trazia fertilidade e abundância aos seus filhos. Nós, os Duas-Pernas, somos muito parecidos com os Lobos, e nos unimos pelo resto da vida sempre que o medo da separação não habita em nossos corações. A tendência moderna a realizar casamentos e divórcios rápidos está nos permitindo curar todos os nossos aspectos que estavam ficando frios e bloqueados. Nós estamos sendo forçados a enxergar o nosso próprio reflexo que não conseguimos amar nas ações das pessoas que vivem ao nosso redor ou no nosso companheiro. De uma certa maneira esse costume moderno é um processo de descoberta que eventualmente nos levará de volta às ideias de uma união natural e sagrada, que tem suas raízes naquele amor incondicional que a Mãe Terra e o Avô Sol sentem por nós.

Ao longo dos anos, muitos Xamãs têm usado o Fogo para ajudá-los a se manterem ligados à dimensão terrestre enquanto realizam suas Viagens pelas Dimensões dos Sonhos. O Fogo, feito com galhos de árvores, tinha que ser constantemente alimentado por um assistente durante estas Viagens. O instinto natural nos inspira a acender uma fogueira para aquecer o corpo, enquanto o Espírito vagueia pela Dimensão dos Sonhos. Desta maneira, um Xamã pode permanecer fora do corpo por longos períodos de tempo sem ter que se preocupar com danos que possam ocorrer ao seu corpo físico. Do mesmo modo como devemos estar abertos para receber informações dos Ajudantes e Guias de Cura, devemos também estar dispostos a utilizar o Fogo Sagrado em nossas Viagens e Missões. Quando todas as partes do nosso corpo estão bem alimentadas através do Fogo de nossa Mãe Terra e do Fogo de nosso Avô Sol, o corpo se sente preparado para deixar que o espírito viaje sem maiores problemas.

Quando deixamos de nos preocupar com o sentimento externo de perigo, e quando as necessidades internas ficam satisfeitas, as percepções sensoriais tendem a encontrar uma perfeita sintonia. O Fogo interno nos nutre e protege, da mesma maneira que a Mãe Terra sempre nos nutre, e o Avô Sol nos dá sua proteção. É através deste estado de harmonia que conseguiremos voltar ao nosso modo de vida natural, que é o de viver em perfeito equilíbrio interno. Através deste processo o Fogo de nosso espírito é alimentado, conseguindo transcender a ilusão de tempo e de espaço, para poder sair e retornar sempre que for necessário. É por isto que os nossos Anciões conseguem decidir por contra própria qual é "um bom dia para morrer". Como eles viajaram para fora do corpo por tantas outras vezes, eles já sabem como liberar o corpo e largar o Manto no momento em que sentem o chamado do Mundo dos Espíritos.

O Fogo Sagrado nos faz recordar que todas as coisas provêm do Grande Mistério. Tudo que existe contém em si o Grande Mistério, a Fonte Original de todas as coisas. O Fogo da Criação vive tanto dentro de nós quanto dentro de Todos os Nossos Parentes.

Quando equilibramos o Fogo Sagrado em nosso íntimo, em qualquer de suas formas, conseguimos perceber tudo e nos tornamos qualquer coisa dentro da Criação, fundindo-nos com o Fogo Sagrado que existe em todas as coisas. Este talento constitui a criação espontânea. A Paixão pela Vida é o combustível que alimenta o nosso Fogo interno. Esta paixão provém do reconhecimento de que cada ato da vida física é uma bênção que o Grande Mistério nos oferece.

### Aplicação

Se a Medicina do Fogo surgiu hoje em suas cartas, você está sendo instado a tomar consciência do seu próprio Fogo interior. A espontaneidade de sua vida depende de sua conexão com este Fogo. Você pode alimentar sua paixão de viver, assumindo todas as Energias Positivas que já existem em sua vida. Para conseguir levar uma vida mais plena de aventura e satisfação, você deve querer sentir prazer e alegria. Para que essa paixão não esmoreça, você precisa descobrir que merece vivê--la e seguir em frente.

Se você tem questionamentos ou problemas relacionados à paixão no plano físico, este pode ser um bom momento para esclarecê-los. Todos os atos da vida são sagrados quando são tratados de forma respeitosa. Antigos temores relacionados à intimidade ou a compromissos podem ter efeitos limitadores nos relacionamentos. Se este é o seu caso, dissipe o medo e afaste os temores. Quando o medo é dissipado, as antigas feridas cicatrizam e você estará pronto para viver futuros relacionamentos mais compensadores.

Qualquer que seja a nossa situação atual, a Medicina do Fogo afirma que devemos utilizar o Fogo Interno para alimentar nossas vidas com novas energias. Essa energia provém da paixão física que a Mãe Terra nos proporciona e do amor espontâneo que flui do Avô Sol. Quando estamos harmonizados, esta União divina inflama o nosso desejo natural de viver intensamente cada momento de nossas vidas. Se esta espontaneidade já estiver brotando dentro de você, é hora de continuar.

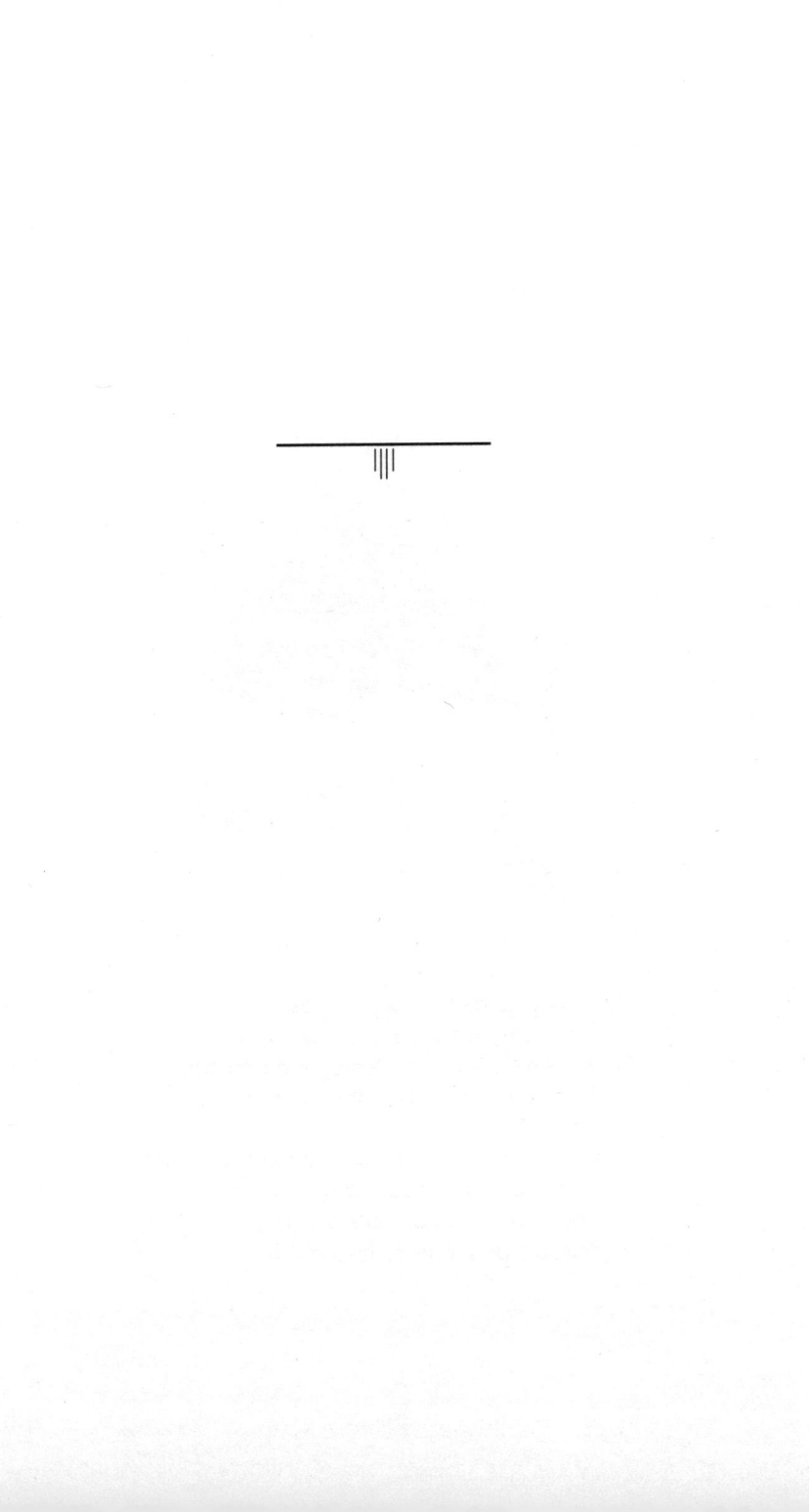

# VASO MÁGICO

Vaso Mágico de benéficas curas,
   De visões, sonhos e o que perdura
Para além do Vazio do tempo e do espaço,
   Tu trazes a cura de todas as raças.

Aos Videntes e curandeiros a água que conténs
   Traz a antiga sabedoria recontada.
Aos buscadores e aos necessitados,
   Teu salutar unguento leva alívio.

# 31
## VASO MÁGICO
## Cura

**Ensinamento**

O Vaso Mágico é um utensílio Tradicional usado por Videntes, Sonhadores e Xamãs da América Nativa. Um Vaso Mágico que exista há centenas de anos e que tenha sido manipulado por muitas gerações de Xamãs traz em seu bojo a força ou a fraqueza de seus antigos Guardiães. Este utensílio de Cura é considerado tão sagrado que nunca é exposto durante as Cerimônias Tribais. Nestas Cerimônias só se usa o Vaso Cerimonial, um objeto menos sagrado e que pode ser exposto aos olhos do público. Desta maneira, o responsável pelo Vaso, assim como toda a Tribo, pode ter certeza de que este utensílio sagrado de cura e os objetos que ele contém ficarão bem protegidos. Os Vasos Cerimoniais de Cura costumam ser cópias muito ornamentadas dos Vasos Sagrados originais.

Quase todos os Vasos Sagrados são feitos de madeira entalhada, ou de casco de Tartaruga. Existem Vasos feitos de basalto, argila ou pedras de lava, que são bastante raros. O Vaso costuma ser usado por pessoas versadas nas artes de cura, para amassar as ervas ou misturar poções. As Mulheres-Xamãs também usam os Vasos Sagrados para o primeiro banho do recém-nascido. Já os Videntes utilizam os Vasos Sagrados com objetivos muito diferentes. Muitas vezes o fundo do Vaso Sagrado de um Vidente foi escurecido com carvão e esfregado com cera de abelha até que não se veja mais a cor da madeira original. O Vidente que trabalha com o Vaso escurecido costuma enchê-lo de água e usar o reflexo da luz da fogueira para criar a imagem da Vacuidade onde reside o Futuro. Desta maneira o Vidente consegue enxergar o destino da Tribo.

As Tendas Negras das mulheres são famosas por suas Videntes. As Mulheres Videntes de qualquer Tribo são muito respeitadas por sua clareza e capacidade de concentração. A Vidente tanto pode "fumar uma pessoa" quanto pode "sonhar uma pessoa", ou, ainda, usar um Vaso Sagrado para mergulhar no Vazio e poder ajudar aquela pessoa. Ao se fumar uma pessoa, o cachimbo é usado para enxergar a realidade além da ilusão aparente. Neste caso, a fumaça do Tabaco é misturada com casca vermelha de Salgueiro, Trevo Branco, raiz de Osha e folhas de Verbasco, para permitir que a Vidente viaje com a fumaça para outras dimensões e consiga enxergar tudo aquilo que é necessário.

Dependendo do motivo que levou ao uso do Vaso, às vezes a Vidente necessita da ajuda de suas irmãs da Tenda Negra. Na Tradição dos Nativos Kiowa, as mulheres faziam um dia de jejum e depois participavam de uma Cerimônia especial de Purificação da Tenda, destinada a promover o êxito da Vidente e a ajudar na cura da pessoa necessitada. Depois as mulheres entravam na Tenda Negra e sentavam-se em círculo, formando um campo de proteção e de energia para a Vidente, enquanto ela buscava a sabedoria do Vazio. Este ritual é realizado em um clima de vigília silenciosa; o único som ambiente é o de uma flauta ou de batidas de tambores, que têm a função de conduzir a Vidente para fora dali, rumo ao Vazio, e de trazê-la de volta para a Tenda, em segurança. Depois disso, as Irmãs banhavam a Vidente e faziam-lhe uma massagem para que a circulação voltasse ao seu corpo. Então ela era envolta em cobertores e permanecia sozinha dentro da Tenda até sentir-se em condições de partilhar a sua visão com o resto da Tribo.

Dentro de nossa Tradição Seneca jamais se aponta quais, dentre os membros da Nação, são os Xamãs. Um verdadeiro Xamã nunca se gaba, dizendo: "Eu sou um Xamã ou uma Mulher-Xamã." Outras pessoas podem dizer isso a alguém, mas proíbe-se que a própria pessoa o faça. As provas de iniciação exigem do candidato longos anos de estudo e de prática.

As exigências feitas a um Xamã da Nação Seneca são em número de cinco. Em primeiro lugar, o Xamã deve ser um Conselheiro. O Conselheiro deve saber como ajudar os outros a usar seus dons pessoais, a sua magia pessoal, e deve guiar os outros a um caminho de vida mais produtivo. O Conselheiro deve saber orientar uma pessoa a usar seus talentos individuais em prol da Roda de Cura da Tribo. O Conselheiro deve ser capaz de aplicar as Leis Tribais com sabedoria, respeitando sempre as soluções Tradicionais da sua Nação.

Segundo, o Xamã deve ser um Historiador dos Registros da Terra. Isto abarca a Criação e os primeiros Quatro Mundos, assim como a profecia dos futuros Quinto, Sexto e Sétimo Mundos.

Em terceiro lugar, o Xamã deve ser um Curandeiro Herbalista. Aqui se inclui o conhecimento das ervas capazes de curar e dos processos de cura natural que provenham da Mãe Terra. O Herbalista também conhece a Cura que provém dos animais e o modo pelo qual eles podem ajudar os Duas-Pernas a encontrar a cura mental e espiritual. A terceira exigência também inclui a capacidade de reconhecer e diagnosticar as enfermidades do corpo, da mente e do espírito.

Em quarto lugar, o Xamã precisa possuir uma capacidade ou um talento muito especial, o Dom da Profecia. Isso significa que o Xamã deve ser um Vidente, um Sonhador, ou então alguém capaz de conectar o Mundo do Espírito de alguma maneira, toda vez que for preciso. Isto não quer dizer que os Xamãs não tenham todo o tempo necessário para realizar o seu trabalho, mas significa que em seu treinamento aprendem a conseguir a informação certa no momento exato. A clareza e a capacidade de concentração são praticadas até que se chegue à perfeição, para que o Dom da Profecia seja totalmente desenvolvido pelo Vidente.

A última exigência a ser cumprida na formação de um verdadeiro Xamã é o repasse de ensinamento e sabedoria a outras pessoas. É claro que a aquisição de todos estes conhecimentos leva muitos anos e que a sabedoria do Xamã vai crescendo com o passar do tempo. Toda esta experiência precisa ser compartilhada para que os Processos de Cura sejam transmitidos e possam ajudar as futuras gerações.

Eu recebi ensinamentos sobre o Vaso Mágico empretecido durante o meu treinamento com as duas Avós Kiowa, no México. Resolvi utilizar o Vaso Mágico para obter respostas, e elas me ensinaram a começar colocando mentalmente uma pergunta dentro do Vaso. Depois, coloquei uma pequena Pessoa de Pedra, um pouco de terra, algumas gotas de água, um grão de Milho, uma pitada de Tabaco, um pedaço de Salva e um Talismã da Criatura que eu estava invocando para que viesse me apoiar. Estes objetos todos foram se misturando à medida que eu girava o vaso em minhas mãos. Depois o vaso foi colocado ao Norte de uma pequena fogueira feita com gravetos, enquanto eu me sentava ao Sul, para fazer minhas orações e cantar minha Canção de Cura pessoal. Após terminar minhas orações de gratidão pela resposta que receberia, eu trouxe o vaso para o Sul, e soprei fumaça de Tabaco para dentro dele. Depois, sentei-me em silêncio, esperando que a resposta viesse.

É Dentro do Vaso Sagrado que são alimentadas as ideias, que está contido o futuro, e que o crescimento se processa. As mulheres muitas vezes chamam seus próprios úteros de "Vaso Sagrado". Até o instante do nascimento, nós nunca sabemos qual a aparência que terá a criança ou quais serão as suas capacidades. O mesmo acontece com o Vaso Sagrado – as visões e as respostas não são previsíveis, até o momento de serem vistas. Precisamos estar abertos para aquilo que o Futuro nos traz. É através do uso do Vaso Sagrado que uma parte da Sabedoria de Cura dos nossos Ancestrais está sendo resgatada. Estes recipientes sagrados de cura trazem a lembrança dos usos que se fazia deles antigamente e, com toda a boa vontade, partilham suas memórias com todos aqueles que estão sendo treinados para ver, ouvir ou sentir.

## Aplicação

Se você escolheu a carta do Vaso Sagrado hoje, é sinal de que a Cura está despontando no horizonte. Esta Cura pode estar se realizando a nível espiritual, mental, emocional, ou físico. Preste bastante atenção a todos os acontecimentos de sua vida, e aceite com gratidão os processos de Cura que estão se manifestando. Muitas vezes não damos valor aos pequenos processos de cura que nos ocorrem. No entanto, eles constituem degraus importantes para que alcancemos o sentido do Absoluto. Tome consciência de pequenas mudanças em seu comportamento ou de súbitas sensações de bem-estar. Agindo assim, você perceberá o processo de cura, logo que ele começar a se manifestar. Desta forma você estará ajudando o seu futuro – para além do Vazio – a curá-lo no momento presente.

Em qualquer caso, o Vaso Sagrado sempre nos fala de Boas Energias. Ele lhe está sendo ofertado. A sua tarefa, no presente, é a de encontrar este Vaso e passar a utilizá-lo para poder curar o seu próprio Ser ou para ajudar aqueles que o cercam.

# O TAMBOR

Tambor que marca
 As batidas de coração
De nossa Mãe Terra,
 Lembrando-nos de quem
Nos botou no mundo.
 Ritmo que une,
Pulsar de Flama e Fogo,
 Reflexo
Do desejo
 De nossos corações.

# 32
## O TAMBOR
## Ritmo/Tempo interno

**Ensinamento**

O Tambor veio para os Filhos da Terra na época do Segundo Mundo, que foi também a primeira Idade do Gelo. O Fogo acabara de ser descoberto, e os Clãs e famílias reuniam-se ao seu redor, partilhando juntos de seu calor. Os longos invernos eram passados no interior das cavernas, e eram aproveitados na preparação dos utensílios que seriam usados na primavera. Durante o inverno também se dançava, se tocava música e se realizavam cerimônias. Um osso de perna, que sobrou de alguma refeição, servia como baqueta para bater o ritmo. Peles esticadas sobre troncos ocos, de diversas larguras e profundidades, serviam para criar Tambores de tons variados.

No decorrer desta Idade do Gelo todas as cinco raças dos Filhos da Terra uniram-se às batidas do coração da Mãe Terra. Elas perceberam que a Mãe participava de suas cerimônias e sentiram que, ao bater os tambores, criava-se um ritmo comum, quase imperceptível, que parecia emanar da Terra. No interior de uma caverna, ou numa clareira da floresta, a batida do coração da terra afinava-se com a batida do coração de todos. Enquanto histórias das caçadas vitoriosas eram representadas diante da Fogueira o Tambor emitia um som grave e fazia circular uma energia que deixava todo o grupo em estado de frenesi.

Até hoje Povos Tribais de todas as partes do Planeta continuam dependendo do Tambor para despertar a energia de cada um dos participantes dos Rituais ou das Cerimônias. O uso do Tambor gera uma energia coletiva, que pode ser usada para ajudar em curas, orações, agradecimentos, viagens ou pedidos de informação. O Tambor pode ser usado como um mapa ou guia para aqueles que buscam os universos paralelos ou estados alterados de consciência. O Tambor conecta o coração da pessoa que empreende esta Jornada com a batida do coração da Mãe Terra, e lhe garante uma maneira segura de voltar ao corpo físico. O uso do Tambor como guia evita que a pessoa se perca no meio do caminho ou que perca seu equilíbrio interno ao sair em busca de outras realidades.

Os Xamãs vêm usando desde tempos remotos o som de flautas, de cantos, de animais ou de batidas de tambor como um mapa de estrada para que o homem alcance os outros níveis do seu mundo interno. O corpo costuma sofrer um desgaste muito grande sempre que o espírito é liberado de seu envoltório físico e sai em busca de outras realidades e dos universos paralelos. Quando o espírito permanece várias horas fora do corpo, os membros começam a ficar muito frios e rígidos. O controle da respiração reduz em muito o ritmo do coração e o corpo não permanece centrado em seu ritmo normal de atividade. Ocorre então um tipo de animação suspensa, permitindo que a força vital se concentre, como reserva, nas áreas mais necessitadas. Esta condição é um estado embrionário inativo. Este mesmo estado, conscientemente dirigido, de diminuição da velocidade do metabolismo é natural entre Golfinhos e Baleias.

O som do Tambor é percebido pelo ouvido e internamente sentido pelos Duas-Pernas. Isto dá à raça humana uma nova impressão do primeiro som que qualquer ser humano já ouviu. Esse som estava no útero e era um duplo batimento cardíaco. O coração do filho e o coração da mãe ressoam através da água da bolsa amniótica e espelham a ligação humana com a Mãe Terra. O Tambor pode ser usado para auxiliar o processo de religação fora do útero.

Sempre que existe um sentido profundo de conexão com a Mãe Terra, a energia da Confiança torna-se mais atuante e a pessoa consegue realizar Jornadas mais bem-sucedidas. Os Nativos Americanos, assim como os Povos Tribais das outras Quatro Raças, sempre viveram em harmonia com a Mãe Terra. Este senso de pertencer à Terra de forma natural capacitou os Xamãs a enxergar os outros mundos com facilidade. Aqueles que utilizam a batida do coração da Mãe Terra para cuidar de seus corpos, enquanto os espíritos viajam por universos paralelos, ficam relaxados e bem protegidos. Muitos Videntes e Sonhadores seguram uma Pessoa de Pedra na mão para não perder a ligação com a Terra enquanto empreendem a Jornada. Quando eu estava no México as Vovós Cisi e Berta me ensinaram como fluir junto com as batidas do Tambor e controlar as batidas do coração para que eu pudesse viajar para um novo Tempo e Espaço.

O dia estava quente e empoeirado. O Avô Sol emitia ondas límpidas e cristalinas de calor, que batiam nos leitos dos riachos secos e serviam para confundir minha visão do horizonte. Passei pelos gerânios que floriam nas latinhas de café e pelos cactos e flores que cresciam em velhas latas de suco pregadas nas paredes que cercavam o pátio. Empurrei suavemente a porta pintada de azul descascado e me encontrei na sombra refrescante da humilde sala de estar das duas Vovós.

Nesse dia havíamos combinado de conversar sobre ritmo. Vovó Cisi tirou uma pele de cascavel de uma cesta de plástico cor-de-rosa repleta de quinquilharias e mandou que eu me sentasse no chão de terra. Para começar conversamos sobre o ritmo da cobra e como ela traça trilhas em forma de S na areia. O movimento da cobra possuía um ritmo que ligava cada parte do seu corpo a todas as outras. A cobra esgueirava-se pelo deserto usando cada parte do seu corpo de modo a formar um conjunto gracioso que criava um ritmo próprio, fluente e contínuo. Esse ritmo unificado é muito curativo, já que todas as partes conseguem trabalhar em conjunto, como se formassem uma máquina bem ajustada. Vovó Cisi me explicou que as batidas irregulares diminuem a unidade rítmica do corpo, gerando enfermidades.

Quando a cobra descansa à sombra de um rochedo, a cessação do ritmo é compensada pela lembrança da atividade precedente. A cobra pode então confiar no batimento cardíaco da Mãe Terra, que pulsa no interior daquela Pessoa de Pedra, para conservar sua conexão Terrestre. Nisto Vovó Berta pegou o Tambor e começou a bater o ritmo que se afinava com o rastejar da cobra no solo do deserto. Depois mudou para a batida do Cervo e para a batida do Búfalo, mostrando-me as diferenças do ritmo de cada uma destas Criaturas conforme estivesse em repouso ou em atividade. E de cada vez eu consegui ouvir e sentir a pulsação dos animais como padrões diferenciados.

O Tambor-que-fala tocou o meu coração, e só então consegui entender a sua Magia. Cada Tantã transmitia uma mensagem diferente da outra. Cada tipo de batida falava da atividade de um animal específico, atacando, caminhando ou repousando. Os hábitos dessas Criaturas podiam indicar aos Duas-Pernas o que esperar no instante seguinte. Se uma Tribo fazia seu Tambor falar à maneira de um Búfalo em plena investida, a mensagem podia significar que as manadas se moviam na direção da Tribo que estava à escuta. Embora esse tipo de comunicação seja mais comum na África, foi usado também entre diferentes bandos da mesma Tribo ou Nação na América Nativa. Eu sorri ante a minha descoberta, depois voltei a prestar atenção nas batidas de Tambor que ressoavam na sala.

Vovó Cisi pediu então à Vovó Berta que fizesse soar a batida de um coração humano em repouso. Sentei-me, fechei os olhos, e senti o meu próprio coração começar a bater mais devagar, acompanhando o som do Tambor. Meu corpo balançava-se suavemente, e eu me sentia sintonizada com um novo padrão corporal unificado. Num certo sentido, eu estava descobrindo o centro do meu Espaço Sagrado pessoal. Não obriguei mais meu corpo a ser ou fazer determinadas coisas. Pelo contrário, deixava que ele encontrasse seu próprio ritmo. Aos vinte e dois anos foi uma descoberta fantástica perceber que eu tinha um ritmo próprio, que meu corpo tinha seu próprio ritmo, e que nós dois podíamos realmente operar juntos.


Tudo que é vida possui ritmo, seja no Mundo Físico, seja no Mundo Espiritual. O Tambor nos proporciona acesso aos padrões de força-vital que existem dentro e fora de nós mesmos, de modo que podemos compreender que tudo existe simultaneamente. Esta batida simultânea unificada é a pulsação de nossa Mãe Terra. Quando cruzamos a fronteira e entramos em universos paralelos, descobrimos que o batimento cardíaco unificado é o do Grande Mistério. Se já tivemos a experiência desses ritmos, podemos então partilhá-los, por intermédio do Tambor, para mostrar a outros os ritmos de toda a Criação.

## Aplicação

Se o Tambor falante falou com você, é porque você está sendo solicitado a descobrir seu próprio ritmo interno. Talvez você esteja forçando demais a barra ou atropelando o ritmo. De qualquer maneira, a falta de sincronia exige o realinhamento com as necessidades do corpo. Ritmo é coisa pessoal. Honrar o próprio ritmo é voltar a se harmonizar com o próprio eu. A partir desse ponto o bem-estar pessoal permite que você se harmonize com outros ritmos de vida.

O Tambor também diz que você deve se abrir para a ajuda que as batidas do coração da Mãe Terra podem lhe dar. Em outras palavras, sua mente pode estar supervalorizando a capacidade de seu corpo, e o corpo não pode puxar a necessária energia da Terra porque está tentando acompanhar o passo de seus pensamentos. Se isso é verdade, você está fora do compasso. Diminua a velocidade e redescubra a pulsação de sua verdadeira Mãe. Só assim a sincronicidade de seus movimentos não exigirá esforço algum.

Em todos os casos, o ritmo é a chave. Esteja atento a todos os ritmos e veja como o seu se encaixa. Se ele se sente bem, você se torna a música, e a dança que você está dançando se torna uma celebração da vida.

# DIMENSÃO DOS SONHOS

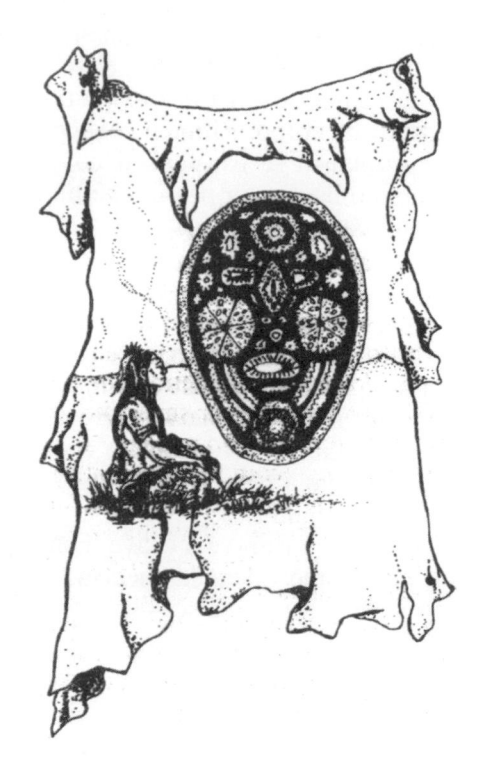

Dimensão dos Sonhos
Levando a outros reinos
Inseridas no Todo.
Corpo sutil que vagueia
Trazendo
Soluções para a Alma.

Tocando Espaços Sagrados,
Atravessando a Via Láctea.
Viagens a estrelas distantes,
Que unem
A noite ao dia.

# 33
# DIMENSÃO DOS SONHOS
## Visão ilimitada

**Ensinamento**

Nos dias atuais vêm se difundindo muitas informações erradas acerca da Dimensão dos Sonhos. Assim, senti que seria muito importante partilhar os ensinamentos que recebi a fim de repassar àqueles que realizam Viagens fora do corpo um antigo Sistema de Conhecimentos.

Segundo a Tradição Choctaw, existem quatro espécies de sonhos. Esses sonhos das horas de sono são os que se produzem quando você está dormindo. O primeiro tipo de sonho é um sonho de "propriedade" e pressagia acontecimentos que trarão bens materiais ao sonhador. Este sonho é provocado pelos Guias do indivíduo adormecido, sendo chamado também de sonho de "riqueza". Seu objetivo é mostrar quais as situações materiais que poderão propiciar abundância àquela Tenda. Através desse tipo de sonho pode-se prever o nível de prosperidade que aquela pessoa terá durante o resto de sua vida.

O segundo tipo de sonho é um sonho "sem importância". Neste tipo de sonho tudo aquilo de que a pessoa se lembra, ao despertar, são retalhos ambíguos ou incertos de pensamentos soltos. Esses sonhos não têm nenhum valor real, em virtude da falta de informação apresentada, e são os mais baixos em importância na escala dos Totens. Esses sonhos são também denominados de sonhos que "não denunciam nada", porque nenhum segredo é revelado.

O terceiro tipo de sonho é um sonho de "desejo" e pode conter as esperanças do sonhador com relação a seu futuro, que nem sempre se manifestam fisicamente, porque a confiança não lhes dá apoio. Se esse tipo de sonho é sonhado por outra pessoa e tem você dentro dele e você é informado disso, o sonho pode ter algum valor positivo. É claro que ele pode não se realizar devido ao fato de você ter livre arbítrio. Em termos modernos, o sonho de "desejo" pode ser o plano quimérico de alguém que está sempre tendo sonhos de grandeza mas não trabalha para esses objetivos.

O quarto tipo de sonho é um "Sonho de Cura" e traz a visão do futuro de uma pessoa de forma correta e impecável. Esse tipo de sonho das horas de sono é um dom raro e é o tipo mais procurado por aqueles que sondam o Vazio. É um costume tribal não falar desses sonhos a ninguém até que uma outra pessoa tenha sido avisada por uma visão aparecida nos momentos de vigília que você teve um Sonho de Cura. Nesse ponto, se o Sonho de Cura era algo que viria a ajudar toda a Tribo ou Nação, o sonhador podia decidir se devia, ou não, "abrir a visão", contando-a aos outros. Se a visão tida pelo outro quando desperto fosse compartilhada, e se os anciãos vissem o valor do sonho original ocorrido durante o sono, podia o sonho determinar futuros planos da Tribo. Ainda hoje é importante acreditar nos Sonhos de Cura e segui-los. Negar um tipo de mensagem tão importante seria o mesmo que negar o valor da Cura Grupal.

Nos tempos antigos, quando um Sonho de Cura não era atendido, os Guias de Cura poderiam se negar a prestar qualquer auxílio dali por diante. Quando alguém renegava a sua própria Magia, poderiam seguir-se anos de muita amargura, repletos de um profundo sentimento de frustração. Por isto, raramente o sonhador deixava de colocar em prática as mensagens que o sonho havia sugerido.

Estes são os sonhos que decorrem das *horas de sono, mas não são os sonhos acordados que provêm dos momentos de sonho.* Joaquin foi muito cuidadoso quando começou a me iniciar nas Viagens pela Dimensão dos Sonhos. Esses sonhos acordados representam jornadas fora do corpo e sobrevêm naqueles instantes em que você está totalmente consciente de que seu corpo físico está inserido no mundo, estando, ao mesmo tempo, consciente de estar dentro do sonho. A Dimensão dos Sonhos é um universo paralelo. Todas as coisas que ocorrem nesse tempo e espaço paralelos afetam diretamente a nossa realidade física.

Na realidade paralela da Dimensão dos Sonhos sua alma ou seu espírito operam continuamente, enviando-lhe um tipo de informação necessária para que você possa estar consciente de todas as coisas que estão acontecendo na vida física. E como isto se dá? Normalmente, na Dimensão dos Sonhos, seu espírito ou duplo do corpo consegue captar algum fragmento de uma informação que você necessita obter. Já que a Dimensão dos Sonhos constitui uma realidade paralela, ela pode se assemelhar a uma duplicata exata do local onde você se encontra. A principal diferença é que neste outro nível não existem limitações. Assim como você não está usando seu corpo físico nesta Dimensão dos Sonhos, você consegue, por exemplo, voar pelo espaço, atravessar paredes ou mergulhar dentro de um solo rochoso.

Os sonhos despertos da Dimensão dos Sonhos, obtidos em estado de Vigília, podem volver à tona durante a realidade do sono toda vez que houver uma necessidade muito grande de obter uma informação. Muitos Sonhadores em nosso mundo moderno estão tão ocupados com sua vida cotidiana que as suas visões da Dimensão dos Sonhos precisam se impor nos seus momentos de sono para que eles se deem conta de suas mensagens. Creio que esta foi a razão pela qual as diferenças entre os dois níveis ficaram tão confusas nos últimos anos. No mundo de hoje, os Sonhadores não são tão reconhecidos e acatados como eram no passado. Um Sonhador era altamente respeitado e ocupava um posto de honra em sua Tribo ou Nação. O papel do Sonhador era equivalente ao de um profeta ou curandeiro nos dias de hoje.

Os Sonhadores usavam diversos instrumentos que lhes permitiam atravessar as barreiras do Tempo e do Espaço até conseguirem "ver" ambas as realidades. Alguns Sonhadores eram capazes de sair do corpo empregando a batida dos Tambores, enquanto outros "fumavam a pessoa" necessitada de cura. Ambas as técnicas ajudavam o Sonhador a penetrar na realidade passada ou futura, em busca das respostas necessárias para efetivar a cura de um paciente. Se a pessoa em busca de tratamento estiver parada na bifurcação da trilha, atravessando uma crise de indecisão, pode ser trazida de volta ao Caminho Sagrado através destes métodos de cura.

A realidade da Dimensão dos Sonhos é tão antiga quanto o nosso universo e contém todos os portões que nos permitem abrir novos níveis de consciência. Muitas "almas transmissoras" que já haviam sido sonhadoras antes estão despertando agora para reencontrar sua habilidade de viajar pela Dimensão dos Sonhos. Uma "alma transmissora" é aquela que trouxe dons e habilidades adquiridas em outras vidas para serem usadas na sua vida atual. Em geral, esses talentos já haviam sido bem desenvolvidos anteriormente, e os sinais se manifestam muito claramente durante a infância.

Alguns desses talentos conservam-se em estado latente porque não são utilizados. Pode-se voltar a desenvolver estas habilidades contatando os quatro Animais-Guias mais fortemente ligados à Dimensão dos Sonhos. A Libélula é a Guardiã do Portal. É ela que permite que os Portais para as outras dimensões sejam abertos, através do rompimento da ilusão física. O Lagarto é o Guia dos sonhos diurnos. O Cisne é o Guardião daqueles momentos em que nos rendemos ao impulso e ao magnetismo da Dimensão dos Sonhos. Por último, temos o Golfinho, que nos ensina a entrar nesses reinos através do uso da respiração.

## Aplicação

Se a Dimensão dos Sonhos o chamou, você está sendo solicitado a ver com Visão Ilimitada. Retire a poeira dos olhos e comece a prestar atenção às mensagens que está recebendo do universo paralelo. Nosso mundo está repleto de possibilidades. Qualquer Tempo é Agora. Você é um cocriador dos dois mundos e basta pedir para chegar a ter uma visão e um conhecimento ilimitados. Você poderá receber as informações necessárias num sonho, enquanto estiver dormindo, ou, ainda, numa viagem fora do corpo. A Visão lhe trará a orientação necessária para este momento de sua vida.

A Visão Ilimitada permite ao buscador rasgar o véu da inconsciência para alcançar o conhecimento interior. Em todos os casos, esta carta assinala uma fase em que a Verdade deve ser buscada em todos os níveis da Criação. Está lhe sendo dada agora a possibilidade de alcançar mais além do que aquela realidade que é normalmente aceita. O casulo se abriu, confie em você mesmo, nos seus Guias, e no seu Poder Pessoal. Este é um momento propício para alçar voo.

# CESTA DE CARGA

Cesta, carrega o meu pesar,
    Para dar-me forças, e continuar.
Cesta de Carga,
    Não me faças atirar
O meu fardo em costas alheias!
    Cesta de Carga,
Canta pra mim,
    Enquanto dura o inverno,
Fazendo-me recordar
    O calor do verão,
Tentando aquecer
    Este corpo cansado.

# 34
## CESTA DE CARGA
## Autoconfiança

**Ensinamento**

Dentro de nossa Tradição Nativa Americana já não há mais muita utilidade para a Cesta de Carga nos dias de hoje. A Cesta Tradicional passou a ser substituída por caixas de papelão, empilhadas na carroceria de um caminhão que percorre a reserva indígena. Para nos lembrarmos do uso que se dava originalmente às Cestas de Carga, precisamos empreender uma viagem no tempo, até a época em que nosso povo ainda vagava livremente pela Mãe Terra, sem estar restrito a cercas e demarcações de fronteiras.

Nos tempos em que a Trilha das Lágrimas ainda não havia forçado a orgulhosa Raça Vermelha a viver confinada dentro das reservas, as mulheres costumavam catar lenha para cozinhar os alimentos ou para alimentar as Fogueiras das Avós, que eram usadas para aquecer o interior das Tendas. As fogueiras receberam este nome porque a lenha era tão pequena que até mesmo uma avó conseguia carregá-la. A lenha era colocada numa Cesta de Carga, deixando as mãos livres para colher e carregar tubérculos, cerejas silvestres ou ervas para o cozimento. A Fogueira da Avó era construída com gravetos, e produzia muito pouca fumaça para não poluir a tenda e os pulmões dos moradores. Uma Fogueira da Avó é suficiente para aquecer a tenda inteira, até mesmo no inverno, e fornece luz e calor suficientes para as atividades noturnas como a refeição da noite e a costura de novos mocassins.

As mulheres nativas jamais eram obrigadas a carregar um peso maior do que aquele que cabia em suas respectivas Cestas de Carga. Sempre que a Cesta não estava sendo utilizada, ficava pendurada do lado de fora da Tenda. Havia um motivo para isto. A etiqueta nativa americana difere muito da de outras culturas e exigia que seus costumes fossem honrados por todos os membros da Tribo.

É claro que não se consegue bater à entrada de uma Tenda Nativa da mesma forma que se bate à porta de uma casa. Para receber a permissão de entrar no Espaço Sagrado de um lar Americano Nativo, devia-se primeiro arranhar de leve, com os dedos, a porta de entrada. Considerava-se que cada moradia era o Espaço Sagrado da Família; por isto, quando não se obtinha resposta, sabia-se que não era o momento de entrar. A família podia estar ocupada saboreando uma refeição, reunindo um Conselho de Família, ou, simplesmente, querendo um pouco de privacidade. A decisão da família sempre era respeitada. Ninguém se sentia ofendido por uma recusa porque a ideia do Espaço Sagrado era compreendida por todos. A Cesta ficava sempre pendurada do lado de fora. Quando a permissão de entrar era concedida, a Cesta lembrava ao visitante de que deveria deixar suas queixas ou problemas pessoais na Cesta de Carga antes de penetrar no Espaço Sagrado de outra pessoa. O costume era respeitado; caso contrário, o visitante era impedido de entrar novamente naquela casa.

O local certo para buscar alívio a algum problema era a casa dos Anciões. Neste local abria-se uma exceção para a regra de deixar todos os problemas do lado de fora. Quando alguém ia em busca de um conselho, dirigia-se a um Ancião, um parente ou um Xamã, levando uma oferta em Tabaco, um cobertor, um Manto de Búfalo ou algum outro presente do gênero; o presente dependia da importância do favor solicitado. Este encontro geralmente se dava em caráter privado, e a pessoa que havia buscado conselho deveria esperar três dias pela resposta. Somente no quarto dia era dada a decisão. Durante este intervalo de três dias, a pessoa sábia que havia sido procurada tinha tido tempo suficiente para fumar a resposta, ou sonhar a solução. Estes sábios não tinham a obrigação de dizer mais do que um "sim" ou um "não", porém costumavam aproveitar a ocasião para transmitir seus ensinamentos, contando ao buscador alguma história.

Às vezes o Grande Mistério determinava que a pessoa continuasse carregando aquele fardo por mais algum tempo, já que ali havia uma lição de vida a ser aprendida. Esta decisão era aceita de boa vontade, pois sabia-se que ela ajudaria a firmar o caráter. Hoje em dia, em nosso mundo moderno, muitos buscadores pedem conselho e depois não o seguem. Porém naqueles tempos as instruções dadas por uma pessoa sábia a um membro da Tribo eram consideradas sagradas e intocáveis. Pela nossa Lei Tribal os indivíduos autorizados a dar respostas possuíam o dom de se comunicar diretamente com os Ancestrais e com os seus Guias de Cura. Sempre que um buscador se dispunha a procurar conselho, sentia-se preparado internamente para obedecer ao pé da letra à decisão tomada.

As Cestas de Carga possuíam inúmeras utilidades para o nosso Povo. As mulheres conseguiam manter a tenda ou o acampamento em ordem, carregando madeira, ervas, tubérculos, grãos, sementes e frutas nestas cestas. Ao servirem de guardiãs da casa, as Cestas eram um lembrete de que se deveria respeitar a felicidade e a privacidade do Espaço Sagrado de cada família. Quando a Cesta ficava pendurada do lado de fora de cada tenda, tinha a função de lembrar a cada visitante a força de caráter necessária para deixar fora os problemas pessoais antes de entrar. Entrar na casa dos outros carregando uma nuvem negra de preocupação ou inquietude era considerado falta de educação. Saber viver o momento presente para tornar-se um hóspede sempre bem-vindo exige muita força de caráter. Se cada um tivesse respeito e consideração pelo Espaço Sagrado dos outros, antes de falar ou agir, se encontraria facilmente o equilíbrio em todas as situações da vida comunitária. As Cestas são um símbolo da força interna necessária para encontrarmos o nosso próprio direcionamento e assumirmos os nossos fardos pessoais, sem jogá-los em ombros alheios. As Cestas ainda nos ensinam a importância de buscar as nossas próprias respostas através da ligação com o Grande Mistério e com os nossos Guias de Cura.

A palavra-chave que sintetiza todos os conhecimentos da Cesta de Carga é "Autoconfiança". É preciso conhecer a nossa capacidade física, e medir a carga que colocamos às costas, para perceber o limite do número de cestas que conseguiremos carregar. É preciso ter um coração forte para sentir compaixão pelo fardo dos outros, mas sem querer carregar este fardo como se fosse nosso. É necessário possuir um caráter forte para não aumentar ainda mais os problemas alheios, através de queixas ou maledicências. Também é preciso possuir muita sensibilidade para perceber qual a maneira certa, e o momento exato, de se dirigir aos outros. O equilíbrio pessoal proporciona a base para a autoconfiança necessária nos dias de hoje. A nossa segurança interna fica reforçada quando se acredita firmemente no poder pessoal e só se sai para buscar conselho externo quando todos os outros meios já foram esgotados. No dia em que os Filhos da Terra aprenderem a ter autoconfiança, e a viver em uma saudável interdependência, a nossa Cesta de Carga comum poderá ser purificada pelo Fogo da Criação. A fumaça que se elevar deste Fogo simbolizará a resposta para todas as orações do Quinto Mundo da Paz.

## Aplicação

Se você está carregando uma Cesta de Carga hoje, esta carta está sugerindo que você apele para a sua força interior e se torne mais autoconfiante. Ser capaz de se livrar dos fardos, encontrando as próprias respostas internas, pode levá-lo a grandes realizações. Os problemas sempre deixam de ser fardos pesados no instante em que se encontram soluções para eles.

A Cesta de Carga também nos ensina a não jogarmos nossas queixas na porta dos outros. Quando confiamos em nós mesmos, e em nossa ligação com o Grande Mistério, aprendemos a valorizar o nosso potencial. Não desperdice o precioso tempo de outras pessoas se você não pretende respeitar a sabedoria que lhe é oferecida. Por outro lado, saiba que não é sua função resolver os problemas alheios. Todos têm direito à autoconfiança, e você não deve privar os outros deste direito.

Em todo caso, nós só carregamos mesmo aqueles fardos que queremos carregar. Porém, se acharmos que somos os maiorais, ou que somos muito importantes só porque carregamos tanto peso às costas, convém rever os nossos conceitos de autoimportância. O lembrete que esta carta nos traz é de que nós todos possuímos a capacidade de desenvolver a autoconfiança, e de que devemos utilizar os nossos dons para encontrar as próprias soluções. A melhor resposta é sempre aquela que é igualmente compartilhada por todos aqueles que viajam no Caminho Sagrado.

# O XALE

A Mãe Terra acolhe em casa seus filhos
Quando eles se extraviam.
O caminho era ermo e comprido,
Ela lhes sussurra que fiquem,
Sob a proteção do Xale,
Onde o amor volta a habitar.
Seus corações podem abrir-se para recordar
Todos os Parentes como seus amigos.

# 35
## O XALE
## O retorno ao lar

**Ensinamento**

Existem muitas pessoas pelo mundo afora que já ouviram esta expressão: "O lar fica ali onde está o coração." Os grupos nômades de Americanos Nativos tinham consciência de que, cada vez que levantavam acampamento e se mudavam para outro local, o seu lar se mudava junto com eles. O lar não era constituído somente pelas residências móveis ou pelos pertences do Povo Tribal, mas, acima de tudo, representava a ligação com a Mãe Terra e o relacionamento entre as pessoas da Tribo. O lar de qualquer cigano, nômade ou viajante, vive dentro do coração dos entes queridos que representam segurança e proteção onde quer que o viajante esteja.

Os Nativos Americanos foram os Guardiães da terra durante vários séculos. Na época em que foram obrigados a seguir a Trilha das Lágrimas, e a abandonar as áreas onde viviam, o sentimento de perda foi devastador. Eles só tinham a uni-los os Ensinamentos Vivos que representavam o Espírito do Povo. Cada uma das Tribos sabia que poderia erigir um novo lar em outro local, pois enquanto os Ensinamentos estivessem vivos, o Espírito do Povo também continuaria vivo.

Terminada a fase da Trilha das Lágrimas, muitas tradições novas começaram a brotar das cinzas do espírito alquebrado do Povo. A Cerimônia do Peiote, a Tomada do Xale, assim como diversos ensinamentos, assinalaram o árduo caminho da volta ao coração, ao espírito e ao lar da América Nativa. Pouco antes do início da Ilha das Lágrimas, a Dança dos Espíritos transformou-se em uma Tradição. Sua intenção original era chamar o Búfalo de volta, purificar as águas e promover o retorno da relva às pradarias, além de expulsar os Olhos Brancos do Solo Sagrado.

A Tomada do Xale é um Ensinamento Paiúte pouco conhecido, que surgiu numa época em que alguns membros da Raça Vermelha não conseguiam mais viver no mundo dos brancos. Estes Nativos Americanos que escolheram voltar para casa e abraçar os Ensinamentos dos seus Anciões foram os primeiros a Tomar o Xale. O Xale simbolizava o retorno ao lar e aos braços da Mãe Terra, e significava sentir-se envolvido pelo seu amor e pela sua proteção. Quem quisesse merecer a Tomada do Xale deveria retornar aos Ensinamentos Tradicionais da Tribo, pedir permissão para viver entre o Povo e seguir honrando os caminhos dos Ancestrais.

Aqueles que se decidiram a Tomar o Xale mudaram-se das casas de tábua fornecidas pelo Departamento de Questões Indígenas e voltaram a residir nas Tradicionais habitações dos Paiútes, denominadas Karnees. Embora as casas de tábua fossem muito mais quentes, aqueles que haviam Tomado o Xale ficaram muito felizes por voltar a viver em seu Karnees. Seus corações voltaram a encontrar um lar nos Ensinamentos Tradicionais da Boa Estrada Vermelha. Por isso os aspectos de conforto material já não lhes importavam tanto.

Durante os anos que se seguiram à Trilha de Lágrimas, muitos Nativos Americanos deixaram as reservas e mudaram-se para as cidades, em busca de trabalho, terminando por perder contato com os Ensinamentos Tradicionais. Muitas gerações de Nativos casaram-se com pessoas de outras raças e alguns perderam totalmente o contato com a Mãe Terra. Porém, com o passar dos anos, os Ensinamentos Tradicionais começaram a chamar a atenção da população em geral, o que levou muitos Nativos Americanos a retornar aos costumes de seus Ancestrais. Muitos dos filhos mestiços da Raça Vermelha, às vezes chamados Matée, também escolheram seguir a Boa Estrada Vermelha. Atualmente, estamos no Tempo do Búfalo Branco e pessoas das mais diversas raças estão Tomando o Xale.

As Avós do Círculo Feminino do Búfalo da Dimensão dos Sonhos me ensinaram que no Tempo do Búfalo Branco muitas coisas viriam a acontecer. Sua profecia era de que o retorno do Búfalo à Ilha da Tartaruga marcaria o retorno de muitos Ancestrais Vermelhos que não voltariam necessariamente à Boa

Estrada Vermelha dentro de corpos Vermelhos. Muitas pessoas ficariam bastante confusas por não possuírem sangue indígena, e ainda assim serem Vermelhas por dentro e Brancas por fora. Vovó Cisi me contou que o Grande Mistério ia brincar de Heyokah com todos aqueles que se recusassem a honrar o caminho dos outros. Vovó Berta disse que alguns membros do Povo Nativo iriam repudiar os Professores Nativos que se dispusessem a partilhar suas Tradições com todas as outras raças. Nisto Vovó Cisi começou a dar boas gargalhadas recordando-se da rancorosa batalha de egos que ela havia conseguido enxergar em seu Vaso Mágico. A rixa seria provocada por todos "daquele povo" que afirmariam ser os únicos verdadeiros Professores Nativos. Porém ambas as Avós me asseguraram que estes sentimentos de inveja e de ciúme poderiam servir para forjar o caráter de todas as pessoas envolvidas, e seriam dissipados à medida que a presença do Quinto Mundo da Paz fosse sendo estabelecida.

A diferença entre "O Povo" e "aquele povo" é que os membros do Povo trilhavam cada vez mais o Caminho Sagrado, justamente porque o comportamento "daquele povo" lhes fazia recordar a necessidade de continuar Caminhando em Beleza. Este Ensinamento pode ser aplicado a qualquer raça. O Povo sempre é constituído por aquelas pessoas que Tomaram o Xale, e que passaram a viver em Harmonia, preocupando-se em honrar o Espaço Sagrado de todas as formas de vida.

Quando Tomamos o Xale, aprendemos que a Mãe Terra ama todos os seus filhos e acolhe todos os que voltam para casa, por mais desobedientes que tenham sido. Nós não estamos aqui para curar a Mãe Terra; ela é capaz de se curar sozinha. Nós estamos aqui para nos curarmos e assim podermos descobrir os nossos papéis na Criação. Durante os quatro mundos anteriores, a Mãe Terra se purgou de muitas civilizações que não honravam seu direito à vida. A Mãe Terra tem o potencial e a capacidade de se limpar novamente se houver necessidade. Isto não quer dizer que os Duas-Pernas devam parar de se preocupar com os danos já causados; pelo contrário, essa preocupação faz parte do nosso papel humano enquanto Filhos da Terra.

Cada pessoa que Toma o Xale encontra seu próprio equilíbrio. Ao Tomar o Xale, aprendemos a reconhecer a beleza que existe em cada expressão única da Criação, seja ela Humana, das Criaturas, das Pessoas-Plantas, das Pessoas-Pedras, ou, até mesmo, dos nossos piores inimigos. Algumas pessoas podem achar muito pesado carregar o Xale em seus ombros, já que isto significa assumir o compromisso de viver o tempo todo em harmonia.

No decorrer dos séculos surgiam novas ideias e tradições entre o Povo Nativo Americano toda vez que se sentia necessidade de uma renovação. Nas mais de 380 Tribos da América do Norte há centenas de Tradições que não podiam evidentemente ser mencionadas neste livro. Seria uma tolice dizer que uma Tribo tinha o privilégio da Tradição. Seria muito limitador dizer que elas tinham sido formadas nos únicos métodos Nativos Tradicionais. Tomar o Xale também significa que se deseja trocar informações e deixar que vivam todos os Ensinamentos Tradicionais para que a excelência de cada um possa ser compartilhada por muitos. É tempo de se livrar do "Eu" e Tomar o Xale que cobre o eterno "Nós".

## Aplicação

Se o Xale caiu sobre os seus ombros, você está sendo convidado a voltar para casa. Se você se esqueceu de você mesmo recentemente, chegou o momento de recordar sua essência e seu potencial. Se você penetrou num atalho tortuoso ao julgar perfidamente os outros, chegou a hora de retornar ao lar do coração amoroso e reconhecer o valor existente em todas as lições e em todas as estradas percorridas.

Talvez você esteja voltando para casa, ou seja, para o encanto e a magia com que conviveu no passado, ou então para um novo estado de euforia e felicidade. Em todo caso, você está retornando a um modo de ser que já fez parte de seu passado, e que ficara esquecido por uns tempos. Todo mundo sente a necessidade de buscar a forma mais simples de viver feliz. Se você se esqueceu de buscar aquelas verdades tão simples, e que já lhe trouxeram tanta alegria interior, está na hora de voltar para casa.

Vestir o Xale é voltar para casa, para os braços da Mãe Terra; é voltar a ser amado. Tome o seu Xale, e sinta também a responsabilidade de amar os outros, de amar aqueles que se esqueceram de trilhar o Caminho Sagrado, que não encontraram ainda o Caminho de volta ao lar.

# SERES-TROVÃO

Seres-Trovão nos trazem
    O Fogo dos Céus,
Energia para a Mãe Terra,
    Criação Divina.
Voa,
Rasga o ar,
Chega até nós
    Choque elétrico
Que nos transforma,
Trazendo
A verdadeira essência
Do amor
De volta
Aos nossos corações.

# 36
# SERES-TROVÃO
## Potencial de energia

### Ensinamento

Os Seres-Trovão representam a mensagem de amor enviada pela Nação do Céu. Os Bastões de Fogo, ou raios, constituem um raro presente que o Pai Céu envia à Mãe Terra. Os Trovões que acompanham uma tempestade transmitem o chamado que anuncia a Divina União da Terra com o Céu. Os Seres-Trovão constituem a hoste de amantes que dão energia à Mãe Terra. O Chefe do Trovão proclama a beleza do amor entre o Pai Céu e a Mãe Terra. Os Bastões de Fogo criam uma ponte entre os dois amantes e são uma expressão física do amor que um sente pelo outro. O Povo Nuvem se reúne no local em que será realizada a dança da união, para abrigar o Chefe Trovão e os Bastões de Fogo dentro de seus corpos, até que chegue a hora da festa.

E através desta intrincada dança de União nossa Mãe Terra é reenergizada para que a vida possa continuar através das Chuvas revigorantes que alimentam o seu corpo. Nossa Mãe Terra possui uma natureza magnética; por isso necessita das energias elétricas que são supridas pelos Seres-Trovão. O Povo Chuva se encarrega de reciclar a umidade do Mundo do Céu e de devolvê-la à Mãe Terra, para que seu corpo possa alimentar todas as coisas que são verdes e que crescem.

O Pai Céu cobre carinhosamente a Mãe Terra, todos os dias, com o seu manto azul. Nós, os Duas-Pernas, podemos visualizar a beleza do seu amor por ela toda vez que o Povo Nuvem se agrupa e os pensamentos gerados por esta união assumem forma física. Em nossa linguagem Seneca, *Haillo-wayain* é a linguagem do Amor. Esta linguagem do Amor promove a união entre o Pai Céu e a Mãe Terra.

Assim como a Mãe Terra necessita do amor e do calor do Avô Sol para suprir as necessidades de todos os seus filhos, podemos ver tempestades, raios e chuvas sempre que ela e o Pai Céu começam a dançar a Dança Sagrada da União Divina. O Chefe do Trovão grita em *Hail-lo-way-ain* para que a Mãe Terra o escute e se prepare para encontrar o seu noivo. A Energia de Fogo que corre entre eles forma os Raios, os Bastões de Fogo. Este fogo chega a terra e é distribuído ao longo da rede sutil de meridianos de energia que recobre a superfície da Mãe Terra.

Quando um Bastão de Fogo atinge a Mãe Terra em determinado lugar, emite uma corrente elétrica que percorre grandes distâncias. Em seu trajeto, ela vai reenergizando os locais que necessitam da energia masculina do Pai Céu. As necessidades específicas de todas as partes de seu corpo são supridas pelos Seres-Trovão, pois eles são os Guias de Cura ou os Ajudantes do Pai Céu.

O ato de amor entre a Mãe Terra e o Pai Céu pode dar-se de maneira gentil e carinhosa, ou de forma tórrida e apaixonada. Este amor é sentido pelos filhos da Terra através das mudanças de temperatura e das alterações no clima. A liberdade de ação da natureza expressa-se sob a forma de enchentes e queimadas, vendavais e tornados, furacões e tufões. Qualquer destes fenômenos naturais termina por suprir as necessidades de nossa Mãe Terra e deve ser encarado como sendo um fator muito positivo para todas as criaturas vivas. O Grande Mistério rege todos os fenômenos que acontecem no Unimundo e cada um de seus atos corresponde a uma necessidade de mudança e de crescimento.


Minha própria vida foi salva, em março de 1986, pela ação dos Seres-Trovão. Eu voltava para a Califórnia em meu carro, atravessando o Estado de Utah, depois da passagem de meu avô para o Acampamento do Outro Lado. Em minha companhia vinha um jovem que sofria de graves distúrbios emocionais e que havia me procurado em busca de conselhos e de cura. Naquele dia havíamos combinado de viajar em silêncio total e eu havia lhe passado o volante do meu carro.

Nós íamos pegar um atalho sobre uma passagem que só era usada normalmente durante o verão. Após subirmos uns dez quilômetros, começamos a avistar neve. Nós nos dirigíamos para o local onde vivia o Xamã Trovão Retumbante, em busca de ajuda para o meu companheiro de viagem. Eu mesma estava bastante assustada com o estranho comportamento que ele vinha tendo desde o início da viagem, dois dias antes, e estava em busca de orientação.

Quando ele passou por uma placa que alertava acerca da neve e das péssimas condições da estrada sem lhe dar a menor atenção, eu quebrei o silêncio. Escurecia rapidamente. Falei-lhe de minha preocupação, pois o mapa indicava que a passagem tinha cerca de três mil metros de altura e que só havia uma estrada estreita de cascalho, bem no alto. Nisto o rapaz perdeu todo o controle, pisou fundo no acelerador e mergulhou o carro num banco de neve de dois metros de espessura, que recobria toda a estrada. Derrapamos sobre o gelo, e o carro acabou pendurado, precariamente, sobre a beira da estrada.

O Povo Nuvem havia se juntado no Céu e o Avô Sol já estava quase desaparecendo na linha do horizonte. Por alguns instantes fiquei paralisada de medo. Eu nunca havia encontrado Trovão Retumbante, mas Vovó Twylah sempre dizia que ele era um Xamã competente e muito sábio. Por isto entrei no Silêncio e pedi sua ajuda. Neste exato momento o pedido do meu coração alcançou o Povo Nuvem, e um estrondo dos SeresTrovão encheu-me de coragem. Percebi que o jovem estava buscando a morte, e que, se fosse necessário, me levaria junto com ele.

Ouvi claramente a voz do espírito de meu Avô recomendando-me que reagisse. "Mas não sei como", retruquei. Sua voz recomendou que eu pegasse a machadinha do acampamento que estava no banco traseiro e que fosse seguindo as suas instruções. Foi o que eu fiz. Virei-me para o rapaz, furiosa, e mandei que saísse do carro. Ordenei-lhe que começasse a cortar galhos de Salva e que os colocasse sob os pneus do carro, para dar-lhe tração. Enquanto ele estava ocupado, chamei os Seres-Trovão para pedir ajuda e voltei a invocar os poderes de Trovão Retumbante, o Xamã que vivia em Carlin, no Estado de Nevada. Voltei para o carro e senti que os Seres-Trovão acalmavam o meu coração, avisando-me de que o socorro já estava a caminho. Acionei o motor, e consegui recolocar o carro na pista de cascalho, no centro da estrada. Menos de dez minutos depois aparecia outro carro. No velho Impala verde que se aproximava, viajava uma família. Era um jovem casal, com seus filhos muito louros. O pai das crianças ajudou o rapaz que vinha comigo a empurrar o carro, enquanto eu ficava ao volante e ligava o motor. Por fim, o carro acabou transpondo a avalanche de gelo e a neve acumulada durante o último inverno. Agradecemos à família e perguntamos por que eles não haviam respeitado o sinal avisando que a estrada estava bloqueada. O homem explicou que uma pessoa, num posto de gasolina da cidade que ficava próxima dali, lhe havia informado que aquela estrada continuava aberta ao trânsito.

Combinamos de dar meia-volta e retornar juntos. Depois da quinta curva da estrada olhei para trás, pois havia perdido de vista os faróis do Impala. Parei e fiquei esperando. Por fim, ignorando os gritos do meu acompanhante, dei meia-volta, e retornei para procurar a família. O rapaz ia ficando cada vez mais irritado, a ponto de me deixar assustada. Já era noite, chovia, ele estava com fome e, além do mais, não via motivos para que devêssemos voltar. O Impala, porém, havia desaparecido. Nada de carro, nenhuma marca de pneu ou de acidente, ninguém na encosta das montanhas... Eles haviam simplesmente desaparecido! Eu sei que esta história é um destes mistérios que eu jamais conseguirei explicar. Só sei que sou uma pessoa bem protegida. Acabei nunca me encontrando com Trovão Retumbante, mas continuo honrando o seu Poder de Cura. A partir daquele dia, os Seres-Trovão também tornaram-se meus Guias. Eles conseguiram me provar que amam e ajudam as pessoas que acreditam neles.

Naquele dia aprendi com os Seres-Trovão Retumbantes, com os Bastões de Fogo e com os Povos da Nuvem e da Chuva que eu poderia ser forte em face da morte. Eles também acabaram com o meu medo de ser controlada por outra pessoa. Além do mais, me ajudaram a vencer o sentimento de culpa e de incapacidade de ajudar, quando recebi a notícia de que o rapaz havia se suicidado, um mês depois. Os Seres-Trovão possuem a capacidade de nos insuflar coragem e de nos fazer vencer o nosso sentimento de perda, através da compreensão do Plano Maior que está por trás de todos os acontecimentos.

A união amorosa da Mãe Terra com o Pai Céu traz um sopro de renovação a todo o conjunto da Criação. A nossa renovação pessoal, que é refletida pela Natureza, pode ser alcançada toda vez que conseguimos dominar os nossos medos, abrindo-nos para um novo processo de crescimento, deixando de lado os velhos hábitos e permitindo-nos receber amor e proteção. Os Seres-Trovão nos proporcionam a energia pura de que necessitamos para poder renovar e modificar nossas vidas. Nós, os seres humanos, somos Catalisadores que possuem corpos eletromagnéticos com polaridades de emissão e recepção. Quando vivemos em Harmonia, formamos a ponte que liga a Terra ao Céu. A nossa própria natureza também possui as energias masculina e feminina da Mãe Terra e do Pai Céu. Para poder fazer uso adequado de todo o nosso potencial de energia, precisamos aprender primeiro a equilibrar as nossas polaridades masculina e feminina.

## Aplicação

A carta dos Seres-Trovão está lhe dizendo que você é um catalisador e pode começar a utilizar todo o potencial de energia que está ao seu alcance. Você está recebendo agora toda a energia necessária para concretizar a tarefa que tem em mente. Se você vinha fazendo tentativas infrutíferas até agora, ou não tinha acumulado ainda a energia suficiente para levar os seus planos adiante, esta carta lhe indica que as coisas vão melhorar. Você já pode esquecer o sentimento de frustração e seguir em frente. A Energia, agora, é toda sua. Canalize-a e faça dela o melhor uso possível.
    O potencial de energia que chega até você pode ter diversas origens. Veja primeiro qual o tipo de energia que se aplica melhor à sua presente situação e a seguir invoque-a. Seu corpo servirá como para-raios e saberá canalizar toda a energia necessária. Grite seus planos em direção à Nação do Céu. Os Seres-Trovão estão aí mesmo para lembrar-lhe que é necessário saber equilibrar a própria energia, repondo a cada vez, em seu organismo, a quantidade de energia equivalente àquela que foi despendida.

# O GRANDE MISTÉRIO

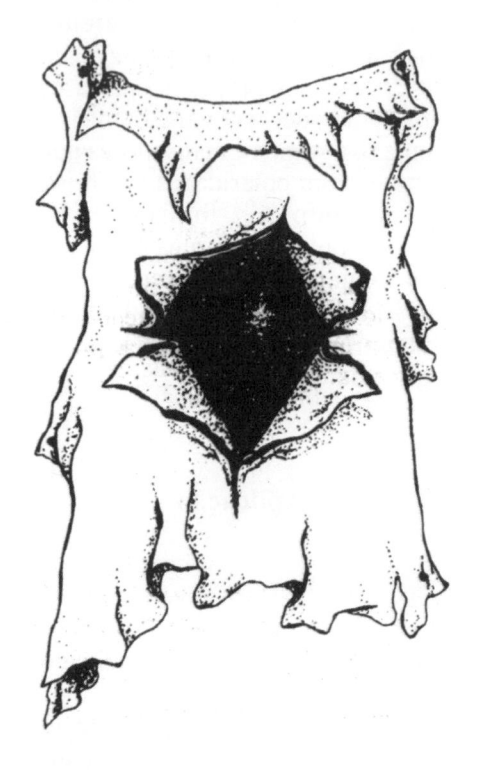

Fonte Primeira da Criação,
    Vazio de Tudo o que é,
Eu te dou graças pelo sopro da vida,
    Te dou graças por meus dons.
Mistério Eterno, toca meu coração,
    Em beleza possa eu caminhar.
Mistério Sagrado, sê meu guia,
    Para que eu possa fazer andar minhas Palavras.
Fonte Infinita, fica comigo,
    Para que eu possa sempre conhecer
O calor de tua Eterna Chama
    Bem no fundo da minha alma.

# 37
# O GRANDE MISTÉRIO
## A fonte original

**Ensinamento**

A Fonte Original da Criação é chamada de Grande Mistério pelos Nativos Americanos. O Grande Mistério, chamado *Swenio* em nossa língua Seneca, não conhece limites, e é o Criador do Grande Espírito. Muitos Nativos invocam também o Grande Espírito quando estão rezando. Porém, dentro de nossa Tradição Seneca, fazemos uma diferença entre os dois. O Grande Mistério vive em Tudo, é Tudo, engloba Tudo na Criação. Sendo a Fonte Original da Criação, o Grande Mistério criou todas as coisas em beleza, harmonia e interdependência. Cada faceta da Criação Foi, É, e sempre Será. As formas externas podem até mudar, mas a energia da Criação é autorregenerativa e eterna. Dentro desta infinita Criação, representada pelo Grande Mistério, existe um Núcleo Vibracional, ou uma fonte de energia primária, que denominamos Grande Espírito ou princípio criativo. Existe uma diferença entre os dois. O Grande Mistério e o Grande Espírito são completos em si mesmos, únicos e independentes um do outro.

O Grande Mistério criou o Grande Espírito para direcionar a corrente criativa dos Unimundos, que englobam todos os universos, todos os níveis de consciência, todos os tipos de compreensão e todos os gêneros de vida. A todos aqueles que querem obter respostas prontas para seus questionamentos sobre o Grande Vazio nós dizemos que a chave é a seguinte: o Grande Mistério não necessita ser decifrado! À medida que vamos explorando e compreendendo o Mistério, aprendemos que mais e mais coisas continuam sendo criadas para ter a sua oportunidade de evoluir. Tentar elucidar todas as questões relativas ao Grande Mistério é um esforço realizado em vão, uma preocupação tola e supérflua, porque nós próprios constituímos uma parte desta Criação infinita e progressiva.

Estas concepções soavam muito estranhas ao Povo dos Barcos que aportou às margens da Ilha da Tartaruga, vindo da Europa. Quando esses Olhos Brancos começaram a entender as línguas dos Nativos Americanos e tentaram conceituar o pensamento indígena relativo ao Grande Mistério, os limites impostos pelas suas próprias religiões acabaram impedindo que eles tivessem maior acesso ao novo conhecimento. Os brancos possuíam uma ideia de Deus bastante primitiva. A maior parte dos europeus acreditava em um Deus que tivesse características mais ou menos humanas, porém dotado de muitas habilidades extras. A Raça Vermelha possuía uma visão muito mais abrangente e amplificada da Fonte Original da Criação. A Tradição Oral dos Nativos Americanos vem propagando, há milhares de anos, que cada partícula da Criação, assim como toda e qualquer forma de vida individualizada, é uma expressão do Grande Mistério e possui o Grande Mistério dentro de si. Uma parcela do Grande Mistério vive dentro de tudo aquilo que existe e não conhece limites nem fronteiras. Cada forma de vida manifestada possui livre-arbítrio e vontade própria para tornar-se ou um veículo de feiura e desespero ou então um cocriador, junto à Fonte Original, da Beleza e da Verdade.

As Tribos Orientais da América Nativa tentaram transmitir o conhecimento do Grande Mistério aos caçadores franceses que foram os primeiros a aprender a linguagem dos sinais e algumas línguas Nativas. Não foram, porém, bem-sucedidas. Eles não conseguiam entender direito o conceito de que toda a vida era proveniente do Mundo dos Pensamentos, ou Mundo dos Espíritos, para depois se manifestar em forma física sobre a Mãe Terra. Estes pioneiros possuíam formação cristã; portanto, a ideia da Fonte Original foi interpretada pelo Povo dos Barcos como um Grande Espírito que equivalia à ideia branca de Deus. A piada corrente entre o Povo Nativo é que, segundo a compreensão dos brancos, "No princípio era o Verbo... que foi mal interpretado".

Quando os descendentes da Raça Vermelha foram obrigados a aprender a língua inglesa nos internatos, este erro de interpretação da ideia do Grande Mistério lhes foi sendo incutido. Começou a se chamar todo o Grande Mistério de Grande Espírito, o que criou confusão entre os dois termos e fez com que até mesmo os Nativos Americanos começassem a ter uma visão mais limitada da Sabedoria Nativa.

Toda forma de vida tem uma missão comum ao lado de suas missões individuais. Cada forma de vida é criada para aprender a contribuir para a Beleza do Todo. O propósito da missão comum é descobrir quem você é, por que está aqui, que talentos você pode usar para ajudar o Todo e de que maneira você vai fazer isto. Essa missão de descoberta é o Caminho Sagrado da Beleza que permite a toda Criatura viva expressar seu aspecto Único e original de uma forma que possa manifestar verdade e harmonia.

A raça humana é o único de Todos os Nossos Parentes que terminou perdendo o conhecimento interior sobre seu propósito na vida. Os Duas-Pernas têm recebido muita assistência por parte do Grande Mistério, já que precisam responder pela missão que têm em comum, antes de compreender o valor de suas missões como indivíduos. Esta assistência nos veio na forma de professores que são Todos os Nossos Parentes.

Os missionários que vieram "salvar" a América Nativa se assustaram porque achavam que a Raça Vermelha era pagã. Suponho que, como os Índios Americanos não sabiam quem era Jesus, formou-se a ideia de que a Raça Vermelha era primitiva, selvagem e de orientação pagã. Do ponto de vista Nativo, o Grande Mistério é TUDO. Os aspectos da Criação manifestados pelo Grande Mistério constituem partes sagradas de um só Todo e estão aqui para Servir e ser honrados através deste serviço. Os Nativos Americanos não adoram ídolos, mas utilizam Objetos de Cura Sagrada de seus Totens. Os objetos servem para lembrar que Todos os Parentes estão aqui para ajudar nossa evolução nesta caminhada sobre a Terra.

A Raça Vermelha considera que o Grande Mistério é a força vital que rege toda a Criação, e não um deus furioso, irado ou cheio de inveja. O Grande Espírito, por sua vez, é visto como sendo uma força criativa ilimitada que atua dentro do Grande Mistério, e que alimenta incessantemente toda a Criação. Nada na Sabedoria Seneca limita o Grande Mistério a gênero, forma, textura, cor ou intenção. Todas as criações fazem parte da totalidade do Grande Mistério, assim como cada célula do corpo humano tem uma função específica. As células reunidas, porém, criam uma estrutura física única, que serve para abrigar um espírito, que também possui identidade única. Todas as ideias humanas têm origem neste espírito, localizado dentro do corpo humano, são alimentadas e conduzidas ao cérebro e depois acionadas pela vontade do ser total. Todas as ideias presentes na Criação provêm do Grande Mistério, são reunidas pelo Grande Espírito e depois são utilizadas para alimentar o resto da Criação. Limitar o poder da Criação em nós mesmos ou nos outros é um conceito humano. Se reconhecemos que o Grande Mistério não possui limites, devemos reconhecer que esta Força Vital também faz parte de nossa própria conformação, já que somos criados pela mesma Fonte Original.

## Aplicação

A carta do Grande Mistério nos diz que a Fonte Original é a Criadora de todas as formas de vida e que nós fomos criados à sua semelhança. Nós somos cocriadores dotados de livre-arbítrio que nos tornamos a fonte de tudo aquilo que resolvemos experimentar na vida. Aqui é que a porca torce o rabo. Somos totalmente responsáveis por todas as nossas alegrias e todas as nossas tristezas.

Ao receber esta carta, você está sendo instado a dar graças por todas as lições que a vida vem lhe proporcionando. Através desta atitude de gratidão podemos transformar nossos problemas em valiosas lições de crescimento e podemos aprender a evoluir através da dor. Concentre-se bastante em sua própria capacidade criativa e conseguirá transformar qualquer tipo de situação. É possível que descubra haver chegado o momento de deixar os sentimentos de culpa de lado, vencer a timidez, parar com as lamentações e tomar as rédeas de sua vida em suas próprias mãos. O papel de vítima não se adapta bem aos Duas-Pernas. Fomos criados à imagem de um Criador infinito. Portanto somos, também, cocriadores ilimitados.

De qualquer maneira, o Grande Mistério continuará a nos surpreender e desconcertar cada vez que tentarmos decifrá-lo. Pare com sua tagarelice mental e escute a Fonte. A Fonte Original mostra-nos que o Mistério vive dentro de nós e contém todas as respostas de que necessitamos para encontrar e seguir o Caminho Sagrado. O Caminho Sagrado da Beleza consiste em experienciar o mistério da vida e deixá-lo fluir através de nós, sem nos preocuparmos em controlar os resultados do alto de uma torre de comando. Solte-se, siga a corrente e contemple a glória da cocriação ilimitada. Afinal, o Grande Mistério é o Plano Divino e tudo está de acordo com o programa.

# CAMPO DA FARTURA

Campo da Fartura,
    Abundância para todos,
        Fome... dor... nunca mais.

O Grande Mistério tem afeição
    Pelos filhos da Terra
        E os alimenta com
            A Eterna Chama.

Filhos da Terra, confiai de novo!
    Sede gratos e tecei louvores!
        O Campo da Fartura continuará
            A sustentar-nos em todos os nossos dias.

# 38
## CAMPO DA FARTURA
## Ideias/Necessidades manifestadas

**Ensinamento**

O Campo da Fartura é um ensinamento iroquês relacionado com o entendimento da Criação. Quando o Grande Mistério criou nosso mundo, tudo o que um dia iria existir foi criado como ideias no Mundo do Pensamento ou do Espírito. Este plano não físico de consciência é eterno e a ele se pode recorrer sempre que houver necessidade. As formas-pensamentos que fornecem tudo o que é necessário na Boa Estrada Vermelha da vida física existem em prontidão eterna dentro do Campo da Fartura. Para fazer com que essas ideias se manifestem, basta apenas aproximar-se do Grande Mistério com um coração repleto de gratidão, o que porá as ideias necessárias dentro da realidade física.

Em nossa Tradição Seneca o Campo da Fartura é visto como uma espiral que tem sua curva menor no espaço e sua curva maior perto da Terra. Esta forma assemelha-se a um tornado de cabeça para baixo. Nossos Ancestrais ensinaram os Peregrinos a plantar milho e cultivar suas lavouras para que não morressem de fome. Assim, tentamos passar para os forasteiros o conhecimento do Campo da Fartura levando-lhes cestas abarrotadas de hortaliças. As mulheres iroquesas teciam estas cestas em forma de cornucópia como um lembrete físico de que o Grande Mistério provê às necessidades humanas através do Campo da Fartura. Os Peregrinos aprenderam que formular preces de gratidão não era um conceito só cristão. Para a Raça Vermelha, a ação de graças constituía um hábito cotidiano, inseparável da própria vida. O Campo da Fartura está sempre repleto de abundância. É através da gratidão demonstrada por todos os filhos da Terra que as ideias contidas no Campo da Fartura conseguem se manifestar na Boa Estrada Vermelha, para que possamos desfrutar dela também no nível físico e material.

Quando a cornucópia foi levada aos Peregrinos, o povo iroquês procurou ajudar o Povo do Barco a perder o medo da escassez. O entendimento Nativo é que há sempre o suficiente para todos quando a abundância é compartilhada e quando a gratidão é demonstrada à Fonte Original. O difícil era explicar o conceito do Campo da Fartura com poucas palavras ou sinais mutuamente compreensíveis. O mal-entendido que resultou dessa inexistência de uma linguagem comum privou os que chegaram à Ilha da Tartaruga de um belo ensinamento. Nossa "terra dos livres, lar dos bravos" incidiu no erro de retirar muito mais do que é retribuído em gratidão por seus cidadãos. A Ilha da Tartaruga proveu às necessidades de milhões que vieram de terras dominadas pelos gananciosos. Em nosso atual estado de abundância muitos de nossos habitantes esqueceram que a Ação de Graças é um modo de vida cotidiano e não um feriado que acontece uma vez por ano.

Desde o Alinhamento Vibratório ou a Convergência Harmônica, em agosto de 1987, nossos Anciões têm visto o Campo da Fartura tocar de fato a Mãe Terra, e estender-se como um cobertor sobre seu corpo. Ao fazer isto, o Campo da Fartura é agora capaz de fornecer manifestação instantânea para todos os Filhos da Terra que gritam por suas necessidades com gratidão antes de receber aquelas bênçãos. O Campo da Fartura abriga todas as formas de pensamento que fornecem abundante criatividade aos Filhos da Terra. Essas novas ideias estão ao alcance de todo Duas-Pernas e podem se tornar evidentes através do reconhecimento das ideias, atuando depois sobre eles. Quando há necessidade, é enviado pelo Campo da Fartura, na forma de ideia, à consciência de todas as formas de vida. Essas ideias começam a se manifestar quando entram no reino físico e são trabalhadas pelos humanos. Todas as necessidades de nosso mundo podem ser satisfeitas quando trabalhamos qualquer boa ideia que nos vem à mente.

Sempre que uma nova invenção se torna essencial para ajudar um grande número de pessoas, as ideias necessárias à sua concretização são colocadas à disposição de muitas pessoas ao mesmo tempo, até que algum inventor comece a captá-las. O inventor que se disponha a colocar em prática estas ideias e que passe a concretizar o projeto está, na verdade, entrando em sintonia com estas novas ideias e permitindo que o novo processo se manifeste. Toda vez que um artista – um dançarino, escritor, cientista, músico, arquiteto, ou qualquer outra pessoa criativa – coloca em prática determinada ideia e cria algo novo que possa ser partilhado por todos, esta pessoa está desenvolvendo seus talentos pessoais e trazendo maior abundância para o plano da manifestação física. Toda vez que um professor, um mecânico, um construtor ou conselheiro se dispõe a ajudar outra pessoa, esta mesma abundância é manifestada no nível material. Cada um de nossos talentos e cada papel que cumprimos no decorrer da nossa vida física desempenham uma função que ajuda o Todo a manifestar vida abundante.

Sempre que os Nativos Americanos necessitam obter um instrumento para realizar algo, ou precisam recorrer aos serviços de algum especialista, eles costumam agradecer ao Campo da Fartura, antes mesmo que a pessoa ou o objeto se manifeste na prática. O Campo da Fartura sempre encontra um jeito de colocar o objeto desejado nas mãos daquele que realmente necessita dele. A chave para conseguir que todas as coisas necessárias se manifestem consiste em desenvolver um profundo sentimento de gratidão, aliado à total sinceridade e à ação correta em nossa vida física.

Não precisa haver escassez no Quinto Mundo. A abundância para todos os Filhos da Terra está se manifestando. O pensamento sempre precede a forma. Se ideias de partilha e igualdade precederem aquela realidade no coração dos Duas-Pernas, seguir-se-á a manifestação de que as necessidades físicas estão sendo satisfeitas. Esta foi a promessa do Grande Mistério ao criar o Campo da Fartura.

## Aplicação

A cornucópia está repleta de uma profusão de ideias, talentos, roupas, experiências, comida, companheiros e sentimentos que deverão atender às necessidades dos Filhos da Terra. Se a carta do Campo da Fartura apareceu em suas mãos hoje, você está tendo garantias de que tudo aquilo de que você necessita neste momento está se manifestando. Todas as suas necessidades serão atendidas. Comece a agradecer agora, antes mesmo que isto se materialize. Mostre ao Grande Mistério a confiança que você deposita em seu próprio processo, deixando de lado qualquer dúvida que ainda possa ter, voltando a ser novamente uma criança.

    Não tente limitar a maneira pela qual a manifestação física ocorre. A Fonte Original opera por vias misteriosas, colocando em nossa trajetória as pessoas, os lugares e os objetos que responderão integralmente às nossas necessidades. Nós somos solicitados a lembrar as diferenças entre necessidades verdadeiras e muletas materiais, que são meras ilusões de felicidade. De todas as maneiras, o Campo da Fartura nos recorda do nosso direito Divino a termos nossas preces ouvidas e nossas necessidades atendidas.

# POVO DE PEDRA

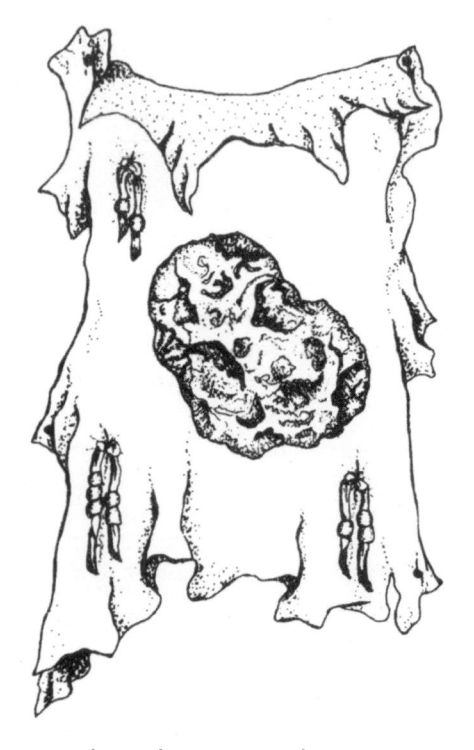

Portadores dos registros da Terra,
Tereis a bondade de explicar
A história que nos deu à luz,
A verdade que só vós comportais?

Como as vossas primas dos mares,
As conchas que nos permitem ouvir
Os sagrados murmúrios são a chave
Da história que nos é cara.

Povo de Pedra, queremos ouvir-vos.
Ensinai-nos os antigos meios
Para que possamos construir um futuro
Baseado na oração e no louvor.

# 39
## POVO DE PEDRA
## Registros/Conhecimento revelado

### Ensinamento

O Povo de Pedra é quem detém os registros da Mãe Terra. Estes grandes Mestres têm condições de transmitir aos buscadores da verdade grande parte do conhecimento relativo à história do nosso Planeta e à história de seus filhos. A missão das Pedras, o seu serviço na Terra, consiste em armazenar energia. O corpo de nossa Mãe Terra é constituído por rochas que se quebram e que se movem de acordo com as mudanças climáticas. Elas vão se rompendo, formando pedras menores, que mais tarde se tornam solo. As rochas detêm registros históricos e transportam energia eletromagnética na superfície da nossa Mãe. O Povo de Pedra coleta a energia e a armazena para uso posterior. O reino mineral é matéria densa, cujas qualidades magnéticas permitem às Pedras registrarem tudo aquilo que ocorre no planeta.

Ultimamente vêm sendo descobertas muitas maneiras de usar os membros do Clã de Pedra com finalidades curativas. Os Nativos Americanos sempre usaram os cristais de quartzo transparente para obter maior concentração e clareza. Os Xamãs da região Norte da Ilha da Tartaruga vêm, há muitos séculos, esculpindo e empregando fetiches de cristais. Os Nativos têm conseguido uma maior ampliação do conhecimento e têm desenvolvido a habilidade de enxergar para além da ilusão física através da utilização dos cristais de quartzo transparente.

Muitas Pedras coloridas têm sido usadas através dos séculos com propósito de cura. Trata-se em geral de alguns minerais específicos que transmitem ao curador as qualidades e habilidades necessárias para ajudar no processo da Cura. Outras Pedras têm sido utilizadas para criar pigmentos usados na pintura facial. O processo consiste em fervê-las com sebo de Veado e gordura de Alce até soltarem a cor, que se vai acumulando no fundo da panela. Retira-se a sujeira que fica boiando em cima, e a seguir corta-se a tinta gordurosa em bastões, para que possa ser usada por todos os membros da tribo.

Numa época em que os caçadores precisaram se afastar da Tribo, ocasionando uma fase de escassez, descobriu-se mais uma utilidade para o Povo de Pedra: a sopa de seixos. Uma menininha Nativa se perdeu enquanto catava frutas silvestres com sua avó. Neste meio-tempo, sua Tribo foi atacada e todos os seus membros foram mortos. Só havia sobrado comida para uma ou duas semanas, e o inverno se aproximava, assustador. A lua pálida do final de outono iluminava o céu lá no alto, quando a menina teve um sonho. A voz de uma Pessoa de Pedra a chamava e lhe dizia para vir passear à beira do riacho. A menina foi seguindo a voz, em seu sonho, até encontrar a Pessoa de Pedra sentada às margens do riacho. A Pessoa de Pedra então começou a mostrar à menina quais as ervas, os musgos e as plantas que eram comestíveis e quais as Pedras que forneceriam minerais saudáveis quando fossem cozinhadas numa sopa junto com o Povo Planta.

Quando acordou, a menina viu como sua avó estava enfraquecida pela fome, e sentiu no estômago aquela dor já sua conhecida. Correu para o riacho, encontrou a Pessoa de Pedra do seu sonho e começou a colher as plantas e as Pedras indicadas para a sopa de seixos. A menininha continuou a fazer isso todos os dias, e foi a sopa de seixos que manteve as duas mulheres vivas um mês inteiro até serem encontradas pelos caçadores de um outro grupo daquela mesma nação.

O Povo de Pedra – que são Professores para os Filhos da Terra – aparece sob as mais diversas formas. As Pedras usadas no processo de Cura Nativa Tradicional são aquelas que se encontram nas margens dos rios e ao longo das paredes e leitos dos desfiladeiros e que afloram à superfície graças à erosão natural. Nunca é errado tomar algo da Mãe Terra desde que outra coisa lhe seja dada em troca. É sempre uma boa ideia oferecer Tabaco ou plantar uma árvore em sinal de gratidão por aquilo que foi retirado em outro local.

O Povo de Pedra que chega à superfície de nossa Mãe Terra é portador de registros. Muitos se tornarão solo no futuro em consequência da erosão. Essas Pessoas de Pedra são consideradas rochas comuns pelos não versados na Linguagem das Pedras. No entanto, cada marca numa rocha tem um significado e muitas vezes, quando a intuição é usada, rostos de Duas-Pernas ou de Criaturas-Animais podem ser vistos na superfície da Pedra. Esses rostos são as conexões que a Pedra tem com os Filhos da Terra. Por exemplo, se a cara do Boi Almiscarado foi esculpida pela natureza na face de uma Pedra, aquela Pessoa de Pedra estava perto da área onde o Boi Almiscarado viveu há séculos e é portadora daqueles registros históricos.

Nada jamais é colocado em nosso caminho sem razão. Quando somos atraídos para uma certa rocha e apanhamos aquela Pessoa de Pedra, é porque ela tem uma lição para nós. A linguagem das Pedras é uma descoberta pessoal que contém muitas mensagens para cada indivíduo. Já que somos inconfundíveis em nossos gostos, seremos atraídos por diferentes Pessoas de Pedra. Vovó Twylah, do Clã do Lobo, escreveu um livrinho que aborda as marcas específicas que ensinam os significados da Linguagem das Pedras. O livrinho pode ser adquirido por intermédio da Seneca Indian Historical Society. Usando esse livrinho, qualquer um pode conhecer o que as Pessoas de Pedra estão dizendo através das marcas impressas em seus corpos. Este é um bom exercício para desenvolver a intuição e ouvir os sussurros das Pessoas de Pedra repercutindo em nossos corações.

Cada Pessoa de Pedra pode vir a ser uma força de proteção e orientação em nossa vida. Os Nativos Sioux chamam suas Pedras Protetoras de *Wo-Ties,* e os Seneca as chamam de Pedras de Ensino. Em nossa Tradição Seneca, qualquer pedra atravessada por um furo natural traz proteção a quem a usa. Os Xamãs Nativos vêm usando há muitos séculos o Povo de Pedra para colaborar em seus propósitos divinatórios. Nas cerimônias dos Ogalala Yuwipi os Homens Yuwipi usam as Pedras para prever o futuro. As Pedras também são utilizadas para ajudar os Yuwipi a descobrir objetos perdidos ou então pessoas desaparecidas. As mulheres também participam destas cerimônias, porém, pela Tradição, todo o Trabalho de Cura Yuwipi é realizado por um grupo especial de Xamãs da Pedra.

Estes Xamãs estão se tornando cada vez mais raros entre nós. No entanto, os seus poucos remanescentes possuem muitos conhecimentos e talentos especiais, sendo muito respeitados pelos Nativos Ogalala, pelos Lakota e pelos Sioux de Dakota.

    O papel que o Povo de Pedra desempenha entre as Tribos da América Nativa varia de Tribo para Tribo. Cada Tribo detém Ensinamentos específicos, que lhe têm sido repassados pelo Povo de Pedra no decorrer dos últimos séculos. Estas lições são aprendidas pelo processo de tentativa e erro, até que determinados acertos vão começando a fazer parte de cada Tradição. Por isto, cada Xamã de Tribo pode possuir uma abordagem própria em seu uso das Pedras. Assim, por exemplo, os Xamãs Paiúte sabiam extrair uma solução da Pedra venenosa Cinábrio, a qual, usada em quantidades muito pequenas, servia para curar algumas doenças do Povo. Os Tonkawas usavam Pedra Calcária contendo impressões de fósseis para ligá-los aos Ancestrais. Os Comanches usavam determinados tipos de Pederneira para fazer pontas especiais de flechas, que eram denominadas Flechas de Cura, e eram utilizadas nas suas Cerimônias de Cura. Os Nativos Apaches usavam certas Pedras Coloridas para demarcar as trilhas indicadoras dos caminhos que conduziam às Montanhas Sagradas. Cada Tradição, portanto, encontrou uma interpretação característica para a Linguagem das Pedras, e reverenciou os antigos ensinamentos da Nação das Rochas, reconhecendo-a como mensageira da Mãe Terra.

    Todas as lições de que necessitamos para viver em harmonia sobre a Terra podem ser aprendidas quando estreitamos nossa relações com o Povo de Pedra. Passa a ser fácil, daí por diante, sentir que cada Rocha é uma parte do corpo de nossa Mãe. Uma Pessoa de Pedra pode ser muito útil sempre que buscamos reduzir o ritmo de nossa mente e sentir o quanto a influência da Terra nos traz equilíbrio e serenidade. Sempre que ficamos demasiadamente nervosos, não estamos nos sentindo conectados à Mãe Terra. Os sinais mais óbvios de desequilíbrio são comer em excesso, falar demais, adquirir algum vício, ter compulsões ou comportamento caprichoso. Para acalmar o corpo, a mente ou o espírito, precisamos apenas segurar uma Pessoa de Pedra nas mãos e respirar até que o nervosismo passe. Esta é uma forma de ancorar nosso corpo na Mãe Terra e sentir a segurança de sua influência protetora.

O Povo de Pedra contém registradas em seus próprios corpos as impressões de cada ato da Criação, desde o momento em que o nosso Planeta foi começando a esfriar até o momento presente que estamos vivendo. Esta grande Fonte de Sabedoria está à nossa disposição desde que aceitemos nos conectar com estes Professores de Pedra. O efeito calmante que recebemos provém da sabedoria desses Anciões de Pedra que foram os primeiros historiadores a registrar os fatos acontecidos com Todos os Nossos Parentes. Sua missão é estar a serviço dos Duas-Pernas. Agora a nossa obrigação é procurar e aceitar os presentes que eles têm para nos oferecer.

## Aplicação

O Povo de Pedra registra um momento em que o conhecimento será revelado a você. Os seus registros pessoais estão arquivados nestas bibliotecas de rocha. As memórias de sua infância começarão a aflorar e o ajudarão a armar uma parte importante do seu quebra-cabeça pessoal. Memórias de vidas passadas ou aquele sentimento familiar de já ter visto alguma coisa podem elevar o seu atual nível de consciência. Seja qual for o caso, você está agora numa posição de saber de onde veio e para onde vai.

Uma Pessoa de Pedra pode ajudar você a concentrar-se melhor em seus próprios objetivos, a dissipar a confusão, mudar seus hábitos, desarquivar lembranças de muito tempo atrás e fincar mais os pés no chão. Permita que estes professores se tornem os seus guias e descubra um novo mundo que se abre para você. Prepare-se para escutar os sussurros do reino mineral e seu próprio coração saberá reconhecer a verdade.

Em todos os casos, a carta do Povo de Pedra lhe pede que abra sua mente, já que um novo nível de entendimento está chegando até você. Esse conhecimento está baseado nos Registros da terra e pode mudar a forma pela qual você vê a vida atualmente. Esses amigos, tão antigos, constituem os mais velhos Filhos da Terra, e tudo o que nos pedem é que paremos um pouco para poder ouvi-los.

# GRANDE ESPELHO DE FUMAÇA

Em meio à fumaça
  Vejo, olhando-me por sua vez,
    Outro reflexo de mim.

Espelho de meu Eu interior
  Quem és tu
    Se eu sou eu?

Espelho de meu Eu exterior
  O que os outros veem?
    É a verdade de meu coração
      Ou a vaidade humana?

# 40
# GRANDE ESPELHO DE FUMAÇA
## Reflexos

### Ensinamento

O Grande Espelho de Fumaça é um ensinamento amplamente empregado pelos Maias, sendo também utilizado às vezes pelos Cheyenne e pelos Pawnee. Os Maias costumam dizer: "Eu sou o outro de você." Desta maneira os Maias ressaltam que toda e qualquer forma de vida reflete outra forma de vida, e que todas elas provêm da mesma Fonte Original. O conceito de Unidade, contido na ideia do Espelho de Fumaça, serve para eliminar todos os tipos de ideias grandiosas e elitistas que evoluíram durante o Quarto Mundo da Separação. Se todos os Duas-Pernas olhassem para os outros seres humanos como sendo o seu reflexo, como expressões únicas de si mesmos, não teríamos mais base para que houvesse guerras ou discussões.

O Grande Espelho de Fumaça nos fala dos reflexos do próprio Eu que enxergamos nos outros. O Grande Espelho de Fumaça permite que a cortina de fumaça das ilusões pessoais seja rasgada, quando o espelho, que está logo atrás da fumaça, reflete um raio de luz iluminador ou então um lampejo de percepção pessoal. Neste momento, aqueles que realmente desejam olhar para si mesmos conseguem enxergar a ilusão do seu mito pessoal. Aquela parte do Ego que insiste em ser a única existente acaba sendo estilhaçada pela descoberta de que qualquer forma de vida possui igual importância e é indispensável para o funcionamento harmonioso do Todo. As críticas que fazemos às outras pessoas perdem o valor quando são examinadas sob a luz verdadeira da autorreflexão. Nós podemos até ter opiniões com relação às outras pessoas que continuam vivendo com suas próprias divisões internas, mas essas opiniões servem apenas como lembretes de que devemos lutar cada vez mais pela nossa integridade pessoal baseada em ideias de igualdade.

O Ensinamento Nativo Americano no que concerne a "apontar o dedo para alguém" se aplica bastante bem a este caso. Toda vez que apontamos o dedo para outra pessoa, três outros dedos estão apontando de volta para nós. No contexto do nosso assunto, esta lição parece dizer que os outros são meros reflexos de tudo aquilo que precisamos reconhecer em nós mesmos. É da maior importância desenvolver o sentimento de compaixão pelos outros, por todos aqueles que ainda precisam aprender duras lições em seus caminhos pessoais. A falta de compaixão resulta em frieza e numa dificuldade de perdoar que vai oprimindo o coração da pessoa. A vida não encontra espaço para se expandir dentro de uma pessoa que não consegue perdoar os outros ou a si mesma. Nestes nossos tempos de um novo despertar, alguns buscadores têm adotado expressões levianas, que só demonstram mesmo falta de compaixão. Por exemplo, a expressão "Eles criaram sua própria realidade", quando é usada sem compreensão ou compaixão, reflete uma falta de evolução por parte de quem a usa. Sempre que nos referimos a outras pessoas desta maneira dura e insensível, estamos, na verdade, agredindo um outro lado de nós mesmos.

Outros buscadores, quando realizam um mergulho profundo em si mesmos, descobrem que menosprezam a sua autoimagem por terem internalizado o excesso de críticas que receberam durante a infância. O Grande Espelho de Fumaça nos ensina a encontrar o caminho do reflexo equilibrado, que não busca o valor do próprio Eu, mas procura corrigir atitudes doentias, que limitam o nosso potencial de crescimento. Sempre que admiramos os dons de outra pessoa, e reconhecemos a beleza única de uma pessoa que admiramos, podemos enxergar as similitudes em nós mesmos. O Grande Espelho de Fumaça é um instrumento que podemos usar para criar mais harmonia em todos os nossos relacionamentos através da introspecção e da autoanálise. Quando nós estamos em harmonia com o nosso próprio Ser, sempre conseguimos enxergar nos outros o reflexo de sua própria beleza interna.

Toda vez que um espelho se estilhaça em centenas de pedacinhos, cada um destes pedaços passa a refletir uma imagem completa, idêntica àquela que o espelho refletia quando ainda estava inteiro. O Grande Espelho de Fumaça não foge à regra. Podemos enxergar a realidade de toda a Criação manifestada quando entendemos que atrás da cortina de fumaça da ilusão é que se encontra a verdadeira natureza da vida. Mundos dentro de mundos podem ser descobertos dentro de cada átomo. Todas as partes da Criação estão interligadas e cada parte depende de todas as outras formas de vida que existem dentro do todo. Quando qualquer parte de nosso mundo é destruída impensadamente, muitas outras partes interdependentes sofrem por causa disso.

O Grande Espelho de Fumaça ensina as pessoas a buscar as similitudes, e não a diferença, no trato com seus semelhantes. A Raça Vermelha respeita a Família Planetária e sabe o quanto é importante aprender as linguagens de todas as formas de vida da Mãe Terra. É através da linguagem de todas as outras formas de vida que recebemos, a cada momento, os presentes do conhecimento refletido. As pessoas que usam sua criatividade para encontrar as respostas pessoais que ajudarão a sua evolução já descobriram uma parte do Grande Espelho de Fumaça. As respostas se refletem para cada um de forma diferente. Cada vez que a fumaça de uma ilusão se dissipa, para que uma nova e brilhante compreensão surja no horizonte, estilhaçamos uma vez mais a falsa ideia da separatividade, para redescobrir que somos unos com o Todo e que podemos conviver em paz com todas as outras formas da Criação.

Chuva da Montanha era uma curadora que trabalhava para servir a seu povo, os Maias. À medida que se tornava mais sábia, ia sentindo que algumas coisas muito estranhas aconteciam entre os líderes do Culto do Jaguar. Os sacerdotes começavam a afirmar que os deuses da natureza precisavam de sacrifícios de sangue e que esses rituais de morte deviam ser efetuados com seres humanos. O coração de Chuva da Montanha ficou muito perturbado, pois ela sabia muito bem que o próprio Deus Céu, o Patriarca, jamais havia permitido que se fizesse este tipo de sacrifício em Tikal quando viera à terra em seu Barco Solar para ministrar ensinamentos ao Povo.

Tikal era uma cidade enorme, com muitos habitantes. No entanto a maior parte do povo de Tikal parecia aceitar o decreto dos Sacerdotes do Jaguar sem questioná-lo. Chuva da Montanha temia que, caso os Sacerdotes do Jaguar conseguissem levar adiante seus planos sombrios, este seria o começo do fim para todo o seu povo. Ela vasculhou sua memória para ver se conseguia lembrar-se de alguma pessoa mais idosa que honrasse os ensinamentos originais do Deus Céu e ainda estivesse vivendo em Tikal. Preocupada, resolveu encaminhar-se ao Templo da Serpente de Duas Cabeças, o Templo da Cura, em busca de uma resposta.

Subitamente, ao aproximar-se do Templo, lembrou-se da Avó Anciã que havia ensinado as mulheres do Templo da Serpente de Duas Cabeças a usar o Grande Espelho de Fumaça. Chuva da Montanha deu meia-volta e pegou o caminho que conduzia à floresta, em busca da casa daquela Avó Anciã, que se chamava Aquela-que-Vê. A Avó, a esta altura, já devia ser muito velha, se é que ainda estava viva. Em tempos passados, bem no início de seu treinamento, Chuva da Montanha havia frequentado a casa de Aquela-que-Vê, ali, no interior da floresta.

Após descobrir a casa da Avó, Chuva da Montanha pediu, como era de praxe, permissão para entrar e entrou. Aquela-que-Vê estava sentada com seu filho, um Sacerdote do Jaguar Pintado, discutindo o novo rumo dos acontecimentos. Uma Cuia de Cura escurecida, cheia de água, estava colocada perto do fogo. O filho, Tucano, assustou-se quando viu Chuva da Montanha entrando. Após conhecer a razão daquela visita, Tucano se acalmou, e os três juntos começaram a tecer a magia do Grande Espelho de Fumaça, observando todos os reflexos na água da Cuia de Cura e buscando respostas.

Os rostos da Anciã e de seus dois alunos refletiam-se na água da Cuia de Cura. A Fumaça que saía do Fogo traçou um desenho, cobrindo os três rostos refletidos. A visão de corações cortados e do sangue que inundava o altar do Templo do Jaguar fez com que os três estremecessem de revolta e dor. A visão se deslocou para o santuário interno dos Sacerdotes do Jaguar e lhes mostrou os videntes drogando-se dentro do próprio santuário mediante a ingestão do cogumelo vermelho da planta da papoula. Chuva da Montanha e Tucano arquejaram horrorizados ante o comportamento aberrante dos videntes drogados quando os homens montaram uns nos outros e consumiram sua frenética energia sexualmente.

De repente o Vazio apagou a cena e Tucano começou a exprimir sua revolta e seus receios:

– Minha mãe, olhe só o que eles estão fazendo! – exclamou. – Como é que podem distorcer os Ensinamentos Sagrados desta maneira? Como é que eu posso retornar ao templo e viver no meio dessas pessoas?

Lentamente lágrimas saídas do fundo de um coração partido sulcaram as faces enrugadas de Aquela-que-Vê.

– Meu filho, eles são apenas o outro de nós mesmos – sussurrou ela. Ao que Chuva da Montanha retrucou:

– Mas, Vovó, eles são diferentes! Eles estão abusando da nossa Magia! Eles estão procurando destruir os ensinamentos do Deus Céu. Nós percorremos o Caminho da Beleza. Como é que eles podem ser o outro de nós?

Aquela-que-Vê olhou bem no fundo da Cuia de Cura e uma lágrima de seus velhos olhos bateu na água, abrindo trêmulos círculos concêntricos de luz. No centro desses círculos apareceu o rosto do Deus Céu, o professor vindo das Estrelas.

– Fiquem tranquilos, meus filhos, e saibam que a trilha tortuosa desses Sacerdotes do Jaguar terminará em loucura. Eu ensinei aos Maias que a Cura do Povo viria através do coração e da visão de todas as coisas como o outro deles mesmos. Ensinei que a recordação viria através do sangue e de sua memória genética pessoal. Estes sacerdotes procuraram o poder sobre outros Eus através da corrupção dessas verdades.

Tucano perguntou ao Deus Céu como é que os Sacerdotes corruptos podiam ser o outro deles mesmos. Deus Céu respondeu:

– As partes de vocês mesmos que percorrem a trilha tortuosa daqueles Videntes drogados são apenas suas próprias sombras. Essas sombras ganharam vida graças à recusa de vocês como raça a enfrentar a cobiça e a inveja que afloram em seus pensamentos. A Beleza vê os sentimentos da sombra como dignos adversários que insistem em ser vencidos para que vocês possam crescer. O medo humano acredita que aqueles sentimentos são maus e precisam ser reprimidos ou negados. Quando vocês têm medo de conhecer aqueles pensamentos sombrios, eles continuam a dominá-los. O próprio medo faz com que vocês acreditem que são indignos ou malvados. Quando é negada, a sombra ganha força e um dia irá despertar com força vital própria e devorar a beleza que está dentro de vocês. Ensine os outros a usar as partes sombrias deles mesmos como exemplos do adversário digno que pode suscitar o crescimento da beleza dentro do Eu. Vocês verão a beleza da harmonia chegar ao coração do "Povo" toda vez que ele se lembrar disso.

## Aplicação

O Grande Espelho de Fumaça reflete a lição que manda deixar o mito para trás. Você é aquilo que decidir ser. Remova a cortina de fumaça que oculta os seus talentos ou méritos naturais e levante a cabeça. Descubra quais são os aspectos internos que necessitam de crescimento, e principie a trabalhar neste seu processo de evolução sem perda de tempo. Já é hora de fazer aflorar todo o seu potencial e começar a viver as suas verdades. Existem milhões de papéis a ser preenchidos, e, com toda certeza, um deles se ajustará perfeitamente a você.

Em um nível mais profundo, você está sendo instado a transformar-se num reflexo luminoso para os outros. Encoraje outras pessoas a buscar as suas próprias verdades e a pôr a andar a sua Palavra. Às vezes os reflexos que você vê nos outros podem fazê-lo feliz se você continuar duvidando de você mesmo e de seu direito de crescer e evoluir. O sentimento de inveja, em qualquer nível, apenas serve para inibir o crescimento e desperdiçar energia. Estilhace todos os espelhos que insistem em valorizar sua autoimportância, sua tristeza ou seu fracasso, para que você consiga alcançar logo aquilo que é realmente importante em sua vida.

E, finalmente, em todos os níveis, o Espelho de Fumaça nos faz enxergar a luz e a sombra como facetas úteis e necessárias à nossa evolução. Os reflexos que não nos agradam podem ser dignos adversários que nos ensinam a usar o nosso potencial e a crescer. Podemos aprender muito com os nossos próprios lados sombrios. O processo contínuo de tentativa e erro acaba nos ajudando a encontrar a verdadeira imagem do nosso Ser.

# A MORTE DO XAMÃ

Avô,
    Peço a morte
        Para as partes de mim
            Que não ouvem
                Nem falam a verdade,
                    Que são cegas demais para ver.

Avó,
    Dá-me à luz de novo,
        Com o amor como meu guia,
            A verdade e a beleza como meu caminho,
                Sem nada a ocultar.

# 41
# A MORTE DO XAMÃ
## Morte e renascimento

**Ensinamento**

Os ensinamentos relativos à Morte do Xamã assumem formas bastante diversas nas cerimônias dos povos da América Nativa. No entanto, todas elas possuem um ponto em comum: a ideia de que a morte representa o início de um ciclo de vida. Já que a manifestação da Vida é vista sempre de forma dinâmica, dentro da Roda da Medicina, tudo aquilo que termina significa, por sua vez, o início de alguma coisa nova. A Roda da Vida possui inúmeros aros, os quais assinalam as diversas lições de vida e os diversos degraus que cada Ser vivo precisará enfrentar ao percorrer a estrada de sua vida física. Estes passos recebem o nome de Boa Estrada Vermelha e representam o sopro de vida, que nos chega sob a forma de espiral, proveniente do Grande Mistério. Os Nativos Americanos aprendem, desde pequenos, que nenhuma pessoa deve julgar os passos que as outras estão dando em seu processo de crescimento; esse julgamento não passa de uma atitude tola e improdutiva.

À medida que a Roda da Vida gira, todos os seres humanos chegam aos lugares em que deverão aprender lições idênticas. É neste momento que a Morte do Xamã entra em cena. Cada vez que a lição de um determinado raio da Roda da Vida é aprendida, a Roda gira para que já comece a aparecer a lição contida no raio seguinte. As facetas sombrias de nosso Ser, aqueles ângulos obscuros que inibem o nosso crescimento, são constantemente condenadas à morte. Essas mortes ocorrem diariamente, sejam elas nossos medos, nossas dúvidas, nossos maus hábitos, nossos pensamentos negativos ou nossa autoimportância. Essas mortes demarcam o caminho do nosso progresso espiritual e nos revelam, a cada momento, que o Ser Humano possui a capacidade de Caminhar em Beleza. A morte de algum ângulo sombrio de nossa personalidade sempre serve como prenúncio do nascimento de um novo dom ou talento já contido no âmago de nosso Ser. Cada vitória conseguida sobre alguma parte do nosso Ser que não esteja Caminhando em Beleza significa em si mesma um renascimento. Toda vez que uma pessoa alcança uma encruzilhada em sua vida e se vê frente à necessidade de tomar uma decisão c mudar de atitude, dá-se a morte do Velho e o nascimento do Novo.

O Xamã é uma pessoa que está sempre pronta a confrontar os seus medos mais profundos e todos os aspectos sombrios de sua vida física. Na época em que eu trabalhava com Joaquin e as duas vovós no México, aprendi qual a diferença entre um curador e um Xamã. Um curador é aquela pessoa que sabe como utilizar as forças da natureza para efetuar uma cura no corpo físico, mental ou espiritual de outra pessoa. O curador – ou *curandero* – jamais usa as forças da sombra para efetuar suas curas. Já o Xamã é um curador que desceu aos seus próprios mundos sombrios, confrontando-se com seus medos mais ocultos e também com os subterrâneos da maldade alheia. Isto lhe trouxe a capacidade de saber lidar tanto com as forças das trevas quanto com as forças da luz. Um verdadeiro Xamã está apto a praticar exorcismos, a desfazer feitiços e a reverter os efeitos de atos de magia negra realizados contra alguém. É claro que o Xamã sabe praticar curas tão bem quanto qualquer curador espiritual, porém só mesmo um Xamã sabe lidar com qualquer tipo de magia negra que possa ter levado uma pessoa a contrair algum tipo de enfermidade.

Há muitas pessoas hoje em dia que se denominam Xamãs sem nem sequer saber o que isto significa exatamente. Se estes pretensos Xamãs não possuírem a capacidade de mergulhar em seu próprios subterrâneos sombrios, não estão ainda preparados para seguir o verdadeiro caminho do Xamã. Uma pessoa destas não está preparada para confrontar os resultados de um trabalho de Xamanismo negro. É bastante comum encontrar-se a mistura da magia negra com a magia branca de Cura entre a população do México, da América Central e da América do Sul. Muitos Xamãs morreram por terem despertado a ira dos praticantes da magia negra ao tentar proteger os outros. Ao norte da fronteira mexicana o uso trevoso do Xamanismo já não é tão comum, mas, mesmo assim, ele existe. Os verdadeiros Xamãs não precisam ficar se gabando nem se exibindo para os outros. Eles trabalham em silêncio e em total humildade porque sabem que aos olhos do Grande Mistério o seu valor já está sendo reconhecido. As opiniões alheias jamais mudam o senso do Ser de um verdadeiro curandeiro ou Xamã.

Um Xamã é aquele indivíduo que caminhou até os portais do seu inferno pessoal e teve coragem de entrar. Um verdadeiro Xamã é aquele que enfrentou e venceu os demônios autoconcebidos do medo, da insanidade, da solidão, da autoimportância e dos vícios ao passar pela gama de Mortes do Xamã. A qualidade que melhor define um Xamã de verdade é o seu sentido de compaixão pelos caminhos que os outros ainda precisam trilhar, já que ele também atravessou o mundo subterrâneo das sombras e conhece diretamente a dor e o sofrimento envolvidos neste processo.

Um desses rituais de morte e renascimento é chamado A Noite do Medo. Esta tradição é praticada por muitas Tribos Norte-Americanas como meio de enfrentar e vencer o medo antes de embarcar numa Busca de Visão. Para cumprir este rito de iniciação, o nativo deve dirigir-se a um local isolado da floresta e cavar sua própria sepultura. Depois, deve deitar-se nessa tumba sozinho e passar a noite toda ali. A abertura da cova é tapada por um cobertor. Ele fica deitado ali, escutando os sons da floresta e os gritos dos animais noturnos. Os sons servem como catalisadores e fazem com que os medos ocultos da pessoa venham à tona, para serem confrontados e reconhecidos. A pessoa que está passando por esta iniciação não consegue enxergar nada através do cobertor; portanto, os sons, muitas vezes bastante amplificados pela própria imaginação da pessoa, constituem nesta hora o seu pior inimigo. Uma imaginação fértil acaba criando um estado de medo tão intenso que pode levar à paralisação dos sentidos, ou, então, pode aflorar uma grande coragem interna, que se encontrava, até então, em estado latente. Depois que aquela pessoa passa a noite inteira acordada, confrontando os medos sombrios que assombram a imaginação, ela se encontra preparada para iniciar sua Busca de Visão.

Existe outro gênero de ritual da Morte do Xamã praticado nos planaltos mexicanos. Para a realização desta cerimônia, começa-se despindo a pessoa totalmente. A seguir, membros da Tribo do mesmo sexo pintam-lhe o corpo todo com símbolos referentes ao Morcego. Bem no centro da aldeia cava-se um buraco, de forma a permitir que só a cabeça fique de fora. Feito isto, a pessoa é enterrada no buraco, onde ficará de pé por um período de vinte e quatro horas. Todos os membros da aldeia então passam a xingá-lo, jogam terra em sua cara e urinam ou defecam perto da cabeça daquela pessoa enterrada e indefesa. O iniciado não deve responder a qualquer destas provocações verbalmente. O horror de tudo isto que está acontecendo acaba por destruir muitos dos conceitos que a pessoa tinha de si própria. Estas indignidades costumam constituir uma surpresa total para o iniciado e devem ser enfrentadas em silêncio e com coragem. Nunca se explica de antemão tudo o que vai acontecer durante estas iniciações; o iniciado recebe somente algumas noções gerais antes do início da cerimônia.

Após o final da provação de vinte e quatro horas, o iniciado é retirado do buraco e levado para um rio a fim de ser lavado e perfumado. Os outros membros da aldeia vestem-no com uma nova roupa branca e enfeitam-no com flores. Voltam todos à aldeia, onde tem início a última surpresa: uma festa em homenagem ao Deus Morcego, que assistiu o iniciado durante toda a cerimônia e ajudou em seu renascimento. Aqueles indivíduos que não conseguem suportar a prova são retirados da terra, lavados e passam a receber cuidados especiais até se sentirem curados da doença do xamã. Esta doença, que beira a insanidade, pode minar todo o autocontrole do Xamã e provocar uma ruptura da personalidade. Em algumas aldeias é possível encontrar um ou dois iniciados que perderam o contato com a realidade durante o processo e são tratados como pessoas "tocadas pelos Deuses".

O objetivo dessas modalidades de Morte do Xamã é fazer com que a pessoa enfrente o jogo da insanidade, o que torna sua mente mais forte e impede que alguma feitiçaria possa agir sobre ela, tentando "ajustar seu pensamento". O ajuste de pensamento consiste numa invasão telepática que uma pessoa treinada consegue efetuar sobre a mente de outra pessoa, mais desavisada. Esta é uma antiga técnica usada para controlar ideias ou atitudes de outras pessoas, através do poder que se consegue sobre a mente delas. Muitos Xamãs negros procuram levar os Xamãs brancos à loucura invadindo seus sonhos ou usando táticas para amedrontar e enlouquecer suas vítimas. Desta forma, eles tentam afastar e neutralizar todos aqueles que lutam pela correta utilização do xamanismo, ou seja, aquelas pessoas que se opõem ao uso indevido dos poderes mágicos. Por isto, é imperioso que os aprendizes estudem sob a orientação de um verdadeiro Xamã, que seja bem treinado e bastante experiente. Querer mergulhar no mundo do xamanismo sem receber a orientação adequada, principalmente nos países que praticam regularmente a magia negra, pode vir a ser perigoso e até fatal.

O Xamanismo é também a capacidade de comungar com todos os espíritos que habitam em todos os níveis da Criação. Algumas pessoas possuem esta capacidade desde cedo e podem ser muito mal interpretadas. O Xamã natural muitas vezes foi vítima de algum evento traumático entre um e sete anos de idade. Estes acontecimentos traumáticos costumam romper a matriz embrionária do Ego e destruir o sentido natural de limites que a criança possui. Quando o sentido natural de individuação e a percepção do próprio Espaço Sagrado se enfraquecem, começa a se estabelecer uma comunicação involuntária entre aquele pequeno Ser e vozes advindas de outros planos. Uma criança ainda não é capaz de discernir quais são as vozes úteis e quais as vozes perigosas, podendo, assim, deixar-se influenciar por espíritos perigosos, que continuam presos à terra. A situação se agrava quando a criança é mal compreendida pelos adultos que estão a seu redor, podendo, nestes casos, desenvolver-se um quadro de esquizofrenia ou de divisão da personalidade.

Em nossa cultura moderna, o tratamento destes sintomas é trágico. Nas culturas tribais mexicanas, porém, tenta-se orientar a criança, ensinando-a a eliminar as influências negativas e a aceitar as vozes positivas, que poderão transformá-la num xamã talentoso mais tarde, quando crescer. O caminho natural desta criança especialmente dotada será pontilhado por diversas Mortes do Xamã, com o objetivo de conduzi-la a um maior discernimento e a um fortalecimento do seu Ser interno. Toda vez que estas inevitáveis batalhas interiores são travadas, contam com toda a assistência dos curadores e Xamãs mais experientes daquela Tribo. Os melhores Xamãs que encontramos hoje em dia são aqueles "curadores curados", que já trilharam o caminho da morte e do renascimento, destruindo as sombras que obscureciam sua clareza interior. Para a pessoa que já palmilhou esta difícil estrada, conseguiu vencer os obstáculos, e passou a integrar em si mesma os aspectos positivos, torna-se bastante fácil ajudar os outros a fazer o mesmo. Um Xamã que sabe reconhecer o lado obscuro do seu próprio Ser consegue facilmente diagnosticar uma escuridão semelhante nos outros indivíduos.

Toda vez que nos propusermos a confrontar as facetas mais sombrias do nosso Ser que estejam nos desviando do Caminho Sagrado para a Totalidade e nos decidirmos a purificar estes aspectos através do processo da Morte do Xamã, estaremos dando mais um passo admirável em nosso próprio caminho evolutivo. A Morte do Xamã não existe só para os Xamãs. Sempre que alguém se propuser a mudar velhos hábitos e recomeçar sua vida de forma nova e mais produtiva, estará manifestando um tipo de Morte do Xamã. Se os velhos pés de milho não fossem arrancados e queimados, o solo não ficaria bastante fertilizado e os novos pés de milho não conseguiriam crescer no ano seguinte.

O Morcego é o símbolo Maia e Asteca do renascimento. O Morcego costuma ficar pendurado de cabeça para baixo na sua caverna, assim como os humanos ficam aninhados de cabeça para baixo no ventre da mãe quando estão prontos para nascer. O Morcego se sente seguro na escuridão da caverna, e o feto se sente protegido na escuridão do ventre materno. Depois de sair do ventre, ou da caverna, a pessoa é obrigada a encarar tanto a luz quanto a sombra. Torna-se então necessário decidir qual destes lados permitirá maior crescimento ao seu próprio Ser. A dualidade do nosso atual Universo só poderá ser harmonizada no Unimundo a partir do instante em que todas as pessoas forem capazes de enxergar que ambos os lados contribuem igualmente para o nosso processo de Evolução. A Morte do Xamã constitui um símbolo desse crescente processo de Conscientização que nos conduz à Totalidade.

## Aplicação

A carta da Morte do Xamã veio advertir você de que está se processando agora um ciclo de morte ou de finalização. Antes que possa ocorrer um verdadeiro renascimento, você deve verificar quais são os hábitos, os comportamentos, os relacionamentos ou a parte do Ser que estão morrendo e que necessitam, assim, de maior assistência. Ajude este processo a se realizar; permitindo conscientemente que o velho seja afastado. Deixe que os aspectos obsoletos de sua vida sejam removidos e abra espaço para que o seu próximo ciclo de vida se manifeste.

Lembre-se: sempre que você deixa suas velhas autoimagens morrerem, você estará criando um terreno fértil para semear eventos novos e mais estimulantes em sua vida. Quando se permite que os velhos padrões estabelecidos morram com dignidade, o ciclo de renascimento que se segue estará sempre repleto de novas promessas de crescimento.

# HORA DE PODER

– Ó Hora Sagrada que religa
Meu espírito com o Todo,
A Mãe Terra me torna pleno
Pleno de corpo e de Alma

Contarei a Canção do Espírito,
Serei um Só com Tudo.
Partilharei minha energia
Com todos que encontrar.
Estarei Servindo a todos,
Como a Terra, a Lua e o Sol.

# 42
## HORA DE PODER
## Ritual de alegria

**Ensinamento**

Todos os seres humanos possuem seu próprio ritmo interno. Alguns cumprem suas tarefas diárias muito rapidamente, ao passo que outros são mais metódicos. Algumas pessoas possuem uma taxa de metabolismo lenta, enquanto outras parecem ter um dínamo dentro de seus organismos. O processo de raciocínio de algumas pessoas é extremamente rápido, enquanto outras são agraciadas com a capacidade de fazer análises profundas e pesquisas que exigem muita paciência. Nestes exemplos muito simples vemos que cada indivíduo possui seu ritmo personalizado, uma das tantas coisas que nos tornam únicos e diferentes uns dos outros.

Pelo mesmo motivo cada pessoa também possui sua Hora de Poder personalizada no decorrer de um ciclo diário. Toda pessoa sente mais conexão com determinada hora do dia ou da noite. Para alguns, isto ocorre logo antes do amanhecer, naqueles momentos em que o mundo ainda está calmo e silencioso e as sombras da noite vão empalidecendo, começando a abrir caminho para a chegada do Avô Sol. Para outros, pode ser entre 3 e 4 da madrugada, naquela hora tranquila e sem agitação em que se torna tão mais fácil Entrar no Silêncio. Para algumas pessoas, a Hora do Poder pode se dar em torno do meio-dia, no momento em que o Avô Sol está no seu apogeu, derramando seu calor e seu carinho sobre toda a sua Criação. Para outras, ainda, o momento pessoal é o do pôr do sol: a transição do dia para o milagre estrelado da noite. Porém, para todas as pessoas, a sua hora especial do dia ou da noite corresponde à sua Hora de Poder.

Mais uma vez devemos examinar o significado do poder. Quando você se sente poderoso, você também se sente feliz, cheio de coragem, de valentia, pronto para encarar a vida de braços abertos, cheio de vitalidade, apto a colocar em prática todos os seus talentos, conectado a todas as formas de vida e harmonizado com tudo aquilo que você é, ou deve ser, neste momento. Todos estes aspectos representam diferentes facetas da Totalidade. O verdadeiro poder nada mais é do que o reconhecimento e o uso adequado de todos os nossos próprios aspectos, dons e habilidades.

Se você quiser descobrir a sua Hora de Poder, comece a reparar em que hora do dia você se sente melhor, e em que hora se sente mais fraco. Em geral, estes dois momentos possuem doze horas de diferença entre si, ou seja, são exatamente opostos. Estes dois momentos correspondem ao seu ciclo interno. Por exemplo, aqueles que se sentem melhor às 3 da madrugada sofrerão, normalmente, uma baixa em seu ciclo de energia às 3 da tarde. Caso você nunca tenha estado acordado às 3 horas da madrugada, não pode ter ideia de como se sente neste momento. Todos nós possuímos aquele relógio interno, que nos gratifica com uma onda de energia e vigor quando nos conectamos com a Terra na hora do apogeu de nosso ciclo pessoal. Quando nos desligamos dos nossos próprios corpos, ou perdemos contato com a Mãe Terra que os criou, acabamos perdendo o sentido de ritmo interno. E quando não possuímos este ritmo interno, acabamos por perder a nossa harmonia e o nosso equilíbrio na vida.

Eu aprendi a dar valor a este ciclo interno na época em que vivi no México. Joaquin era um perito em me ensinar a localizar e tocar aqueles lugares que me faziam sentir como se estivesse conectada e eletrificada. Um dia, ele me fez sentar à sombra de um Jacarandá e me recomendou que ficasse ali, em silêncio total, por doze horas. Joaquin sabia que minha Hora de Poder deveria ficar perto do anoitecer, já que o início da minha Busca de Visão havia se dado por volta de meia-noite. Por isto, comecei me sentando à sombra da árvore às duas da tarde. A recomendação era que eu ficasse observando a pulsação do meu corpo e sentindo como ele se harmonizava com a batida do coração da Mãe Terra. Naquela época eu ainda não sabia que o nosso planeta também possui uma pulsação.

Depois de mais ou menos uma hora, comecei a sentir o pulsar da Mãe Terra, e as ondas de energia que dela emanavam, acabando por sentir, também, como se refletiam ou penetravam no meu corpo.

Pouco antes do pôr do sol, as colinas de San Luis transformaram-se na ondulante sensualidade de compridas sombras, matizadas por luzes lilases, com reflexos cor de laranja e dourados. As colinas e montanhas, de encontro ao horizonte, me revelavam as curvas graciosamente femininas da Mãe Terra. Tive a impressão de que ela estava se esticando, se alongando, despedindo-se suavemente das atividades daquele dia. Foi neste momento que senti o ponto inicial da minha Hora de Poder, à medida que o cair da noite se cobria com uma manta de cores pastéis e o mundo se acalmava. Era como se o dia passasse o bastão para a noite, fazendo a energia da pulsação da Terra transformar-se totalmente.

Comecei a sentir que a minha própria energia se tornava mais vibrante e que a minha força vital interna entrava em sintonia com as pulsações da Mãe Terra. As flores de jacarandá perfumavam a brisa suave que soprava no meio do silêncio, e foi na paz daquele momento que o dia acabou cedendo seu lugar à noite. As flores de cor azul-violeta combinavam com os tons do céu, e meus olhos se transportaram para a linha do horizonte, que sustentava graciosamente os últimos raios da luz do Avô Sol. Eu consegui sentir aquela luz refletida em meu próprio Centro, enquanto um novo tipo de pulsação chegava, proveniente da Mãe Terra. A nova pulsação não era tão direta quanto a pulsação do dia, mas sua força residia em ser mais feminina e sensual. Meu corpo começou a se sentir magnetizado pelas cores do crepúsculo, enquanto recebia toda a energia e a eletricidade desta nova força noturna.

Eu sentia o meu próprio corpo tão energizado, e o meu ritmo interno tão acelerado, que não tive a menor dúvida de que havia encontrado a minha Hora de Poder. Senti perfeitamente a energia sendo acumulada, como se o meu corpo estivesse sendo preparado para alguma grande aventura. Eu sempre soube que durante a noite eu trabalhava muito melhor, e mais criativamente, mas só naquele momento é que fui entender a razão disto.

É muito importante Entrar no Silêncio, e sentir, a cada dia, a Hora de Poder, para que ela consiga permear e nutrir o corpo, o coração, a mente e o espírito. Existe um ponto zero de equilíbrio, que é a pausa existente entre a inspiração e a expiração do nosso corpo físico. Trata-se de um espaço perfeitamente neutro, cuja função é preparar o nascimento de uma nova fase de Criação. Os nossos espíritos são provenientes do Vento, que corresponde à nossa respiração. Durante o ponto zero, o espírito faz uma pausa, para que o nosso ritmo interno possa mudar de marcha. O espírito se aproveita deste intervalo para alimentar o corpo com doses renovadas de alegria, vigor e animação.

A Hora de Poder corresponde a um ritual de alegria. É a hora do dia em que cada indivíduo é preenchido pela essência da vida e se sente conectado a toda a Criação. É um momento solitário, durante o qual se invoca um fluxo de energia vital, o qual deverá alimentar a pessoa com o mais puro Maná criado pelo Grande Mistério, a própria força de vida. A alegria que lhe será concedida neste período de tempo poderá ser empregada, como fator de Cura, em qualquer outra hora do dia, sempre que houver necessidade. Para invocar esta Cura da Hora de Poder, basta fechar os olhos, começar a respirar no ritmo da batida do coração da Mãe Terra e recriar o mesmo sentimento de alegria através da memória. Lembre-se de como você se sentiu durante a sua Hora de Poder, plante firmemente os dois pés na Mãe Terra, e enquanto começa a respirar conscientemente, em pura alegria, sinta-a subir pelas solas de seus pés, vinda do centro do coração da Mãe Terra. Este momento de pura religação com a Terra lhe trará muita firmeza e lhe permitirá enfrentar qualquer tempestade.

Devido à falta de ligação com a Terra nos grandes centros urbanos, muitas pessoas se desconectaram de seus ritmos pessoais. A Hora de Poder não tem nenhuma relação com sua hora de nascimento; ela corresponde a um ritmo interno. A mudança de estrutura física provocada por uma cirurgia, um trauma ou choque podem modificar o seu ritmo interno, porque a conexão com as batidas do coração da Mãe Terra foi interrompida. Se a pessoa, nestes momentos, ficasse ligada com a Mãe Terra e permitisse que seu corpo fosse curado através desta ligação, não haveria qualquer mudança em seu ritmo interno. Sempre que houver uma fase de crescimento de mudança de nível de consciência ou uma cura pessoal, poderá haver uma mudança na Hora de Poder. Estamos constantemente evoluindo, e nosso ritmo interno também será regulado de acordo com o novo crescimento. A Hora de Poder original do nosso organismo poderá passar a ter um novo ritmo ou um tempo diferente devido ao nosso novo estado de saúde.

## Aplicação

A Hora de Poder fala de Rituais de Alegria. Não importa qual é a sua situação atual; você agora está sendo instado a fazer tudo aquilo que trouxer alegria a seu coração. Abandone qualquer atividade que esteja exigindo demais de você e fique concentrado em sua ligação com a Terra, que poderá supri-lo com toda a energia de que você precisa para continuar sendo feliz.

Esta carta assinala o ponto zero de equilíbrio, que o manterá num perene estado de alegria, desde que você volte a realinhar corpo, mente e espírito, realizando alguma coisa que lhe dê prazer e alegria. Esta pausa de felicidade pode até ser breve, mas servirá como um fator de equilíbrio nos momentos de cansaço e tensão.

A força vital está à sua disposição neste momento. Esteja bem consciente desta fonte perene de energia, e não desperdice este precioso Maná com seus lamentos e indecisões. A palavra-chave desta carta é "celebração". Celebração da Vida! Procure as atividades que lhe dão mais alegria, descubra qual é a sua Hora de Poder e alimente os talentos que lhe permitam desenvolver todo o seu potencial. Esta é a sua Hora!

# CERIMÔNIA DA DOAÇÃO

Olá, Filho da Terra! Conheces o segredo
  Da Doação?

Quanto mais distribuíres, mais receberás,
  Pois assim é a natureza.

Olá, Filho da Terra! Acreditas
  Em colher o que semeaste?

Uma gota de sabedoria trará a verdade
  E tu em verdade conhecerás.

# 43
# CERIMÔNIA DA DOAÇÃO
## Liberação

**Ensinamento**

Uma das mais importantes Cerimônias da Tradição Nativa Americana é a da Doação, ou Potlatch. Esse ritual consiste em livrar-se de objetos úteis, que ainda são caros a seus donos, repartindo-os com outras pessoas. O ato da doação também simboliza que o doador está pronto a fazer um sacrifício e abrir mão de um objeto que lhe é caro, sem maiores apegos ou arrependimentos. Para os Nativos Americanos, a ideia original de sacrifício englobava o conceito de "tornar sagrado". Para tornar qualquer ato ou objeto sagrado, é necessário realizar a doação numa atitude de humildade e com o coração cheio de alegria. O ato de doar em si representa apenas uma etapa do processo; o mais importante é que o doador olhe para dentro de si mesmo tentando avaliar o potencial de crescimento associado àquele ato de entrega.

Há muitos anos, entre os índios Tlingit, do noroeste do país, o Clã do Corvo e o Clã da Águia realizavam cerimônias de Potlatch. Estes dois clãs tentavam reunir tudo aquilo que lhes fosse possível para distribuir entre os mais necessitados. Cada vez que o Potlatch se realizava, o Clã doador distribuía uma quantidade de objetos maior do que aquela que havia recebido no Potlatch anterior, para demonstrar toda a sua gratidão. No entanto, o governo dos Estados Unidos pôs um fim a este ritual por volta do ano de 1900. O governo acreditava que os Potlatches prejudicavam os nativos porque eles doavam coisas demais. Os agentes do governo não conseguiam entender que pessoas aparentemente tão pobres pudessem pegar as poucas coisas que possuíam e doá-las a outras, e seguir vivendo com quase nada. Esses agentes achavam que a Cerimônia do Potlatch era uma espécie de competição que acabava deixando todo o povo pobre e humilhado. Isto, porém, estava muito longe de ser verdade.

    Segundo a nossa Tradição Nativa, ninguém jamais fica abandonado, é deixado na orfandade, ou é deixado na miséria, sem comida, abrigo ou ajuda. O Povo Nativo acredita que quando alguém partilha tudo aquilo que possui para que o resto do Povo possa sobreviver, ele será cumulado com honrarias e prosperidade. Os índios, muitas vezes, se agrupam em famílias numerosas porque os seus membros adotam parentes mais necessitados e uns ficam cuidando dos outros. Aqueles que foram abençoados com abundância de bens e de alimentos costumam partilhá-los com os membros da Tribo que possuem menos recursos. A Roda da Vida pode dar outra volta amanhã mesmo, e aqueles que hoje necessitam de ajuda podem vir a ser abençoados com uma fartura de bens materiais, para poder, por sua vez, começar a reparti-los com os outros.

    O objetivo da Cerimônia da Doação é ressaltar o valor da partilha. Durante esta cerimônia o Povo aprende a libertar-se de seus bens materiais e é levado a compreender que a quantidade de posses materiais não torna, por si só, um indivíduo mais importante do que o outro. Quanto mais a pessoa valorizava as suas posses e o seu sentido de propriedade, mais profunda se tornava a lição recebida. A cerimônia da Doação jamais é usada para que alguém possa se livrar de pertences que não tenham mais utilidade ou que necessitem de conserto. Há presentes que são confeccionados especialmente para a ocasião. Se alguém resolve doar objetos estragados acaba se desmoralizando perante toda a Tribo, já que esta atitude denota profunda falta de respeito pela pessoa que deverá recebê-los.

    Quando não se realizam as doações com o mais total desapego, não se cumpre o lado sagrado da cerimônia, que consiste em dar sem esperar recompensas de volta, para poder alcançar a verdadeira liberação. Antes da invasão da Ilha da Tartaruga pelo Olhos Brancos, os Nativos não sabiam o que era ter inveja nem cobiça em relação aos bens alheios. Entre as Tribos da América Nativa, quando uma única pessoa não recebia os devidos cuidados, todo o Povo ficava desmoralizado. Não se justificava jamais que alguém pudesse viver em meio ao luxo enquanto outros, da mesma Tribo, passavam necessidades.

Em nossa Tradição Nativa original, o ato de dar um presente nunca parte de uma mera obrigação, assim como jamais se dá um presente com o intuito de manipular uma outra pessoa. O conceito de doar algo por obrigação foi introduzido entre os Nativos pelo Povo dos Barcos, e era baseado no pensamento europeu de que se alguém ofertava um presente sempre esperava alguma coisa em troca. Acontece que neste tipo de Doação não existe uma verdadeira Entrega ou Liberação. Quando uma pessoa ainda é fortemente apegada a seus bens materiais, fica esperando favores em troca de suas doações. Nós, da Raça Vermelha, temos consciência de que o ato de doar constitui uma forma de liberar o espírito do Povo do apego ao mundo físico. Libertando-nos de bens materiais que amamos muito, estaremos criando um novo canal de abundância e prosperidade em nossas vidas.

Os Duas-Pernas das diversas regiões do Planeta possuem diferentes formas de avaliar a riqueza. Dentro da Tradição Nativa, um dos meios usados para se medir a riqueza de uma pessoa é observar a sua predisposição a ajudar os outros. Uma pessoa que desenvolve seus talentos e emprega-os para ajudar os mais necessitados é bem diferente das pessoas que só buscam a autossatisfação. Este tipo de indivíduo torna-se um líder em potencial dentro de sua Tribo. O desprendimento é um sinal de que o indivíduo é capaz de se manter distanciado dos apegos do mundo físico. Em geral, esse tipo de pessoa apresenta-se muito evoluído espiritualmente, representando a pura Tradição de Cura de nossos Ancestrais.

O conceito de doação indígena resultou de um mal-entendido quando uma Pessoa do Barco recebeu uma Doação e o Índio que deu o presente mais tarde tratou de reavê-lo. Este hábito de retomar um presente tem sua razão de ser. Se um objeto é dado a alguém que não vai utilizá-lo, o doador tem o direito de pedi-lo de volta e repassá-lo a outra pessoa, que fará melhor uso daquele objeto. Qualquer substância em nosso mundo tem um papel na Criação. Nós, os Duas-Pernas, possuímos a capacidade de ajudar cada partícula da Criação a evoluir, honrando as missões específicas de cada uma delas e permitindo que elas sejam devidamente utilizadas.

Se uma panela de barro está numa prateleira e nunca é utilizada, a missão sagrada desta panela não está sendo honrada devidamente. Por isto, a panela deve ser repassada para alguém que lhe dê oportunidade de cumprir sua missão de serviço. Quando algum objeto é criado por mãos humanas, a Magia do criador passa para o objeto criado. Se alguém destrói este objeto por puro capricho, estará desonrando a Magia do seu criador, além de impedir que sua missão de serviço seja cumprida. Os Ancestrais explicam que toda vez que um objeto é quebrado por descuido humano, o espírito deste objeto também morre junto com ele. Toda vez que se critica, se quebra ou se faz zombarias de algum objeto que outra pessoa tenha criado, está se desonrando o Ser mais íntimo dessa pessoa. A ideia de que qualquer presente recebido deve ser utilizado em todo o seu potencial tem permeado a Raça Vermelha há muitos séculos. Desta maneira, todos manifestam o seu reconhecimento pelos presentes que o Grande Mistério oferece através do Campo da Fartura, e aprendem a não acumular mais do que cada um consegue utilizar.

Os ensinamentos contidos nos rituais de Doação são essenciais ao entendimento dos Nativos. Muitas lições construtivas podem ser assimiladas toda vez que alguém tem a oportunidade de partilhar seus bens materiais e consegue encarar de frente os sentimentos que afloram no momento da Doação. Se neste momento conseguirmos nos sentir totalmente desapegados, e nos libertarmos do arrependimento que às vezes sentimos depois, conseguiremos libertar nossos espíritos, permitindo que eles alcem voo e alcancem alturas que estão muito além da limitada compreensão do nosso antigo ser.

### Aplicação

A carta da Doação fala da liberação que nos chega pelo desapego aos bens materiais. Fique atento para não se deixar prender pelo passado, mantendo-se atado a um estado de coisas que já não lhe serve mais. Este pode ser o momento certo para libertar-se de antigas ideias, de velhos hábitos, de relacionamentos vazios, ou, ainda, dos objetos obsoletos em sua vida. É hora também de tentar se livrar de velhas atitudes como a necessidade de ser amado, de ser apreciado, ou de se sentir indispensável em determinadas situações.

Você está sendo chamado a partilhar tudo aquilo que puder, a doar alguma coisa sua que possa ajudar outras pessoas, e a abrir mão de alguns dos seus bens mais preciosos. Não seja tão apegado! Quando você insiste em controlar tudo que está a seu redor, o fluxo natural da vida fica interrompido. É o seu momento de soltar, de liberar, de abrir mão...

Em todos os casos, a carta da Doação recomenda que nos libertemos de qualquer laço que nos torne prisioneiros de tudo aquilo que conseguimos acumular anteriormente. Só assim conseguiremos abrir nossas asas e voar. Lembre-se sempre de que a generosidade é uma virtude e um talento que só se manifestam quando deixamos de nos preocupar com o futuro e com o nosso próprio sustento, e entregamos nossas vidas nas mãos do Grande Mistério.

# ESPAÇO SAGRADO

Grande Mistério, ensina-me a honrar
    As leis do Espaço Sagrado,
    Os costumes e Tradições
    De todas os credos e raças.
Grande Mistério, ensina-me a desenvolver
    Os talentos que possuo
    E a me comportar com respeito
    Na casa dos outros.
Grande Mistério, ensina a criança que há em mim
    A aceitar com graça
    A parte do Mistério Sagrado
    Encontrada em todos os espaços.

# 44
## ESPAÇO SAGRADO
## Respeito

---

**Ensinamento**

A ideia de Espaço Sagrado tem permeado e fundamentado a filosofia Nativa Americana através dos tempos. Nós respeitamos e honramos a Roda da Vida e os Ciclos Vitais de cada uma das tantas formas de vida manifestadas. Cada forma de vida, seja ela uma Pessoa de Pedra, uma Pessoa-Nuvem ou uma Pessoa-em-Pé, tem um espaço que merece respeito. Cada uma das Criaturas-Animais existentes possui o seu próprio território e respeita o território dos outros animais. Os Duas-Pernas também possuem o seu espaço pessoal, o qual, quando é respeitado assim como deve ser, transforma-se em um Espaço Sagrado.

A natureza nos ensina a nos conhecermos da maneira mais pura possível. Se soubermos escutar e observar a natureza, perceberemos que todas as lições necessárias para o viver humano nos podem ser transmitidas pelos animais, pelas mudanças no ritmo do vento, pelo Pai Céu, pela Mãe Terra e por Todos os Nossos Parentes. Cada aspecto do nosso mundo manifestado possui seu espaço próprio para poder se desenvolver criativamente. Se este espaço for respeitado pelos outros, todos conseguirão viver juntos e crescer em harmonia.

Por exemplo, na floresta cada Pessoa-em-Pé é semeada naturalmente pelo Vento. Muitas árvores crescem juntas até que uma delas se torna maior e mais forte, necessitando de mais espaço para se expandir. As outras respeitarão naturalmente o espaço daquela que tem maior chance de amadurecer e semear outras da mesma espécie. As mais fracas às vezes tombam e usam seus corpos para fertilizar a mais forte. Quando estas Pessoas-em-Pé eram mais novas, protegiam umas às outras. Mais tarde, prestaram serviço à Tribo das Árvores como um todo, permitindo que a árvore mais forte sobrevivesse. Este é um ato de amor incondicional. O espírito de cada Pessoa-em-Pé que contribui para a sobrevivência da árvore mais forte continua vivo no seio da floresta, mesmo que seu tronco, seus galhos e raízes já tenham mudado de forma. Seu corpo material decomposto prestou um grande serviço, permitindo que o espírito desta Pessoa-em-Pé crescesse e evoluísse.

Outras criaturas do reino animal também respeitam o Espaço Sagrado. Muitas demarcam o perímetro de seu território com a própria urina. Os animais não invadirão os limites pertinentes a outro animal, a não ser que estejam procurando comida em época de escassez. Se houver bastante comida na região, até mesmo um Duas-Pernas pode demarcar o espaço de seu acampamento com urina e será respeitado. Não há motivo para um animal invadir o espaço do outro, a não ser que esteja caçando ou sendo atacado.

Na espécie humana, o conceito de Espaço Sagrado vai além dos limites físicos, englobando também nossas habitações, pertences e sentimentos. Nós, os Duas-Pernas, podemos nos sentir invadidos se o nosso carro ou a nossa casa forem arrombados. É claro que também nos sentimos invadidos quando nossos corpos sofrem alguma violência, mas não há razão para nos sentirmos magoados se uma pessoa expressa ideias ou opiniões diferentes das nossas. Quando uma outra pessoa expressa o seu Ponto de Vista, e o nosso conhecimento interno nos diz: "Esta ideia não combina com os meus conhecimentos mais íntimos", não existe a menor necessidade de começarmos a nos defender ou justificar.

O conceito de Espaço Sagrado não é somente uma crença filosófica e teórica entre os Nativos Americanos. Desde a mais tenra infância as crianças indígenas aprendem a ouvir e a respeitar as palavras dos outros, especialmente dos seus Anciões. As crianças aprendem a valorizar os seus pertences pessoais, e ninguém mexe em suas coisas sem pedir permissão. Em consequência deste exemplo, as crianças também não mexem nos objetos alheios sem pedir licença. Os adultos permitem que as crianças tenham suas próprias ideias, seus pertences, suas áreas de trabalho e de brincadeiras, assim como seus próprios direitos, que sempre devem ser respeitados. O fato de uma criança ainda ser pequena não justifica que o seu Espaço Sagrado não seja respeitado. Uma criança que aprende as ideias do Espaço Sagrado através do exemplo crescerá sabendo respeitar as ideias, os pertences, os corpos e lares dos outros.

Esta prática de inculcar o respeito através da educação leva os seres humanos a compreender que as outras formas de vida também possuem o seu próprio Espaço Sagrado e que têm uma missão individual a cumprir nesta sua Caminhada sobre a Terra. Um Xamã Nativo Tradicional jamais ousaria atravessar uma floresta sem antes pedir permissão ao Chefe das Pessoas-em-Pé e às Criaturas que ali vivem. O Xamã realiza uma oferta em Tabaco, e caso não receba a permissão solicitada, sabe honrar e respeitar esta decisão.

Como os Duas-Pernas podem ser tão convencidos a ponto de acreditar que os humanos são os únicos seres criados pelo Grande Mistério que possuem o seu Espaço Sagrado? Será possível que o Heyokah, o Trickster, parte do Grande Mistério, tenha pregado uma peça cósmica em todo o mundo? Porque será que somente os Duas-Pernas não entendem e respeitam o Espaço Sagrado? Será que todos os outros seres que vivem aqui – plantas, animais, pedras e nuvens – só foram criados para nos servir de guardiães até que despertemos? Às vezes, parece que sim. Se conseguíssemos rir da peça sem chorar, conseguiríamos fazer alguns progressos no que se refere ao amor-próprio e ao respeito pelos outros.

É importante definir as nossas fronteiras. Por exemplo, se recebemos um hóspede em casa e não lhe explicamos, desde o início, quais as regras que costumam reger o nosso lar, com toda certeza ficaremos zangados quando estas regras começarem a ser quebradas. Em geral, acabamos ficando com raiva de nós mesmos porque não explicamos ao hóspede qual era o comportamento que esperávamos dele.

O dano causado a uma criança quando seu Espaço Sagrado foi invadido numa idade ainda muito tenra pode levar uma vida inteira para ser sanado. Este dano pode ter como causas o abuso físico ou emocional, a destruição dos objetos da criança, a recusa a suas opiniões, o favoritismo dos pais por algum irmão, o desrespeito do direito da criança a escolher suas próprias roupas ou brinquedos, ou ainda a negligência ou repressão materna. Esses exemplos ensinam à criança que ninguém deve ser respeitado e, por sua vez, ela pode tornar-se autodestrutiva. Quando uma criança sente que o seu espaço, seus pertences e sua própria personalidade não são suficientemente respeitados, ela acaba transferindo este sentimento de frustração para suas futuras situações de vida.

As crianças indígenas muitas vezes são encorajadas a descobrir seu lugar favorito, um lugar que seja só seu e onde possam ficar sozinhas de vez em quando. Desta maneira, aprendem a fazer escolhas próprias, e a ter prazer na companhia do seu Ser interno. É claro que a criança também estará na companhia das criaturas da natureza e se sentirá muito mais ligada à Mãe Terra ao construir um abrigo ou uma casinha de brinquedo. As crianças amadurecem sempre que lhes permitimos desenvolver sua criatividade, imaginação, intuição e autoconfiança. Os pais da criança só irão conhecer este seu lugarzinho especial quando ela resolver convidá-los. Os adultos providenciam todos os materiais de que a criança necessita para fazer a construção e a orientam sobre como usar estes materiais, mas estimulam-na a usar a sua própria criatividade na construção do seu Espaço Sagrado. É muito importante que os pais elogiem o trabalho e não critiquem os esforços da criança.

Um dos elementos mais importantes para fazer as crianças entenderem o conceito de Espaço Sagrado é levá-las a desenvolver os seus talentos, levantando questões que lhes permitam chegar às suas próprias conclusões. Quando as crianças Nativas agem de forma tola, ou não conseguem chegar a alguma conclusão sozinhas, seus Avós podem simplesmente ignorá-las e falar como se elas não estivessem presentes. Pode-se ouvir, por exemplo, um Avô declarar: "Por que será que Garça Azul está fazendo questão de agir como um bobo? Vai ver que ele não está querendo ouvir suas próprias respostas." Aí a Avó pode responder: "Não, eu acho que ele foi picado por uma abelha bem grande, e ainda está com a cabeça zumbindo." A criança pode estar sentada logo ali, ao lado dos avós, mas vai continuar sendo tratada como se não chamasse a menor atenção. Esta situação pode estender-se por dias. Enquanto isto, a criança vai elaborando sua própria resposta às perguntas colocadas. Depois que encontra a resposta, através do seu próprio esforço, a criança é recompensada, tornando-se visível outra vez. Neste momento, ela se sente valorizada e realizada. Este tipo de lição também ensina a ter respeito pelos Avós, e a valorizar a sabedoria dos mais velhos.

Cada centímetro de nossa Mãe Terra é o lar de alguma forma de vida. Sempre que saímos de nosso próprio espaço tornamo-nos hóspedes de algum espaço alheio. Compartilhamos o ar, a comida, o solo, a água e a luz do sol com todos os seres vivos. Só temos uma Mãe Terra e é por sua Graça que recebemos a guarda dos nossos Espaços Sagrados sobre a Terra. Precisamos limpar primeiro os nossos Espaços Sagrados pessoais para aprendermos a ter respeito pelos outros. O momento é AGORA e o poder reside em compreender que todos os seres e todas as coisas existentes possuem o mesmo direito à vida.

## Aplicação

A carta do Espaço Sagrado sublinha o respeito que devemos ter pelos bens, as ideias, os lares e as personalidades dos outros. Isso se aplica ao respeito que devemos ter pelo nosso próprio ser interno. Demarque claramente o seu território. Respeite a você mesmo, para que os outros possam sentir o reflexo deste respeito em si próprios e para que tenham mais respeito ao lidar com você. Aprenda a dizer não!

O Espaço Sagrado significa que você considera o seu corpo, os seus sentimentos e as suas posses como objetos sagrados, e que não permitirá que outras pessoas abusem e se aproveitem deles. Só convide a entrar no seu Espaço Sagrado aquelas pessoas que demonstram merecer este direito e que se esforçam por respeitá-lo. Você é quem determina como as outras pessoas devem tratá-lo, pela maneira como trata a você mesmo.

Em todos os casos o respeito que você demonstra ter por você mesmo e por todas as formas de vida determina a sua maneira de se relacionar com toda a extensa família Planetária. Se permitir que os outros sejam destrutivos, de alguma maneira, dentro do seu próprio Espaço Sagrado, você está preocupado demais em se sentir querido. O importante não é que os outros gostem de você, mas sim que você se sinta capaz de conviver harmonicamente com você mesmo. A felicidade não começa pelo lado de fora. Ela brota de dentro.

# UMA SÓ FLECHA

A estrada à minha frente
É longa e estreita.
Só me restou uma flecha,
E meu velho cavalo
Mal se aguenta em pé.
Mas se for preciso
Voltar ao combate,
Arreio o cavalo,
Subo à sela,
Corajoso cavaleiro:
É hora de enfrentar
Minha última Batalha!

É hora de escalar
Montanhas escarpadas,
Buscando alcançar
Meus próprios limites.

É hora de nadar
Contra a corrente
Dos rios caudalosos
Que rugem em minh'alma.

É hora de enfrentar
Arenosos desertos,
Em busca do Oásis
De paz e de calma.

Mas a estrada à minha frente
Ainda é longa e estreita.
Só me restou uma flecha,
E meu velho cavalo
Mal se aguenta em pé.
Mas se for preciso
Voltar ao combate,

Arreio o cavalo,
Subo à sela,
Corajoso cavaleiro:
É hora de enfrentar
Minha última Batalha!

John York

# NOTA DA AUTORA

A fé e a confiança que permitem ao espírito humano prosseguir em seu processo de crescimento são qualidades perenes existentes no mais profundo do nosso Ser, e que podem ser constantemente descobertas e redescobertas. Assim como o Pássaro da Água Sagrada, que mergulha dentro do seu próprio reflexo na água, para alcançar a rachadura do Universo e se tornar um novo Ser, cada um de nós recebe a oportunidade de passar por momentos de total transformação, inúmeras vezes em nossa vida. Esta é uma decisão que cabe somente a nós mesmos. Teremos a coragem de mergulhar no Vazio onde vive o Futuro, ou esqueceremos que temos tantas alternativas quanto nos permite a nossa Criatividade?

Meu amigo John York, integrante dos Byrds, é um brilhante compositor. Uma canção de sua autoria chamada "Uma só Flecha" tocou meu coração de maneira muito especial. Ele escreveu esta canção em um momento de profunda transição em sua vida. Suas palavras me insuflaram a coragem de continuar quando eu achava que estava fraca demais para prosseguir. Eu senti vontade de partilhar estas palavras com vocês porque sinto que elas transmitem o espírito dos nossos Ancestrais. Eles cavalgaram o Vento e conseguiram fazer com que sua Sabedoria chegasse até nós através de tempos árduos e difíceis, para que estes Ensinamentos pudessem viver para sempre!

Impressão e Acabamento:
EDITORA JPA LTDA.